# Tramways, bombes *et caramel*

**Catalogage avant publication de Bibliothèque et Archives nationales du Québec et Bibliothèque et Archives Canada**

Carthy Corbin, Francine, 1942-
Tramways, bombes et caramel
Sommaire : t. 2. Les années de l'espoir
ISBN 978-2-89585-549-1 (vol. 2)
I. Carthy Corbin, Francine, 1942- . Années de l'espoir. II. Titre.
PS8605. A866T72 2015 C843'.6 C2014-942741-7
PS9605.A866T72 2015


Image de couverture : Shutterstock, R_lion_O

Les Éditeurs réunis bénéficient du soutien financier de la SODEC et du Programme de crédits d'impôt du gouvernement du Québec.

Nous remercions le Conseil des Arts du Canada de l'aide accordée à notre programme de publication.

Édition :
LES ÉDITEURS RÉUNIS
www.lesediteursreunis.com

Distribution au Canada :
PROLOGUE
www.prologue.ca

Distribution en Europe :
DNM
www.librairieduquebec.fr

*Suivez Les Éditeurs réunis sur Facebook.*

Imprimé au Canada
Dépôt légal : 2015
Bibliothèque et Archives nationales du Québec
Bibliothèque nationale du Canada
Bibliothèque nationale de France

FRANCINE CARTHY CORBIN

# Tramways, bombes et caramel

★★

## LES ANNÉES DE L'ESPOIR

LES ÉDITEURS RÉUNIS

*À la mémoire de ma grande sœur Jocelyne,*
*qui m'a soutenue alors que* Tramways, bombes et caramel
*n'était qu'au stade de balbutiements.*
*J'aurais souhaité lui offrir de son vivant ce premier roman.*

*À mon époux Conrad, soutien de tous les instants.*

*À mon indispensable sœur Sylvie,*
*qui a lu les premières pages de mon manuscrit*
*et m'a convaincue de poursuivre le projet.*

*À mes enfants : Pierre, Nathalie, Éric et Isabelle Boutet.*
*Et aux enfants de ma vie : Martin, Christine et Dominique Johnson.*

*Puis au reste de la famille : Charles, Caroline, Antoine, Ophélie, Miriam et Léah,*
*ainsi que Maxime, Marie, Antoine, Laurent, Marc-Antoine et Charles.*

# Chapitre 1

Le 26 décembre 1940, à sept heures du matin, Joseph empoigna son porte-documents contenant le bloc-note sur lequel il avait inscrit des idées ainsi que des questions à poser aux intervenants du comité d'enquête qu'il allait présider. Couchées sur des feuilles de papier lignées, d'autres interrogations étaient encerclées ou soulignées. Le grand patron de l'entreprise et inventeur des souffleuses à neige, Arthur Sicard, avait créé ce comité afin de faire toute la lumière sur la mort atroce du jeune Pierre Masson, dix ans, happé par une souffleuse. Joseph se rendait à pied au bureau de la compagnie où se tiendrait la réunion. La circulation était réduite, les passants, rares, et les rues, encore silencieuses. Joseph aimait ce froid grisant qui le revigora. Les mains gantées, une écharpe de laine à carreaux rouge et bleu nouée autour du col relevé de son long manteau en gabardine marine, son Stetson de feutre calé sur la tête et laissant bien à découvert ses yeux bleus perçants, il marchait allègrement. Son souffle était léger, non pas en raison du froid pénétrant, mais à cause de l'angoisse qui s'emparait de tout son être.

Durant la courte distance à parcourir entre l'appartement où il logeait avec sa jeune épouse et l'entreprise Sicard, Joseph cogita. Il pensait à cette belle femme qu'il avait mariée au mois de septembre et qui attendait un enfant de lui, leur fils, espérait-il. En juin de l'année précédente, l'amour avait frappé à sa porte, il avait ouvert grand les yeux, car il était préparé à le recevoir. Il avait été ébloui lorsqu'il avait vu une lumière vive jaillir de cette adorable femme. Il était tombé amoureux de Carmel, cette belle ouvrière qu'il avait aperçue à la sortie de la manufacture John Ritchie Co., où elle travaillait. Leurs fréquentations avaient été ponctuées de séparations et de malentendus. Lui revenait aussi en tête leur séjour écourté à Québec où certains événements l'avaient frappé, entre autres le sort du jeune Gilbert, qui désirait revoir ses parents. Quelle tristesse ! Puis il y avait eu le vol du collier de tante Élise et le dénouement de cette affaire. Le fait le plus joyeux avait été l'annonce que Carmel et lui avaient faite à Eugénie et Arthur, les parents de Carmel, ainsi qu'aux membres de sa famille, de la venue de leur enfant.

Un itinérant loqueteux, sans âge, le bouscula en tendant la main. Il lui quémanda, d'une voix chevrotante :

— La charité pour l'amour du bon Dieu.

Tout en fouillant dans ses poches, Joseph se rendit compte de la chance qui lui avait souri. En effet, dès l'obtention de son diplôme en ingénierie, il n'avait cessé d'être reconnaissant envers Arthur Sicard, cet homme qui lui avait offert un emploi au sein de son entreprise.

Il retira de sa poche la monnaie qu'il lui restait et la déposa dans la main du mendiant emmitouflée dans plusieurs épaisseurs de mitaines trouées.

Une prise de conscience s'infiltra en lui ; il évalua sa propre situation financière assez reluisante malgré la guerre qui sévissait en Europe et ses répercussions négatives sur le monde entier. Puis, dans un autre ordre d'idées, il se dit tout à coup qu'il devrait être plus indulgent et compréhensif à l'avenir envers son père. Il regrettait de ne pas avoir été très gentil avec lui lors de sa dernière visite, car il se demandait encore comment George James avait pu épouser Emma quelque temps seulement après le décès de sa chère mère, Minny, qui avait quitté ce monde après une trop longue maladie. L'homme n'avait effectivement pas tardé à mettre la bague au doigt de cette veuve, mère de quatre enfants. Carmel lui avait fait remarquer que son père semblait très heureux avec sa deuxième épouse, une femme au caractère bien trempé et attentionné. Après réflexion, il travaillerait à s'amender.

Son retour précipité à Montréal à la suite du terrible accident qui avait fauché la vie du petit garçon avait donné à Joseph l'occasion et le temps de penser à son avenir. Il était impératif qu'il excelle au sein du comité, mais comment en estimer la réelle mesure ? Il était trop tôt pour s'inquiéter. Son leitmotiv était toujours le même : jamais plus un tel accident ne devait se reproduire.

Le nez en l'air, il avait atteint en une quinzaine de minutes le grand vestibule de l'entreprise. Un homme leva des yeux interrogateurs vers lui et se dit que celui qui venait d'entrer chez Sicard en cette journée de congé devait être un des membres du comité, dont il avait la liste sous les yeux. Le gardien, en remplacement pour la période des fêtes, interpella le visiteur :

— Je peux vous aider, monsieur ?

— Je suis Joseph Courtin, je me rends au bureau de la direction.

Le gardien consulta la courte liste, y laissa glisser les doigts, immobilisant son index vis-à-vis du nom de Courtin.

— Joseph Courtin, vous avez dit ?

Joseph commençait à s'impatienter, il n'y avait pourtant pas affluence si tôt en ce matin de congé.

— Oui, c'est cela.

Il piétinait, il consulta sa montre, il était sept heures dix-sept minutes. La réunion devait débuter à sept heures trente et il avait encore besoin de temps pour peaufiner ses notes.

Le gardien lui fit signe d'entrer. Un déclic confirma son geste. Joseph, soulagé, ouvrit la grande porte et se dirigea promptement vers la salle de réunion attenante au bureau de son employeur. Cela lui fit tout drôle d'entrer dans cette pièce. Sa formation lui permettait l'exercice de sa profession dans le domaine de l'ingénierie, dans la mise en marché et dans l'entretien des véhicules lourds, mais c'était son baptême à la tête d'un comité, et pas n'importe lequel. Il était flatté que son patron l'ait désigné pour présider cet important comité. Il allait s'y lancer à corps perdu.

Il constata qu'il était le premier arrivé. Son regard se fixa sur le mur où était suspendu l'encadrement d'une photo en couleur de la première souffleuse à neige inventée par Arthur Sicard. On pouvait y voir le châssis d'un camion à quatre roues motrices et une tête de souffleuse à deux cheminées. « Quel véhicule impressionnant et ingénieux ! » se dit-il. Ne sachant quelle place occuper, Joseph décida de s'installer au centre de la longue table de la salle de conférences. Il ouvrit sa mallette et en sortit des papiers qu'il étala devant lui. Il feuilletait nerveusement ses notes et les relisait avec soin. Il y ajoutait commentaires et remarques quand la porte s'ouvrit. Absorbé dans sa lecture, il ne leva pas tout de suite la tête. Ce fut lorsqu'il détourna enfin les yeux de sa paperasse qu'il vit Arthur Sicard debout devant lui, prêt à lui tendre la main. Se confondant en excuses, Joseph se leva et lui rendit la politesse.

— Bonjour, Joseph. Merci d'avoir accepté la présidence de ce comité.

Le grand patron avait l'habitude d'aller droit au but et ne se perdait pas en bavardages inutiles. Il était suivi de près par une jeune femme, carnet de notes en main. Joseph l'écouta sans l'interrompre.

— Comme je te l'ai expliqué au téléphone, mon but est qu'un accident de la sorte ne survienne plus jamais. Tu disposes de toute la latitude nécessaire pour élucider les circonstances de cette fâcheuse affaire avec les membres du comité. Je te demande de m'en faire un compte rendu, car je n'assisterai pas aux réunions. Je suis venu seulement vous souhaiter la bienvenue. Louise Lapointe, ma secrétaire, vous assistera. Il va sans dire que si tu désires me consulter, je serai à ta disposition. Je tiens à rétablir la bonne réputation de la compagnie. Si tes conclusions en venaient à nous reconnaître une part de responsabilité, nous en assumerions entièrement les conséquences. Avant tout, je privilégierai la famille éplorée, que nous soyons responsables ou pas. Quelle fin atroce !

Un grand et gros gaillard, endimanché pour l'occasion, fit son entrée. Joseph et son patron se tournèrent vers lui en le saluant. L'individu leur tendit maladroitement une main généreuse. C'était Claude, un mécanicien pour la voirie de la Ville. Entra, peu de temps après, un bonhomme élancé à la moustache épointée, vêtu comme une carte de mode. Il enleva son gant et présenta la main à Sicard ; c'était Jean Martin, l'échevin qui représentait la Ville de Montréal. Les deux hommes se connaissaient.

— Je vous souhaite le bonjour, cher monsieur Sicard.

Le ton était révérencieux, un peu exagéré selon Joseph. Jean Martin se tourna vers le mécanicien.

— Merci de vous joindre à nous, Claude, lui dit-il pompeusement.

Il se dirigea vers Joseph et lui tendit également la main en le fixant droit dans les yeux. En se présentant, il ressentait le besoin d'établir son statut d'élu municipal.

— Jean Martin, échevin à la Ville de Montréal.

L'homme parlait comme si c'était lui le président, ce qui agaça Joseph, insensible aux artifices. Le conseiller prenait trop de place selon sa première impression.

— Soyez le bienvenu chez nous, monsieur Martin.

Joseph se surprit lui-même à employer l'expression « chez nous », mais l'effet sembla ralentir les élans de conquérant de l'élu, qui lui répondit :

— Vous connaissez Claude, je présume, le représentant des mécaniciens de la Ville, c'est monsieur le maire et moi-même qui l'avons mandaté pour faire partie du comité.

Claude, un costaud à la mine débonnaire qui avait l'habitude de côtoyer les élus municipaux, ne se laissa pas intimider par ce « politicailleux ». Il salua tout d'abord Joseph, puis s'inclina lentement devant l'échevin.

Arthur Sicard consulta l'horloge suspendue au-dessus d'un meuble utilitaire placé le long du mur de la salle de réunion.

— Nous devrions commencer dans cinq minutes, nous n'attendons plus que Lucien Jobin, mécanicien de notre entreprise, ainsi qu'un représentant du Service de police. Son nom ne m'a pas encore été communiqué en raison du court délai de l'avis de convocation.

Sur ces entrefaites, Lucien Jobin fit une entrée timide, triturant nerveusement sa casquette entre ses grosses mains. Il consulta sa montre et dit :

— Bonjour, monsieur Sicard. Bonjour, tout le monde, je ne suis pas en retard, j'espère.

Le grand patron le rassura :

— Sois le bienvenu, Lucien, nous commencerons bientôt.

Quelques secondes plus tard, un homme mince, d'âge moyen, pénétra dans la salle, arborant avec panache l'uniforme de police de la Ville de Montréal. Le corps droit, les épaules hautes, sa casquette sous le bras, il fit un salut presque militaire et se présenta :

— Bonjour, je suis le sergent Patrick Harvey.

Arthur Sicard lui tendit la main.

— Merci d'avoir accepté de vous joindre à nous, sergent Harvey.

Le patron se dirigea vers le bout de la table, déplaça la chaise qui se trouvait devant et demeura debout en se frottant les mains. Après avoir jeté un regard circulaire sur l'assemblée, il s'adressa aux membres du comité.

— Messieurs, je vous en prie, veuillez prendre place, nous débutons à l'instant.

Tous les yeux se tournèrent vers cet homme adulé. Sicard fit un signe à Joseph en lui indiquant d'occuper le siège à l'autre extrémité de la table. Louise Lapointe le suivit et déposa quelques feuilles de papier et un stylo devant chaque participant. Joseph se sentit flatté de se voir désigner la place principale, manifestement importante dans la hiérarchie du comité, et pour cause.

L'échevin Martin s'empressa de s'asseoir à la droite de Joseph, car il aimait se rapprocher des personnes détenant l'autorité. Comme par instinct, les deux mécaniciens s'assirent l'un près de l'autre. Le sergent Harvey prit un siège non loin d'eux. D'entrée de jeu, Sicard leur dit :

— Messieurs, je vous souhaite la bienvenue dans nos bureaux. Nous sommes tous au courant de l'accident survenu en début de soirée le 23 décembre et qui a enlevé la vie à un jeune garçon de dix ans, happé par l'une de nos souffleuses à neige, propriété de la Ville de Montréal. La raison d'être de ce comité est de définir et de comprendre les circonstances de ce terrible événement et de prendre les mesures nécessaires pour qu'un tel drame ne se répète pas.

Le ton était sincère, à n'en pas douter. Sicard évalua la réaction des participants avant de poursuivre :

— J'ai réuni ici des personnes qui, selon leurs compétences respectives, pourront faire la lumière sur toute cette affaire. Puisque la souffleuse impliquée dans l'accident a effectivement été fabriquée par Sicard, je crois de mon devoir d'agir ainsi.

Il fit une légère pause.

— Il faudra procéder à une étude objective et évaluer les aspects humains et techniques pour établir ce qui a entraîné la mort de cet enfant. Vous concevez sans doute que si c'était la mécanique qui était défectueuse, nous devrions nous attaquer sans délai à ce problème et le résoudre.

Il balaya son auditoire du regard avant d'enchaîner :

— Évidemment, une enquête policière est en cours. Nous y collaborerons étroitement. Joseph Courtin, notre ingénieur, représentera la compagnie Sicard et présidera le comité. Il possède les qualifications nécessaires pour assumer efficacement la responsabilité de ce mandat. Je tiens à l'en remercier. Je vous suis également reconnaissant d'avoir accepté mon invitation et de vous être déplacés, même un 26 décembre. Personnellement, je ne ferai pas partie du comité, car je ne peux être juge et partie dans cette affaire, les membres du comité se devant d'agir de façon impartiale. Joseph m'informera du déroulement de vos activités. Mme Lapointe, pour sa part, agira comme secrétaire. Je vous souhaite bonne chance à tous.

Joseph écoutait Arthur Sicard parler, non sans une certaine angoisse à peine dissimulée. Les participants se levèrent et le saluèrent sans poser de questions. Joseph invita les membres à se rasseoir après avoir remercié son patron de lui avoir accordé sa confiance. Puis, à son tour, il remercia les participants d'avoir accepté l'invitation de M. Sicard. Louise Lapointe plaça une tasse de café tiède devant chaque membre puis posa, au centre de la table, un plateau contenant un sucrier, un pichet de lait et des cuillères à café.

— Messieurs, nous allons prendre connaissance des renseignements et des rapports succincts que nous avons pu obtenir pour le moment. Étant donné que nous n'avons pas préparé d'ordre du jour, je vous suggère de faire le point sur l'événement pour que nous ayons tous en main l'information la plus complète possible. Dans un premier temps, nous allons faire un tour de table afin que chacun puisse se présenter et partager l'information qu'il possède.

Tous acquiescèrent. Après avoir décliné leur identité, ils se mirent à la tâche. L'échevin plaça devant lui des articles de journaux aux grands titres éloquents. Il avait déposé astucieusement, sur le dessus de sa pile, celui dont le titre était le plus fracassant : *Un enfant est mort après avoir été déchiqueté par une souffleuse à neige à Montréal.* Cela donnait des frissons. Diverses questions et hypothèses étaient soulevées dans cet article. On évoquait des problèmes mécaniques, notamment un mauvais fonctionnement des freins, une possibilité d'emballement du véhicule ou encore une erreur humaine.

Joseph prenait des notes, même si la secrétaire s'exécutait. Il tenait à faire un rapport des plus détaillés à son employeur. Son esprit débordait d'idées, mais il ne savait pas comment les organiser. Il invita le sergent à faire son rapport.

L'échevin l'interrompit, se leva théâtralement, une note exagérée d'affliction dans la voix.

— Permettez ! S'il vous plaît, Monsieur le Président !

Joseph, surpris, les sourcils froncés, lui fit signe de parler.

— Je propose que nous observions une minute de silence pour le repos de l'âme de cet enfant, le jeune Pierre Masson.

Joseph n'émit aucune objection. Il ne put qu'acquiescer à cette requête légitime. Il s'en voulut de ne pas y avoir pensé lui-même. Voilà qu'il se faisait déjà damer le pion par cet échevin. Une perspective déconcertante se profila dans son esprit. Tous se levèrent et s'inclinèrent dans un recueillement solennel.

Joseph prit une intonation plus ferme lorsqu'il enjoignit aux participants de se rasseoir et au sergent de prendre la parole. Il eut à peine le temps de terminer sa phrase que le conseiller le salua d'un geste gracieux en lui disant :

— Merci, très aimable à vous.

Flegmatique, le sergent Harvey lut à voix haute les pages du mince rapport de police qui venait à peine d'être rédigé. On en était à l'enquête préliminaire, mais des détails lugubres, tel le banc de neige recouvert d'ossements et d'éclaboussures rouges, firent sursauter les membres. Après avoir fait la lecture de la troisième page, le policier exhiba une photo troublante mettant en évidence des giclures de sang sur une neige immaculée. Le cliché semblait sortir d'un film d'horreur : la neige qui tombait du ciel avait été immortalisée sur la pellicule. Des taches rouges se démarquaient sur un fond blanc. Elles semblaient percer le décor comme une photo-choc en rouge et blanc.

On poussa des « Oh ! » de stupéfaction. La photo fit le tour de la table. Lorsqu'elle se retrouva devant Jean Martin, celui-ci la repoussa vers le centre du bout des doigts.

— C'est horrible, comment une telle chose a-t-elle été possible ? Cela n'aurait jamais dû arriver, c'est atroce. Seigneur, quelle abomination !

Joseph le ramena à plus de modération.

— Justement, messieurs, cela ne doit plus se reproduire, voilà pourquoi nous devons tenter de définir les causes de cet accident…

Joseph avait l'impression de se répéter, mais aucun autre mot ne lui vint à l'esprit. Il laissa sa phrase en suspens de crainte d'utiliser un qualificatif trop bouleversant. Il avait lui-même le cœur au bord des lèvres. Le désordre s'emparait des participants. Chacun formulait des commentaires et se posait à haute voix presque les mêmes questions. Joseph était sur le point de perdre le contrôle de l'assemblée. Il rappela les membres à l'ordre.

— Messieurs, messieurs, s'il vous plaît, essayons de ne pas parler tous en même temps.

Claude, le mécanicien de la Ville, s'exprima sans y avoir été invité.

— Il devait être petit, ce garçon, pour avoir été broyé de cette façon. Le rapport de police ne semble pas être en mesure d'affirmer avec certitude qu'il avait dix ans.

Patrick Harvey se sentit interpellé. Il n'avait lu que les premières pages du rapport. Il avait exhibé une seule photo, étant convaincu qu'elle valait mille mots. Il affirma :

— Tant que l'enquête du coroner ne sera pas terminée, c'est vrai que nous ne serons pas en mesure de le certifier. Mais avec les vêtements retrouvés sur le lieu de l'accident, même déchiquetés… La mère a confirmé qu'il s'agissait réellement de ceux de son fils. Une botte trouvée à proximité de l'accident lui appartenait. C'était en effet une botte d'enfant, son fils était âgé de dix ans, la pointure coïncidait.

— Doux Jésus ! s'exclama l'échevin, cette femme a dû identifier les vêtements de son fils !

Un silence lourd se fit. Chacun pouvait s'imaginer la situation traumatisante.

— Cela a dû être un vrai cauchemar pour cette pauvre femme, ajouta-t-il.

Joseph tenta de ne pas perdre son sang-froid. Il invita le sergent Harvey à poursuivre la lecture du rapport dans lequel était consignée la déposition des témoins.

Il s'exécuta sur un ton qu'il voulut détaché :

— « La mère de l'enfant, surprise de ne pas voir son fils revenir de chez son ami, avait commencé à s'inquiéter ; il neigeait abondamment. Elle lui avait téléphoné pour lui dire de rentrer à la maison et il lui avait répondu qu'il partait à l'instant. Une vingtaine de minutes plus tard, alors que Pierre n'était toujours pas rentré, elle rappela chez son copain. La mère de ce dernier lui confirma que le garçon avait quitté la maison depuis au moins quinze minutes. C'est à ce moment que la mère enfila son manteau et décida d'aller à sa rencontre. L'ami de son fils demeurait à une dizaine de maisons de chez eux, dans une rue perpendiculaire. Lorsqu'elle arriva à l'intersection des deux rues, elle aperçut une congestion de voitures. Elle crut d'abord à un accident de la route. Elle se rapprocha, vit une souffleuse immobilisée en bordure de la rue et un attroupement de curieux qui se formait rapidement. Tous les regards convergeaient vers la même direction. La physionomie et les traits de ces gens se faisaient plus précis à mesure qu'elle s'en approchait dans l'intention de demander ce qui se passait.

— C'est affreux, a dit un badaud. C'est affreux.

Elle dut s'avancer davantage pour mieux se rendre compte de ce qui les horrifiait de la sorte. La nuit commençait à tomber sur la ville. »

Patrick Harvey prit une gorgée d'eau, il avait la bouche sèche. Tous l'imitèrent. Ils avaient besoin de faire une pause, anticipant l'horreur inimaginable qui suivrait. Le sergent posa son verre sur la table et, après s'être raclé la gorge, demanda :

— Je poursuis ?

— Allez-y, l'invita Joseph pendant que cette scène envahissait ses pensées.

Après avoir expliqué aux membres que dans ce qui allait suivre étaient consignés les propos que la dame avait tenus aux policiers, le sergent Harvey continua la lecture de son rapport.

— « La dame a alors dit : "Mon Dieu, oh mon Dieu, ce n'est pas possible !" Une commotion secoua tout son corps. Son cœur se mit à battre au point de lui défoncer la poitrine. Un horrible doute lui traversa l'esprit. Sa vue se brouilla, elle fixa le banc de neige éclairé par le réverbère et les phares des automobiles immobilisées autour de la souffleuse. La neige était maculée de sang. La dame mit la main sur son cœur. À la vue du sang et des vêtements en lambeaux, elle faillit perdre connaissance. Sur le moment, son doute s'intensifia. Elle ne reconnut rien de son fils, mais la vue de cette scène horrible lui fit pousser un grand cri. Les badauds étaient épouvantés par ce spectacle. Les deux seuls policiers arrivés sur les lieux avaient du mal à procéder à leur inspection. Ils n'en croyaient pas leurs yeux. Les doutes de la mère du garçon s'installaient dans son esprit et lui glaçaient le sang. Son fils aurait pu se trouver exactement ici… "Ce n'est pas possible, ce ne peut être Pierre, mon enfant, Pierre ! Non ! Non !" Le hurlement, qui sortit de sa bouche, au moment où elle avait pressenti qu'il s'agissait des os broyés de son fils, pétrifia son entourage. Une femme, qui se tenait à ses côtés, tenta de la calmer.

— Madame, vous ne devriez pas rester à regarder si cela vous trouble à ce point.

La mère du garçon tremblait tellement que la passante s'inquiéta.

— Vous êtes malade ?

Elle tenta de la secouer, mais la pauvre femme se jeta dans la neige et y ramassa un morceau de vêtement, puis un autre, en criant comme une déchaînée :

— Pierre, Pierre ! Mon Pierrot !

Elle était accroupie comme un animal. Un des deux policiers s'approcha d'elle et la prit par le bras afin de la relever. Elle ne se rendit pas compte qu'on essayait de la soulever, elle criait de plus belle. L'autre policier vint à son tour vers cette dame toujours agenouillée, tenant dans ses mains des lambeaux de ce qui avait appartenu à un être humain. Les deux policiers prirent la femme chacun par le bras et tentèrent de faire en sorte qu'elle se ressaisisse. Elle devint lourde, elle ne se débattait plus, comme si son esprit s'était retiré de son corps.

— Elle a perdu connaissance, dit le policier à son confrère.

La foule s'était massée autour d'eux et formait une horde compacte. L'un des policiers cria :

— Éloignez-vous, éloignez-vous !

Les gens, figés de stupeur devant la scène de ce drame, ne bougèrent pas, comme hypnotisés par ce qui se passait sous leurs yeux.

La femme, que les deux policiers tenaient sous les bras et dont les jambes traînaient dans la neige comme celles d'une poupée de chiffon, n'avait pas repris conscience. Devant l'ampleur de la dévastation, l'un des policiers s'imposa :

— Laissez passer, éloignez-vous, cette femme a besoin de soins. Tassez-vous !

Les badauds s'éloignèrent de quelques pas afin de faciliter la tâche des policiers.

Une curieuse, horrifiée par ce qu'elle voyait et prise de panique, s'écria :

— Maudite machine mangeuse d'hommes !

Les policiers furent soulagés lorsque la dame, qu'ils avaient réussi à asseoir sur la banquette arrière de leur voiture, reprit ses esprits. L'un d'eux s'était assis à ses côtés. Elle le dévisagea, le regard hagard. Le policier saisit ses deux mains et les tapota avec énergie.

— Ça va aller, madame, vous avez perdu connaissance, tout va bien maintenant.

La dame ferma les yeux, puis elle fut prise d'un violent tremblement.

— Ça va aller, vous devriez retourner chez vous. Ce genre de scène est difficile à supporter.

Le policier sortit pour aider la dame à en faire autant et elle se précipita hors du véhicule. Elle bouscula les personnes toujours sur les lieux et se mit à crier :

— Mon fils, Pierre, mon fils, mon bébé, mon bébé !

Elle se jeta dans la neige, se frictionna rageusement le visage de cette neige souillée du sang de son enfant.

— Son fils ? se mirent à crier d'affolement les curieux restés sur place.

Les deux policiers, exacerbés, se consultèrent :

— Nous avons besoin de renforts. Appelle au poste, moi, je m'occupe de cette pauvre femme, tu as entendu ? C'est son fils qui a été happé par la souffleuse !

Malgré son expérience, qui lui avait laissé présager des drames bouleversants au cours de sa carrière, le policier n'aurait jamais cru se trouver dans une situation aussi horrible, avait-il dit à ses collègues lorsqu'il était rentré au poste. »

L'exposé du sergent Harvey jeta tellement d'effroi sur l'assemblée que Joseph lui-même dut se ressaisir. Il ne prononça que ces simples mots :

— C'est effroyable, mais vous devez continuer, sergent, je vous en prie.

Joseph avait un besoin pressant que cette lugubre description finisse. Il fallait avoir le cœur solide pour ne pas tressaillir en imaginant la scène et la détresse de cette femme.

Le sergent continua sur un ton neutre :

— « Les deux policiers tentèrent d'éloigner la mère du lieu du drame, mais elle les repoussa de toutes ses forces. Elle fouillait la neige à la recherche de morceaux du corps de son fils. Une femme, qui regardait cela avec effroi, réussit à s'approcher d'elle. Les deux policiers s'affairaient à disperser la foule. La bonne Samaritaine prit avec énergie la maman du garçon dans ses bras, la berça tendrement. Les policiers n'intervinrent pas. La dame ne criait plus, elle émettait des plaintes étouffées, semblables à un râlement. Ce fut à ce moment que l'un des policiers décida de revenir vers elle. La mère, inconsolable, se laissa guider encore une fois vers la voiture de police. Le policier invita la bonne Samaritaine à demeurer près d'elle et à les accompagner :

— Nous allons au poste, madame, nous serons plus à l'aise pour parler.

La mère laissa tomber sa tête sur l'épaule de sa voisine et s'abîma dans un silence profond. Lorsque la voiture arriva au poste et se gara devant la porte principale, la mère descendit, tel un automate. Elle se laissa diriger sans rouspéter, le corps plié en deux. Elle n'avait plus d'énergie, la vie ne battait plus en elle. »

Le sergent Harvey se permit une pause avant d'ajouter :

« L'enfant était fils unique ! »

Puis il reprit :

— Je peux résumer la suite du rapport et vous exposer succinctement les événements survenus après que le sergent en chef a accueilli cette femme éplorée dans son bureau.

Joseph avait le sentiment que tous les membres du comité en avaient assez entendu pour le moment. Il voulait que le sergent termine rapidement la lecture de son rapport. Il aurait alors tout le loisir de lui poser des questions par la suite.

— Je crois qu'il serait préférable, en effet, que vous nous fassiez un résumé pour cette première réunion. Vous pourriez nous donner des détails à la prochaine rencontre.

Il avait prononcé ces mots tout en essayant de jauger la réaction des participants.

Tous acquiescèrent.

— Les faits troublants que vous nous avez relatés suscitent suffisamment d'émotion. Poursuivez, s'il vous plaît.

Le sergent continua :

— Le rapport indique qu'au début la mère n'a pas répondu aux questions du sergent en chef. Comme elle ne portait aucune pièce d'identité, les policiers ignoraient qui elle était. Il a fallu l'aide de la passante qui l'avait accompagnée pour parvenir à une réponse. À force de douceur et de doigté, la dévouée dame a réussi à lui faire dire son nom.

Le sergent s'adressa à Joseph directement :

— Monsieur le Président, voilà qui conclut les grandes lignes du rapport en ce qui concerne l'enfant et sa mère.

Le sergent enleva du bout des doigts le trombone qui divisait une liasse de feuilles du rapport en sections.

— J'ai ici, à la page 21, la déclaration du chauffeur qui, ayant subi un choc nerveux, n'est pas parvenu à articuler un seul mot sur les lieux de l'accident. Les policiers ont fait venir les ambulanciers qui l'ont transporté à l'hôpital. Nos hommes n'ont pu recueillir sa déposition que quelques heures plus tard. Aimeriez-vous que je vous en fasse la lecture maintenant, monsieur Courtin ?

L'échevin Martin le précéda encore une fois en répondant tout en faisant le jars :

— Quoique je me sente bouleversé par cette histoire, je crois qu'il est important que nous connaissions la version du conducteur, ne croyez-vous pas, messieurs ? dit-il en s'adressant aux hommes, qui avaient les épaules penchées, le regard fixe, accablés par ce qu'ils venaient d'apprendre.

Le mécanicien de la voirie émit son opinion :

— Vaut mieux connaître la version du chauffeur. On pourrait au moins se faire une idée sur les causes de l'accident.

Le sergent reprit immédiatement sans que Joseph puisse intervenir.

— Nous n'en sommes qu'à l'étape préliminaire, comme je vous l'ai déjà dit. Une enquête comme celle-là va exiger beaucoup de temps, c'est la première fois qu'un tel accident survient. Nous ne possédons pas de jurisprudence pour aiguiller nos discussions afin d'élucider cette affaire. Le chauffeur est toujours hospitalisé, il ne s'est pas encore remis de ce choc. La souffleuse est en train d'être inspectée avec minutie, il y a mort d'homme, nos collègues de la Sûreté provinciale du Québec se sont déjà pointés au poste.

Joseph suivait cette intervention avec attention même s'il appréhendait la suite, les travaux devant continuer de progresser. Il consulta ses notes, ses mains étaient moites et tremblaient légèrement lorsqu'il tournait les pages. Il espérait que personne ne s'en rendait compte. Chacun était recueilli dans une sorte de prière. Les membres du comité ne posèrent aucune autre question. Joseph lui-même eut la sensation, momentanément, de ne pas être prêt à en savoir plus.

— Ce que vient de nous révéler le sergent Harvey est troublant.

Un silence de plomb régnait dans la salle. Joseph balaya la pièce du regard avant de reprendre le fil de ses idées.

— Je vous propose de faire une pause de quinze minutes, Mme Lapointe va resservir du café.

Chacun apprécia ce répit afin de se remettre de ses émotions. Le sergent ramassa ses papiers et ses photos, et rangea le tout soigneusement dans une chemise. Tous se levèrent pour se détendre et quittèrent la salle. Joseph demeura à sa place.

Il s'apprêtait à réviser ses notes lorsqu'il entendit du grabuge dans le corridor. Louise Lapointe, stoïque, revint dans la salle de conférences après être allée voir ce qui se passait. Elle se pencha à l'oreille de Joseph et chuchota :

— Il y a des journalistes dans le corridor, monsieur.

Joseph sursauta.

— Qui les a mis au courant de la tenue de notre réunion ? Comment ont-ils réussi à se rendre jusqu'ici ?

Louise Lapointe répondit :

— Personne ne les a prévenus, enfin personne de chez Sicard. Ils ont peut-être utilisé une ruse pour convaincre le gardien de sécurité de les laisser entrer.

Lorsqu'il sortit dans le corridor, Joseph constata le tumulte qui y régnait. En ayant l'air de tout savoir, Jean Martin répondait aux journalistes tandis que les autres membres l'écoutaient avec attention. Joseph en déduisit que c'était sans aucun doute l'échevin qui les avait informés.

Dès l'ouverture des portes de la salle de réunion, au moment de la pause, photographes et journalistes s'étaient mis à la pêche aux informations. Vraisemblablement, ils étaient trop avides d'une primeur pour attendre la fin de cette rencontre, dont les révélations continueraient d'alimenter encore longtemps la curiosité de leurs lecteurs. Cette manchette à sensation augmenterait les tirages.

Une bousculade s'amorçait dans le corridor. Joseph n'avait pas prévu cela. Un journaliste s'adressait au conseiller Martin, qui pavoisait et semblait profiter de la situation. Il en tirerait surtout des avantages politiques. Joseph intercepta l'échevin et le reporter.

— Messieurs, s'il vous plaît, nous n'avons rien à vous révéler pour le moment, veuillez…

Un journaliste chevronné lui coupa la parole, cherchant un scoop.

— Le chauffeur était ivre.

Joseph n'en revenait tout simplement pas. Ce n'était pas une question, mais une affirmation. Joseph, qui n'avait pas l'habitude de côtoyer les journalistes, se vit rapidement accablé de questions auxquelles, naïvement, il répondait spontanément et franchement.

— Nous ne savons pas encore s'il était ivre.

Ce fut en prononçant ces mots, «nous ne savons pas encore», qu'il fut piégé. Il avait laissé planer un doute. Son interlocuteur sauta sur l'occasion.

— Le doute existe donc, le chauffeur aurait pu être ivre.

Joseph comprit sa maladresse. Il avait été coincé, il n'avait nullement envisagé cette .commotion. Il avait l'air fâché lorsqu'il dit, pour terminer la discussion:

— Nous allons reprendre, messieurs, si vous permettez...

Le politicien aguerri avait de l'expérience avec les journalistes. Il ne se compromit pas et laissa Joseph se mettre la corde au cou. Ce dernier fustigeait intérieurement Martin. Les journalistes continuaient de poser des questions, il leur fallait repartir avec un papier, une exclusivité, leurs lecteurs en étaient friands.

— Messieurs, je vous en prie, dit Joseph d'un ton qu'il ne se connaissait pas.

Il regagna la salle de réunion, suivi des autres membres du comité. Jean Martin entra en dernier.

— Prenons place, s'il vous plaît.

Tout ce brouhaha laissa Joseph pantois. Jusqu'où allait son mandat ? Les membres du comité s'assirent enfin. Mme Lapointe ferma la porte vivement, elle avait envie de la verrouiller, mais n'en fit rien de peur de vexer certains journalistes.

— S'il vous plaît, messieurs, retrouvons nos esprits.

Tous semblaient se secouer, la figure assombrie. L'échevin affichait une arrogance dérangeante.

— Avez-vous d'autres questions à poser au sergent Harvey ?

Personne ne répondit. Chacun essaya de se remettre les idées en place. Joseph se sentait isolé au sein du comité. Une appréhension l'envahit soudain : était-il à la hauteur des attentes de son patron ? Il répéta en haussant le ton :

— Nous pouvons continuer, avez-vous des questions à poser au sergent Harvey ?

Silence total. Que faire ?

Joseph devait remettre le wagon sur les rails. Il y alla d'une de ses propres questions dans l'intention d'inviter les autres à l'imiter.

— Le chauffeur a-t-il révélé des éléments pertinents à l'enquête ?

Même le sergent Harvey éluda la question. Joseph était embarrassé et outré. Il tenta une autre question.

— Sergent Harvey, y a-t-il autre chose qui pourrait nous aider à voir plus clair dans toute cette affaire ?

Il avait formulé sa phrase adéquatement, et pour cause. Le policier s'empressa de répondre :

— Certainement, monsieur, le chauffeur prétend n'avoir rien vu. Il a même dit que… attendez que je cite ses propos, toujours la même phrase répétée des dizaines de fois : «Je n'ai rien vu, je n'ai rien vu. » Il faudra attendre qu'il se remette de son choc avant de poursuivre l'interrogatoire. Tout ce que nous avons pu obtenir de lui se résume en ces quelques mots : « Je n'ai rien vu. »

— C'est normal ! lança le mécanicien, il neigeait et commençait à faire noir.

Le sergent Harvey intervint. Tous les yeux se braquèrent sur lui.

— J'aurai sûrement plus de renseignements dans les jours à venir. Je vous répète aussi que cela va exiger du temps. Un périmètre de sécurité a été établi, les inspecteurs tentent d'y recueillir le plus de preuves possible.

Jean Martin consulta sa montre en haussant les épaules. Ce geste ne passa pas inaperçu. Joseph, le visage austère, dit :

— Nous pourrions conclure pour aujourd'hui.

Il remercia les membres de leur participation.

— La réunion est terminée, vous pouvez disposer.

Joseph avait à peine achevé sa phrase que les participants se levèrent en le saluant rapidement. L'un d'entre eux ouvrit la porte. Tous constatèrent alors que les journalistes les attendaient encore de pied ferme. Les questions fusaient de toutes parts. Joseph sortit à son tour pour tenter de calmer les journalistes les plus coriaces. Il se retint de les invectiver.

Puis il retourna dans la salle et y demeura plusieurs minutes, seul avec ses papiers. Une image apocalyptique envahit son esprit. Combien de temps encore allait-elle le hanter ? Il essaya de la chasser de sa tête. Sa vue se brouillait, il butait sur les lettres. Il devrait fermer les livres et rentrer à la maison. Il ressentit le besoin de se rapprocher de sa femme. En pensant à elle, portant leur enfant, un frisson s'empara de lui. Il se sentit protecteur, il se devait d'apprivoiser ce sentiment nouveau.

# Chapitre 2

Fourbu et perturbé, Joseph parcourut à pied le trajet inverse qu'il avait fait le matin même. Il marchait d'un pas lambin. La vivacité qui avait fait accélérer sa cadence tôt ce jour-là l'avait déserté. Il sentait un poids sur ses épaules, sa démarche se faisait lourde. Des questions tentaient de s'infiltrer dans sa tête, mais l'image de terreur qui s'y était agrippée était difficile à déloger. Certains détails restaient en suspens. Joseph était conscient qu'il se passerait certainement une bonne semaine avant qu'il puisse à nouveau réunir le comité. La période des fêtes ralentirait le travail des inspecteurs. En conséquence, aucun élément nouveau ne serait à analyser. Il devrait attendre après le jour de l'An pour tenir une autre réunion. Après avoir marché plusieurs minutes, tout à coup, comme s'il avait reçu une décharge électrique, il sentit un élan l'emporter. Il se mit à marcher à pas de géant. Une impulsion le projetait vers sa femme, sa demeure, son foyer. Il heurta un passant dans sa folle galopade. Il ne ralentit pas sa course pour autant. En un rien de temps, il se retrouva en sueur malgré le froid rigoureux, et hors d'haleine en face de son appartement.

Le craquement de chacune des marches de l'escalier attira l'attention de Carmel. Elle se secoua afin de se sortir de ses pensées. Les révélations de sa tante Élise lors de son séjour écourté à Québec lui avaient trotté dans la tête toute la matinée. « Ma tante Élise a un amant, je ne sais trop comment accepter cette nouvelle. Je me mets à la place de la femme trompée, trahie par ce médecin. » Elle ne cessait de se demander si son mari adoré, ce bel Écossais aux yeux bleu acier, ingénieur et de belle culture, pourrait lui aussi en aimer une autre.

Midi.

La porte avant s'était ouverte avec fracas, Carmel n'eut pas le temps de se diriger vers la fenêtre du salon pour voir qui se pointait. Sans se déshabiller, Joseph l'enlaça. Elle réagit à cette vague de froid qui l'enveloppait subitement.

— Tu vas me faire attraper mon coup de mort, lui dit-elle, le regard complaisant.

Joseph était à bout de souffle. Toutefois, sa course lui avait un peu aéré l'esprit. Ses joues étaient glacées. Les mains qu'il posa sur Carmel la firent grelotter ; elle sursauta.

— Ouille ! Tes mains sont gelées, tu n'as pas porté tes gants ?

Non, il avait oublié. Il se frotta les mains, geste plein de sous-entendus. Il se laissa envahir par la chaleur de son logement, il y faisait bon, la présence de sa femme le réconfortait.

— *Sorry*, j'étais impatient de rentrer.

Carmel braqua son regard sur lui. Elle fit un pas en arrière pour l'examiner attentivement.

— Prends le temps d'enlever ton paletot et tes couvre-chaussures, j'allais justement me servir un bol de soupe.

Joseph s'exécuta. L'étincelle qui brillait dans ses yeux était particulièrement révélatrice. Il se frotta encore vigoureusement les mains, qu'il laissa ensuite glisser le long du dos de sa douce. Il se réchauffa à son sourire bienveillant. Elle frémit. Il lui avait manqué. Elle adorait ce contact. Ils se retrouvaient enfin seuls, chez eux, après avoir dormi dans des lits séparés chez les Moisan d'où ils étaient revenus la veille.

— Tu vas passer en dessous de la table si tu continues.

Joseph fronça les sourcils.

— Qu'est-ce que tu veux dire ?

Elle se mit à rire de ce rire franc, un peu enfantin, qu'il aimait tant.

— Tu ne connais pas l'expression «passer en dessous de la table»? Je ne peux pas le croire!

Joseph l'agrippa de ses mains entreprenantes avec un ricanement de concupiscence.

— Viens par ici, toi, je vais te faire passer ailleurs que sous la table, *believe me.*

Carmel riait à gorge déployée. Elle se laissa entraîner dans la chambre, portée par une exultation amoureuse. Elle retrouva son sérieux lorsque Joseph lui barra le chemin et la prit dans ses bras pour la déposer délicatement sur le lit. Elle portait toujours son tablier. Joseph le lui enleva, puis, habilement et lascivement, il déboutonna son chemisier, embrassa ses seins par-dessus son soutien-gorge, puis l'incita à se tourner sur le ventre. Il dégrafa alors lentement le soutien-gorge, dégagea la poitrine et déposa des baisers lascifs sur les seins de Carmel qui haletait. Il aimait la faire languir de la sorte, l'entendre le supplier de la prendre sans tarder. Il l'excita davantage en la dépossédant du reste de ses vêtements. Elle aimait la façon que Joseph avait de l'effeuiller. Elle vibrait au rythme de ses caresses. Ils ne prononcèrent aucune parole, leurs corps brûlants, en parfaite communion, criaient tout leur amour. Carmel était sur un lit de roses, son cœur battait follement. Elle se cambra en laissant échapper un doux gémissement. Lorsque leurs sens et leurs âmes furent rassasiés, Carmel étira le bras pour attraper son paquet de cigarettes sur la table de chevet et en retira une. Elle l'alluma et la plaça entre les lèvres de Joseph. Il en tira une longue bouffée. Il laissa des spirales danser au-dessus de leurs visages. Il aspira encore une fois à fond, se tourna vers sa femme et lui tendit sa cigarette.

— J'aime beaucoup fumer après l'amour, après la célébration de l'union de la chair! lui dit-il d'une voix sensuelle à peine audible.

Joseph s'empara goulûment de sa bouche, entremêlant la fumée à leur souffle.

— Tu me rends tellement heureux!

Il s'éloigna légèrement d'elle.

— Mais qu'est-ce qui te fait rire, ma douce?

— Je n'aurais jamais cru que jouir de la sorte s'appellerait «faire son devoir conjugal». Si tel est le cas, on efface tout et on recommence.

— Tu es insatiable!

Lorsqu'elle fut conduite au sommet de la jouissance par son époux, elle le supplia:

— Arrête, arrête, tu vas me faire mourir, j'ai le cœur qui flanche.

Joseph s'étendit près d'elle, il ressentit un soudain besoin de se confier. Il labourait la chevelure auburn de Carmel, faisant rouler des mèches folles du bout de ses doigts. Son regard avait une couleur ombragée. L'inflexion de sa voix n'avait rien de badin.

— Tu sais, la réunion de ce matin a été assez émouvante.

À peine Joseph avait-il mis les pieds dans l'appartement qu'il avait tout de suite emporté Carmel dans le lit. Celle-ci n'avait pas eu le temps de s'informer du déroulement de sa matinée. Elle perçut l'angoisse de Joseph, très réceptive à ses confidences, mais avant elle ressentit le besoin de lui dire:

— Je t'aime, Jos. J'aimerais que le temps s'arrête maintenant, oui, que le temps s'arrête, nous fige et nous soude l'un à l'autre pour toujours.

Le nuage grisâtre qui obscurcissait le regard bleuté de Joseph suscita chez Carmel une certaine appréhension.

D'une voix solennelle, elle insista:

— Je t'ai dit que je t'aimais ?

— Oui, mais tu peux le répéter indéfiniment.

Il étira le temps, savourant l'ivresse du moment. Il tenait à prolonger cette extase, allongé le long du corps alangui de son épouse. Oui, lui aussi aurait aimé que le temps s'arrête.

— Je suis l'homme le plus heureux du monde. Tu me combles de joie, tu sais cela ? C'est presque une honte d'être si heureux à la vue de tant de misère.

Carmel pressa plus intensément sa main. De fines gouttelettes de joie mouillaient les coins de ses yeux. Elles ruisselaient maintenant le long de chaque joue.

— Je sais, répondit-elle.

Joseph goûta ces perles sucrées et l'apaisa dans un murmure.

— *I love you so much!*

Tous deux tombèrent dans un sommeil réparateur. Un petit frisson parcourut le corps nu de Carmel et la fit sursauter. Elle tâta machinalement le lit à la recherche d'une couverture. Ce mouvement fit ouvrir les yeux à Joseph. Il se hissa sur un coude et jeta un coup d'œil autour de lui. Le radio-réveil indiquait trois heures quarante-huit. Joseph sursauta. Il s'assit au bord du lit. En voyant sa douce chercher la couverture, il la couvrit tendrement. Puis il se glissa hors du lit et se dirigea vers la cuisine où fleurait un parfum attirant. Un chaudron sur la cuisinière réveilla son estomac. Il en souleva le couvercle ; un arôme timide de légumes s'en dégagea. La soupe était froide, mais ses ébats torrides lui avaient aiguisé l'appétit. Son estomac criait famine. Il se souvint qu'il n'avait pas dîné. Il sourit intérieurement. Il s'était nourri d'amour, quel délice ! Il remit le chaudron à chauffer et s'installa à la table de cuisine. Le journal qu'il n'avait pas eu le temps de lire avant de partir ce matin était ouvert. Le gros titre lui sauta aux yeux. Il revint brutalement à la réalité. Des détails croustillants suivaient la manchette. Il avait entendu tout cela de la bouche du sergent Harvey. Au grand dam de Joseph, avant la réunion du matin, les journalistes avaient mis sur le tapis l'état du conducteur sans toutefois porter d'accusation. La question était claire : le conducteur était-il ivre ? Une deuxième question mit le doute dans la tête de Joseph : la mécanique était-elle en cause ?

Comment allait-il passer le reste de la période des fêtes sans être continuellement hanté par cette tragédie ?

Il venait tout juste d'avaler sa dernière cuillerée de soupe lorsque Carmel, drapée dans son peignoir, se dirigea vers la cuisine. Joseph avait enfilé un pantalon sport et un chandail décontracté. Il tournait les pages du journal. Elle saisit l'occasion pour l'interroger sur le déroulement de la rencontre et lui dit sans préambule :

— Je m'excuse de m'être attardée au lit, il est si facile d'être paresseuse après l'amour. Tu allais me parler de ta réunion après m'avoir emmenée au septième ciel ! Raconte-moi comment ça s'est passé.

Joseph s'engagea dans la présentation des membres du comité lorsque Carmel, réfrénant un soupir, l'interrompit. Cette nomenclature lui était superflue. Une question de premier ordre lui venait en tête.

— Comment ces gens t'ont-ils accueilli ?

Joseph, qui doutait de s'être tiré adroitement d'affaire, compte tenu de son manque d'expérience, exprima à Carmel son appréciation.

— Je pense qu'ils m'ont accueilli convenablement.

Carmel croyait qu'il tergiversait.

— Vas-y, ne sois pas humble. Raconte-moi.

Joseph tenta de décrire l'atmosphère qui avait régné sans trop donner de précisions.

— Je dois te dire que pour cette première réunion le sergent Harvey a eu le haut du pavé. Il a presque dominé la réunion. Le rapport qu'il nous a présenté sur ce que connaît la police à ce jour nous a tous secoués. Je tiens à t'épargner les faits troublants, toutefois je peux t'affirmer que la mère de ce petit garçon ne va pas s'en remettre de sitôt. Puis il y a eu cet élu municipal qui a pris un peu trop de place à mon goût.

Carmel fronça les sourcils.

— Je me sers un bol de soupe. Tu as mangé, à ce que je vois. Continue, je t'écoute.

Il résuma.

— Tu peux imaginer le traumatisme qu'a subi la misérable femme en…

Il se reprit pour poursuivre :

— …en constatant qu'il s'agissait véritablement de son fils lorsqu'elle est arrivée sur les lieux de l'accident.

Carmel plissa les yeux.

— Comment était-elle convaincue qu'il s'agissait réellement de son enfant ?

Joseph tenta de lui faire un résumé. Carmel l'écoutait religieusement. Elle mit la main sur son cœur et dit :

— C'est atroce, je ne survivrais pas à une telle catastrophe, j'en suis certaine. Perdre un enfant est, selon moi et d'après ce que j'ai entendu dire, le plus grand malheur du monde. J'ai même ouï-dire que c'était plus insurmontable que de perdre son mari. C'est te dire à quel point ce doit être pénible.

Joseph, qui percevait le trouble monter en Carmel, crut bon de mettre un terme à cette discussion. Il savait qu'il lui était impossible de rationaliser un tel drame. Carmel avait perdu l'appétit, elle n'avait pas pu finir de manger sa soupe. Elle poussa son bol avec dédain. Joseph mit sa main sur la sienne et changea de sujet.

— As-tu réalisé que nos cadeaux sont restés dans le salon? Il serait temps que nous découvrions ce que contiennent ces beaux emballages, qu'en penses-tu?

Carmel quitta la table et s'efforça de boire à petites gorgées le bouillon qui restait dans son bol avant de le rincer et de le déposer dans l'évier.

Joseph suggéra:

— Nous devrions nous faire un beau Noël!

Carmel attendait la suite, qui ne vint pas.

— Que suggères-tu?

Elle marchait autour de la table en murmurant:

— Trouver une façon originale de fêter Noël, un jour plus tard. Que pourrions-nous donc faire?

Joseph lui proposa:

— Aimerais-tu que nous invitions Jacques et Rita? Nous pourrions cuisiner un bon petit souper.

Carmel s'arrêta net.

— Y penses-tu, Jos? Nous venons à peine de finir d'avaler notre soupe et l'heure du souper approche. Je n'aurai pas suffisamment de temps pour préparer quoi que ce soit pour quatre personnes. Nous n'avons presque plus rien à manger et n'oublie pas que nous avons soupé avec eux hier soir, ça fait peut-être un peu trop.

N'ayant que le couple Desmeules comme amis, Joseph avait proposé ce choix naturellement. La spontanéité avec laquelle lui avait répondu Carmel le réfréna. Il avait souhaité en son for intérieur que sa femme accepte, pourtant il n'insista pas.

— Tu as raison, nous allons souper en tête à tête. Allons à l'épicerie nous procurer de quoi préparer un vrai souper de Noël.

Carmel leva le nez.

— Pas de dinde, nous en avons mangé hier. De plus, je dois t'avouer que je n'en raffole pas.

Elle avait dit cela en boutade, sachant qu'elle n'aurait pas le temps de préparer et de faire cuire une volaille.

Joseph la considéra avec amusement.

— Toi, tu lèves le nez sur un repas à la dinde. *My dear*, tu deviens capricieuse, à ce que je constate.

Carmel comprit qu'au-delà de la taquinerie Joseph avait vu juste.

— J'ai le goût un peu dérangé ces temps-ci. Ça devrait passer à mesure que ma grossesse progressera, je suppose.

Joseph avait besoin de prendre l'air.

— Habillons-nous chaudement et partons avant que les épiceries ferment. L'air frais nous fera grand bien.

Ils revêtirent leurs manteaux, enroulèrent leurs écharpes et calèrent leurs chapeaux. Lorsque Joseph vit Carmel enfiler ses gants, il lui dit :

— Nos cadeaux ! Quand allons-nous les déballer ?

Carmel était emmitouflée, fin prête à partir. Elle trouva la question de Joseph complètement loufoque.

— Nous sommes habillés double par-dessus double, comme des oignons. Je commence à avoir chaud et tu t'interroges sur l'échange de nos cadeaux ? Tu aurais pu y penser avant.

Joseph avait l'air d'un gamin impatient de casser sa tirelire.

— C'est que j'aurais aimé te donner ton cadeau maintenant. Je t'en ai parlé tout à l'heure, mais tu n'as pas semblé intéressée.

Carmel soupira.

— Ça ne peut pas attendre notre retour ? C'est toi qui disais que nous devions nous presser parce que les épiceries allaient bientôt fermer.

Joseph fixait la boîte joliment emballée sur le parquet du salon.

— Ça ne va pas être long, insista-t-il, je te donne ton cadeau, tu le déballes immédiatement, ensuite nous partons.

La jeune femme s'impatientait.

— Je peux attendre. Je crève de chaleur habillée comme je le suis.

Joseph laissa tomber.

— D'accord. Partons.

Allègrement, ils prirent la rue Sainte-Catherine. Une épicerie traditionnelle combla leurs désirs. Ils en ressortirent les bras chargés de provisions. Ils regagnèrent leur logement. Après avoir tout rangé, Joseph entraîna Carmel au salon.

— Assois-toi, lui dit-il, je te donne ton cadeau maintenant, il est grand temps.

Carmel prit place sur le beau Chesterfield neuf que Joseph s'était procuré chez Dupuis Frères peu de temps avant leur mariage. Elle était fière de cet achat qui provenait d'une entreprise familiale canadienne-française dont la mission était d'encourager les consommateurs à acheter des produits québécois soit en magasin, soit par correspondance grâce à son comptoir postal.

Joseph déposa la boîte joliment enrubannée sur ses genoux.

— Joyeux Noël, ma douce !

Carmel ne put s'empêcher de penser qu'à peine partis de Montréal ils étaient déjà de retour. Leur premier Noël en tant que mari et femme, même célébré le lendemain, la fit rire.

— C'était hier, Noël, mais faisons semblant que c'est aujourd'hui pour nous. C'est notre premier Noël, juste à nous deux. Tu veux bien que nous prétendions que c'est Noël ? Notre Noël à nous trois, se reprit-elle.

— D'accord. Ouvre ton cadeau.

Il la fixa en attendant sa réaction.

Carmel défit l'emballage aux couleurs vives. Elle souleva le couvercle de la boîte de carton fort. Elle écarta les feuilles de papier de soie blanc et poussa une exclamation de joie.

— Ah qu'il est beau !

— Tu l'aimes ?

Elle engouffra ses mains à l'intérieur du plus beau manchon qu'elle n'avait jamais vu. Elle se leva en le portant fièrement, puis se dressa sur la pointe des pieds et embrassa Joseph.

— Merci, merci beaucoup, mon amour. Je crois que je viens de comprendre ton acharnement à vouloir m'offrir mon cadeau avant de sortir tout à l'heure.

Joseph, malgré l'émerveillement qu'il lut sur son visage, lui redemanda :

— Es-tu contente, est-ce qu'il te plaît ?

Carmel dégagea une main et la lui passa amoureusement autour du cou.

— Oui, je n'ai jamais eu de manchon. Il est tellement beau ! À toi maintenant de déballer ton cadeau.

À son tour, elle déposa le présent sur les genoux de Joseph, un sourire malicieux au visage. Il défit sans précaution l'emballage pour découvrir une écharpe de laine gris perle.

— C'est moi qui l'ai crochetée, lui confia-t-elle en baissant les yeux.

Elle n'avait pas travaillé inutilement. La joie se lisait dans les prunelles de son mari. Il s'approcha d'elle, lui passa l'écharpe derrière le cou et, tout en tirant sur les deux bouts, l'attira lascivement contre sa poitrine. Il la tenait maintenant étroitement captive.

— Merci, je te suis reconnaissant d'avoir consacré du temps à travailler pour moi. Tu es remarquablement habile de tes mains, à ce que je constate encore une fois, j'ai oublié de te le mentionner tout à l'heure lorsque nous faisions l'amour.

Le visage de Carmel s'empourpra.

— Je suis ravie qu'il te plaise. La couleur te va à merveille, elle fait ressortir les pépites grises au fond de tes yeux, j'ai fait un bon choix.

Joseph, qui avait maintenant enroulé l'écharpe autour de son cou, fit des bouffonneries en clignant des yeux.

Carmel déposa son beau manchon sur le canapé et se dirigea vers la cuisine.

— Je dois me mettre à la tâche si tu veux souper avant minuit et que le repas ne se prolonge pas en réveillon.

Pendant qu'elle s'activait dans la cuisine, Joseph ne put s'empêcher d'ouvrir son porte-documents. Il sortit ses papiers et se mit à relire et à analyser les notes qu'il avait prises le matin même. Il était absorbé dans sa lecture lorsque Carmel revint dans le salon en s'essuyant les mains sur son tablier.

— Le souper sera prêt dans environ une demi-heure.

Elle s'assit près de son mari et l'interrogea.

— C'est tellement triste, cette histoire. Je n'arrive pas à m'enlever de la tête cette femme qui a perdu son fils. C'était son seul enfant, n'est-ce pas ?

Joseph se fit violence pour ranger ses notes. Il y reviendrait demain. Il voulait éviter de donner des réponses troublantes pour une femme enceinte.

Ils étaient maintenant assis l'un en face de l'autre dans la cuisine, à la table recouverte d'une nappe que Carmel ne jugeait nullement de circonstance. Entre deux bouchées, Joseph demanda :

— Qu'aimerais-tu faire durant le reste de la semaine ? J'aurai du temps libre.

Carmel réfléchit, elle n'avait évidemment rien planifié. Joseph lui fit une suggestion :

— Nous pourrions aller aux vues. Consultons *La Presse* pour voir si un film à l'affiche nous intéresserait.

Joseph préférait ce quotidien fondé en 1884 par William-Edmond Blumhart. Bon nombre de lecteurs étaient de son avis, car le journal dépassait en tirage celui de *La Patrie*, aussi en vente à Montréal.

Le souper terminé, alors que Joseph avait le nez plongé dans son journal, Carmel eut un éclair de génie.

— Jos !

Il leva les yeux.

— *What?* Quoi, quoi ?

— J'ai une idée.

Il replia le quotidien et lui dit, amusé :

— Parle, je t'écoute.

Elle hésita, ses doigts pianotaient nerveusement dans le vide.

— Non, laisse tomber, tu vas trouver mon idée un peu folle.

— Dis toujours, on verra ensuite.

Carmel afficha son sourire de séductrice.

— Ce serait pour notre enfant.

Elle hésitait. Joseph attendait.

— Je crois que nous devrions commencer à aménager sa chambre. Je sais, je sais que c'est un peu tôt, mais je suis impatiente de…

Elle n'eut pas le temps de terminer sa phrase. Joseph répliqua :

— Aménager la chambre ? Il ne naîtra qu'à l'été, selon tes calculs. Nous avons amplement le temps !

Carmel insista :

— S'il arrivait avant ? On ne sait jamais ! De plus, comme je n'ai pas encore consulté le médecin, nous ne savons pas exactement quand j'accoucherai.

Joseph la dévisageait, il semblait dépassé.

— Si je compte correctement, il nous reste janvier, février, mars…

Il allait continuer d'égrener sur le bout de ses doigts les mois à venir, mais Carmel l'interrompit. Cet enfant était tout son univers.

Elle constata, d'après la réaction de Joseph, qu'il en était autrement pour lui. Elle fut prise d'une grande tristesse qu'elle essaya de dissimuler, pourtant ses yeux baignaient dans l'eau. Elle se sentait ridicule. Joseph la regardait, incrédule.

— Qu'est-ce que j'ai dit pour te faire monter les larmes aux yeux de la sorte ?

— Oublie cela, c'était juste une idée qui m'est passée par la tête.

Carmel fit un effort pour se contenir.

— Que je suis bête ! J'ai souvent la larme à l'œil, c'est plus fort que moi. Excuse-moi, nous irons aux vues.

Joseph avait cru bien faire en insistant pour sortir sa femme de la maison. Il y avait un bon western à l'affiche qu'il aurait aimé voir. Il abandonna l'idée pour aujourd'hui, il serait toujours temps d'en reparler durant la semaine.

Le couple avait soupé en tête à tête et n'avait pourtant pas évoqué la situation familiale de Carmel. Ni l'un ni l'autre n'avait voulu gâcher cette soirée. Carmel avait le mal du pays. Elle n'en parla pas non plus à son mari.

# Chapitre 3

À la résidence du maire de Montréal, le lendemain de la réunion qui s'était tenue chez Sicard, le journal du matin, étalé sur la belle grande table en acajou, fut épluché minutieusement. La journée du magistrat avait commencé du mauvais pied. Il détestait que le nom de l'un de ses échevins soit mentionné à la une du quotidien et de voir son visage à la page suivante. C'était son nom et sa photo à lui, Charles Legendre, le maire, qui auraient dû y paraître. C'était à lui personnellement, et non pas à Jean Martin, ce simple conseiller, que cette publicité gratuite devait rapporter. Ce serait lui qui tendrait une poignée de main compatissante à la famille du pauvre garçon, par sympathie certes, mais aussi pour saisir l'occasion d'en tirer des avantages politiques sans pour autant être accusé d'exploiter à son profit une situation aussi dramatique. Ce petit politicien devrait passer à l'arrière-plan, cet opportuniste qui avait osé s'adresser aux journalistes en menait trop large à son goût. Il lui faudrait user de prudence et de discernement afin de l'éclipser.

Ce n'était pas la première fois que l'échevin agissait de la sorte, mais ce serait la dernière. Le maire avait eu sa leçon. Il ne lui confierait plus de dossiers susceptibles de le mettre sur le devant de la scène. Des rumeurs circulaient. Cet ambitieux était en train de conspirer pour se hisser au poste de maire aux prochaines élections. Charles Legendre s'en voulait. Il allait évaluer la possibilité de l'écarter de ce dossier sans que cette décision lui porte personnellement ombrage. Il en parlerait avec son bon ami Jean-Baptiste Paré, qu'il avait réussi à faire nommer au poste de secrétaire en reconnaissance de services rendus en période électorale. Le magistrat avait confiance en son ami, il était certain qu'il ne le trahirait pas. Dès aujourd'hui, il le mandaterait pour rencontrer Jean Martin. Les deux alliés confieraient à cet échevin un dossier moins important qui l'éloignerait des journalistes et des projecteurs. Il fallait user de ruse, car ce Martin était futé et estimé de ses collègues du conseil municipal. En outre, il avait une belle façon. Il était beau parleur et possédait du magnétisme à revendre. Un peu trop peut-être! C'était un échevin qui représentait le mieux, et avec dévouement, ses commettants, ayant la réputation de posséder remarquablement ses dossiers. Le maire savait que certains conseillers ne se laisseraient pas tourmenter pour changer de camp au prochain scrutin et se rallier à son éventuel adversaire si charismatique.

Charles Legendre, qui avait été élu à la mairie avec une faible majorité, avait besoin de beaucoup d'appuis pour briguer les prochains suffrages, qui se tiendraient dans moins d'une année. Il devait solidifier ses assises en gardant l'intérêt et la fidélité de ses organisateurs. Il était impératif de convaincre aussi ses travailleurs d'élection de faire confiance à son entière capacité à occuper cette fonction et, pour ce faire, de les courtiser. Le maire était conscient du fait que les organisateurs aimaient, à n'en pas douter, que leur candidat soit celui qui aurait le plus de chances de se faire élire, que les militants optaient pour un gagnant, pour celui qui recueillerait finalement le plus d'appuis populaires. C'était connu dans le monde politique. Le maire avait des doutes sur certains organisateurs, les placotages se faisaient nombreux dans les corridors de l'hôtel de ville. Le nom de Jean Martin venait un peu trop souvent à ses oreilles. Il devait faire bonne figure afin d'obtenir la confiance des électeurs.

C'est dans cette optique que le magistrat, après avoir avalé sans appétit son déjeuner, quitta sa résidence pour se rendre à l'hôtel de ville. Certains services étant fermés, il devrait convoquer son secrétaire afin de mettre son plan à exécution. Il cherchait une excuse pour évincer Martin de ce comité, et savait que la couverture médiatique n'allait pas s'arrêter de sitôt. Il adorait son rôle d'élu, il jouissait pleinement de sa célébrité quand les gens le saluaient dans la rue et qu'ils s'inclinaient devant lui en faisant une petite courbette avec un «Bonjour, Monsieur le Maire» long comme le bras.

En entrant à l'hôtel de ville, ce matin-là, le maire vit ses doutes vite confirmés quant à l'impact du comité d'enquête, et pour cause : les quelques membres du personnel de service durant la période des fêtes avaient devant eux un exemplaire du journal exhibant la photo de Jean Martin. Leurs yeux étaient rivés sur le visage avenant et éploré de l'échevin. Assurément, le titre était poignant, mais une image vaut mieux qu'un long discours. Le maire craignait que la population se souvienne qu'il s'était fait représenter par un conseiller dans une affaire aussi pénible. En entendant les employés répéter : « Vous avez vu ? M. Martin est dans le journal ! », Charles Legendre répondit à la sauvette en tentant de se donner une contenance.

— Oui, j'ai vu.

Le maire fulmina intérieurement en entendant de la bouche en cœur d'une jeune dactylographe :

— Comme il fait une belle photo, on dirait un acteur de cinéma !

— Vous trouvez ? se contenta-t-il de répondre.

L'atmosphère à l'hôtel de ville était imprégnée de l'horreur de cette tragédie. Legendre se dirigea vers son bureau, mais il fit un crochet par celui de Jean-Baptiste Paré, dont la porte était ouverte, et constata que lui aussi avait le journal sous les yeux. Il se pencha dans l'embrasure de la porte et lui fit un signe de la main.

— Bonjour, J.-B. ! dit-il. Je suis ravi de te trouver ici, ça tombe bien, j'allais justement t'appeler. Comme tout le monde, tu as lu l'article !

Le secrétaire se leva et salua son chef.

— En effet, Monsieur le Maire, c'est le sujet de conversation du jour.

Le secrétaire avait pris l'habitude de s'adresser à son ami, même sans témoins, en employant l'expression « Monsieur le Maire », par respect pour sa fonction, et le vouvoyait en public. Son compagnon était devenu son supérieur, cependant les deux hommes avaient décidé de ne pas manifester de familiarité devant leur entourage de peur d'attiser les critiques et de se faire accuser de favoritisme puisque le secrétaire avait été choisi parmi plusieurs candidats dont certains possédaient plus d'expérience que lui.

Le maire, qui avait l'habitude d'être direct avec son secrétaire, n'y alla pas par quatre chemins. Il l'invita à le suivre.

— Ferme la porte, s'il te plaît, nous avons à parler.

Son intonation et son air bourru étaient révélateurs, Paré en avait déjà compris la cause. Il connaissait assez Legendre pour deviner ses états d'âme. En voyant la photo de l'échevin dans le journal, il s'était dit que le maire n'aimerait pas cela.

Sans autre préambule, le maire alla à l'essentiel.

— Ce Martin en mène excessivement large. Tu vois toute la couverture médiatique dont il profite ? J'ai l'air de quoi, moi, d'un pion ? Ah, mon ami, si tu savais combien je regrette de lui avoir offert toute cette publicité sur un plateau d'argent. Je n'aurais jamais dû céder lorsqu'il a insisté pour être délégué au comité, arguant qu'il était l'échevin du quartier où l'accident s'était produit. Je lui laisse trop de place et il ne se gêne pas pour la saisir.

Jean-Baptiste Paré laissa son ami se défouler. En l'écoutant, une forme de communication télépathique s'établit entre eux et il affirma sans ambages :

— Il faut absolument l'écarter de ce comité. Tu dois reprendre ta place avant qu'il t'écrase complètement. Remarque bien ce que je te dis.

Le maire n'en revenait pas. Il avait eu la même idée que lui.

— Tu es sérieux ?

— Absolument !

Le secrétaire avait compris que le conseiller se frayait un chemin depuis quelque temps pour ravir au maire sa fonction prestigieuse. Il continua de mettre Charles Legendre en garde.

— Je dois t'avouer que je le vois venir de loin avec ses gros sabots, ton échevin. Il y a des rumeurs qui circulent selon lesquelles le poste de maire le tenterait pas mal. Il est incroyablement ambitieux, à ce qu'il paraît.

Cette révélation fit frémir Legendre : ses doutes s'avéraient fondés.

— Si ce que tu dis est vrai, il faut agir vite. Il n'y a pas de fumée sans feu. Tu sais, en politique, le vent change rapidement de côté, quelques bons articles dans les journaux et te voilà propulsé au sommet de la gloire. Il faut admettre que les journalistes sont des faiseurs d'images. Ils peuvent te glorifier en un clin d'œil, puis te démolir aussi vite. Ils te mettent sur un piédestal, mais peuvent t'en faire tomber en un rien de temps. Les lecteurs leur accordent beaucoup de crédibilité. L'ascension de ce grand Martin doit cesser. As-tu une idée, toi, de ce qu'on peut faire pour ralentir sa course sans obtenir l'effet boomerang ?

Le secrétaire avait parfaitement compris.

— Je sais, je sais. Il faut être prudent. Comme on dit : ne crache pas sur ton semblable, car ça va te retomber sur le nez. C'est encore plus vrai en politique.

Les compagnons cogitaient lorsqu'on frappa à la porte ; la secrétaire pointa son nez.

— Monsieur le Maire, M. Martin est dans le bureau des échevins, il demande à vous voir, si vous avez le temps.

Les deux hommes se regardèrent. Le maire s'empressa de répondre :

— Demandez-lui de patienter une quinzaine de minutes, j'ai un dossier à terminer et je suis à lui.

Dès que la porte se referma, les deux hommes dirent presque en même temps :

— Quand on parle du loup, on en voit la queue !

Ils ne se déridèrent que le temps de citer ce proverbe.

— Il faut le recevoir, agissons vite. Encore une coïncidence qu'il se trouve justement à l'hôtel de ville au moment où j'allais le convoquer ! Que fait-il ici aujourd'hui ?

— Je n'en sais rien. Ne lui donnons pas l'impression qu'on se méfie de lui, laissons-le parler, proposa Paré. Pour le moment, l'essentiel est que tu sauves la face vis-à-vis de tes électeurs.

Le maire l'interrompit :

— Il faut être clair sur un point : ce n'est pas à Jean Martin, mais à moi, d'aller présenter les condoléances au nom de la Ville aux parents de ce petit. C'est mon rôle, et pas le sien, ça, il devrait le comprendre.

Le secrétaire enchaîna :

— Premièrement, tu devrais lui parler au sujet des journalistes. Il faut lui rappeler que les règles sont strictes au conseil municipal, que c'est au maire et non pas aux échevins de s'adresser à eux. Il est évident que c'est lui qui les a informés de la tenue de la réunion chez Sicard puisque tu ne l'as pas fait. Tous les conseillers doivent suivre la même consigne, Martin comme les autres.

Charles Legendre était d'accord sur ce point ; le maire, et seulement lui, pouvait rencontrer les journalistes. Il était grand temps que Martin comprenne cette règle.

Paré n'avait pas fini. Les révélations qu'il allait faire à Legendre n'allaient pas l'apaiser.

— Deuxièmement, je dois te dire que l'état de santé du conducteur de la fameuse souffleuse n'est pas encourageant. Des gars de la voirie, après leur visite à l'hôpital, ont rapporté que la commotion qu'il avait subie était grave. Il semble qu'il ne prendra plus jamais les commandes de quelque véhicule motorisé que ce soit, qu'il ne dort presque plus, constamment hanté par des cauchemars. Le chauffeur leur aurait confié qu'il vivrait pour le restant de ses jours avec la mort de ce garçon comme un poignard lui transperçant le cœur, que sa vie était finie et que c'est lui qui aurait dû mourir à la place du jeune.

Charles Legendre n'était pas insensible à la situation de l'employé de la Ville, bien au contraire. Il avait tenté de lui rendre visite à l'hôpital, mais le conducteur avait refusé de le recevoir. Il n'avait accepté la visite que de quelques collègues avec qui il était plus à l'aise. Le maire se dit que c'était un très mauvais moment à passer.

— Tous les gars doivent être ébranlés, j'imagine ?

— En effet ! Il semble que ce soit difficile pour eux aussi. Ils sont sympathiques à ce type qui, selon eux, est un bon travailleur. Ils résument unanimement en disant que c'est un « sapré » bon diable.

Le maire était lui aussi secoué par toute cette affaire. L'état du conducteur impliqué dans l'accident le peinait.

— Il ne veut pas me recevoir, mais je crois qu'il ne refusera pas de me parler au téléphone. J'ai envie de l'appeler à l'hôpital.

— Peut-être.

Paré réfléchissait tout en barbouillant sur le bloc-note, geste qu'il faisait lorsqu'il était contrarié.

— Troisièmement, tu dois savoir aussi que la population est effrayée. La réceptionniste est débordée. Les appels entrent continuellement, les téléphones sonnent sans relâche. Les citoyens disent ne plus vouloir de ces souffleuses à neige dans les rues de leur ville. J'ai entendu dire que les parents interdisent à leurs garçons de jouer au hockey dans les rues sans issue comme ils le faisaient auparavant. Ils les accompagnent jusque chez leurs amis. Ils leur interdisent de faire des glissades sur les parterres devant leurs maisons et de glisser sur de grands cartons, et aussi de se construire des forts, ce qui à mon avis est une bonne chose. J'ai moi-même déjà évité de justesse un enfant qui glissait et qui a abouti juste devant ma voiture. Heureusement, j'ai freiné à temps.

Le maire semblait réfléchir à haute voix.

— Il n'a pas neigé depuis cette bordée, nous n'avons donc pas eu à utiliser les équipements, toutefois la situation est critique. Nous ne pouvons pas attendre la tenue de la prochaine séance du conseil municipal pour étudier la question. Même pendant le congé des fêtes, nous devons convoquer les membres du conseil de toute urgence, la loi nous le permet, tous les membres, pas seulement ceux de l'exécutif. J'ai même l'intention de convier les journalistes à une conférence de presse, nos concitoyens connaîtront nos intentions. Il ne faut pas laisser la population dans la crainte.

Le secrétaire ne put s'empêcher de lui dire :

— Voilà que je te reconnais. Agir, prendre des décisions, ne pas laisser traîner les choses.

Legendre réagit vivement.

— Je trouve que les choses ont assez traîné, justement. L'accident est survenu le 23, Arthur Sicard a eu le temps d'organiser une réunion à laquelle j'ai moi-même mandaté Martin. Quel idiot je suis ! On doit rattraper le temps perdu. Je suis déterminé à agir. La population se doit d'être rassurée. Les gens sont avides de sensations fortes, nous le savons. La famille éplorée doit aussi savoir que nous sommes touchés et résolus à faire la lumière sur cette mort cruelle. Je me suis assez traîné les pieds dans cette malheureuse affaire.

Quelqu'un frappa à la porte. La secrétaire du maire entra en disant :

— Monsieur le Maire, je m'excuse d'insister, M. Martin s'impatiente, il veut vous voir. Il dit être pressé.

Le maire referma le dossier contenant les notes qu'il venait d'y consigner rapidement.

— Faites-le entrer.

Il dit à Paré à voix basse :

— Recevons donc Martin, ce fanfaron ! Il ne sera pas facile de lui faire avaler la pilule.

L'échevin Jean Martin, du haut de sa stature, tiré à quatre épingles, tendit la main à Legendre.

— Bonjour, Monsieur le Maire.

Il se tourna légèrement et rapidement vers Paré et le salua d'un geste théâtral. Le maire se fit amical.

— Bonjour ! Assois-toi, je t'en prie.

L'échevin tira une chaise en face du bureau du maire. Il posa sur ses genoux le dossier « Accident de souffleuse à neige » et s'adressa directement au maire.

— Je viens te faire rapport de la réunion qui a eu lieu chez Sicard. Quelle histoire !

Les élus avaient coutume de se tutoyer en privé. Charles Legendre l'écouta et, tout comme son secrétaire, il prenait des notes. À la fin de l'exposé, il se contenta de le remercier du bout des lèvres. Le secrétaire prit ensuite la parole.

— Y a-t-il une autre rencontre prévue chez Sicard ?

— Oui, plusieurs points doivent être éclaircis. Le rapport de police n'est pas complet, tu comprends, c'est assez compliqué et délicat, nous sommes en période de congé.

Le maire, pour abréger la discussion, lui fit part de sa décision.

— J'ai décidé que nous, les membres du conseil, allions former un comité d'enquête, ce que nous aurions dû faire bien avant.

Il avait eu cette idée subitement. Jean-Baptiste Paré, le regard étonné, la trouva géniale. L'échevin Martin ne put qu'approuver cette initiative. Il réagit rapidement :

— Je crois que c'est une excellente idée, qui prévois-tu nommer à ce comité ?

Le maire n'avait pas encore précisé sa pensée sur ce point.

— J'y songe actuellement. Tu en seras informé.

Le conseiller, sentant le tapis lui glisser sous les pieds, n'allait pas se laisser éclipser de la sorte.

— Je te manifeste mon intérêt à en faire partie, puisque je connais mieux que quiconque cette affaire. Il me paraîtrait aussi normal que je le préside, d'autant plus que l'accident est survenu dans mon quartier.

Le maire s'y attendait. Il devait établir immédiatement sa position.

— Je vais présider ce comité, l'affaire est trop grave pour que je m'en soustraie.

Il se mordit l'intérieur de la lèvre en pensant à quel point il avait sous-évalué la situation. Il allait se reprendre. Lorsqu'il rouvrit la bouche, le ton était sans équivoque.

— Donne-moi ton rapport, s'il te plaît.

L'échevin n'en resta pas là.

— Je peux au moins m'attendre à en faire partie, n'est-ce pas? J'ai des comptes à rendre à mes commettants et à cette pauvre famille. Je veux les représenter dignement, et tu sais que j'en suis capable.

Le maire fut précis.

— Je suis en train de concevoir un plan d'action, tu seras tenu informé, de même que tous les autres échevins. Merci, Jean, je crois que tu es pressé, je ne voudrais pas te retarder.

Jean Martin se leva brusquement et s'apprêtait à prendre congé lorsque le maire lui dit:

— Je dois te rappeler que c'est moi qui vais m'adresser aux journalistes à l'avenir. Tu es au courant de cette règle, n'est-ce pas, Jean?

Martin tentait de rouspéter, Legendre insista.

— Tu comprends sans doute que, si tous les échevins faisaient la même chose que toi, la situation deviendrait incontrôlable.

L'autre, furieux, allait ouvrir la bouche, mais le maire le musela.

— Mon rôle est de rencontrer les journalistes, un point, c'est tout!

Martin voulut expliquer sa position, mais le maire mit un terme à cette discussion. L'échevin sortit du bureau en claquant la porte derrière lui. Le magistrat aurait maille à partir avec celui-là, qui se croyait sorti de la cuisse de Jupiter avec ses flaflas. Il s'armerait de patience et de doigté pour ne pas faire de faux pas. Il aurait à défendre la position de la Ville, à rencontrer les journalistes, à réconforter la famille éprouvée et à mettre sur pied ce comité; ce ne serait pas une mince affaire. Le secrétaire prit congé. Tous deux étaient préoccupés. Chacun décrocha le téléphone de son propre bureau. Ils avaient des personnes à joindre.

***

Le lieu et la date des funérailles du jeune Pierre Masson furent publiés dans la plupart des journaux et annoncés à la radio, en plus de divers détails plus lugubres les uns que les autres. Les médias en faisaient état abondamment. Cet événement allait être suivi de près.

« Les funérailles de Pierre, fils unique de Pauline et Gustave Masson, auront lieu le samedi 28 décembre 1940, à dix heures, dans la paroisse Notre-Dame-du-Saint-Rosaire où l'enfant a été baptisé il y a à peine dix ans. »

En ce jour funeste, Joseph, accompagné de Carmel, se rendit à l'église Notre-Dame-du-Saint-Rosaire une vingtaine de minutes avant l'heure du service dans l'espoir de se trouver une place. Il faisait un froid polaire, exceptionnellement glacial pour cette fin du mois de décembre. Le ciel était aussi limpide qu'un diamant.

Carmel enfouit ses mains tremblantes dans le manchon qu'elle portait fièrement et dont elle appréciait le confort. Joseph avait enroulé sa nouvelle écharpe autour de son cou. Il portait ses guêtres. Sous son manteau Mackintosh, il avait enfilé son gilet à motif *argyle*, celui que Carmel préférait entre tous.

— Avec ce gilet, tu as l'air d'un Anglais. On dirait qu'il a été fait pour toi, lui disait-elle chaque fois qu'il le portait.

Et il lui répondait invariablement :

— Pas d'un Anglais, mais d'un Écossais, je suis de descendance écossaise et non anglaise, ne l'oublie pas.

— Mon bel Écossais, lui répondait-elle toujours.

Elle était au bras de son bel Écossais lorsqu'ils croisèrent Arthur Sicard et sa femme sur le parvis. Joseph s'empressa de faire les présentations.

— Monsieur Sicard, madame, je vous présente Caramel, ma douce.

Arthur Sicard s'inclina légèrement devant Carmel en lui prenant la main. Son épouse lui dit jovialement en même temps que son mari :

— Enchantée de faire votre connaissance.

Carmel, malgré le froid mordant, croyait fondre comme neige au soleil. Une expression de gêne se dessina sur son visage. Intimidée devant l'employeur de Joseph et sa femme, elle ne savait pas quoi dire. Heureusement pour elle, le couple pouvait imputer cette retenue aux tristes événements que tous venaient de vivre. Elle les salua tout de même d'un geste élégant.

— Moi aussi.

Arthur Sicard et sa dame n'avaient pas saisi le prénom prononcé par Joseph, son accent marqué altérait la sonorité des mots. Était-ce le froid paralysant qui malmenait son articulation en déformant ainsi le prénom ? Caramel ? Ils ne posèrent aucune question. Carmel prit fermement le bras de Joseph, lui indiquant qu'elle tenait à rentrer. Elle glissa ensuite les mains dans son manchon. Ils pénétrèrent dans l'église. Personne n'avait envie d'engager la conversation. Ils gelaient, sur place, dans ce climat glacial.

Le maire Legendre était pour une rare fois accompagné de sa femme, qui n'aimait pas les manifestations sociales associées à la fonction politique de son époux. Par contre, il s'agissait ici de circonstances complètement différentes qui ne devraient nullement être distraites par la politicaillerie. Elle connaissait son mari par cœur. Elle doutait qu'il puisse s'en écarter. Le secrétaire du magistrat, Jean-Baptiste Paré, ainsi que la plupart des échevins, s'étaient fait un devoir d'assister aux funérailles. Des employés de la Ville de Montréal ainsi que de chez Sicard échangèrent eux aussi des poignées de main. Tous étaient pressés d'entrer à l'intérieur de l'église pour s'y réchauffer.

Le tocsin funèbre semblait lancer un cri de détresse plus grand qu'à l'accoutumée. Le carillon fendait l'atmosphère glaciale de décembre. Le glas embrassait la population avoisinante.

Chapeaux solidement calés, écharpes enroulées presque jusqu'aux yeux, mains gantées, aussitôt les poignées de main échangées, transis de froid, les badauds, autant que les notables, s'entassaient dans l'église. Chacun voulait s'y trouver une place.

La nef débordante de fleurs, emblème même de la vie pleine de promesses, offrait un contraste presque impudique avec la jeune vie qui venait d'être fauchée. Les couronnes mortuaires, les corbeilles ainsi que les croix garnies de chrysanthèmes et d'œillets blancs et rouges ressemblaient plus à un message d'espoir qu'à un adieu. Les fleurs disposées sur l'autel étaient joliment agencées en l'honneur du défunt.

Les membres de la famille éplorée tardaient à arriver. Ils étaient restés au salon mortuaire où ils souhaitaient pouvoir se consoler dans l'intimité. Ils avaient demandé à être laissés seuls avec le cher petit une dernière fois avant qu'il soit conduit à son ultime repos. Pauline et Gustave Masson n'arrivaient pas à détacher leurs mains du cercueil. Ils ne se résignaient pas à laisser les porteurs l'emmener. On leur accorda encore du temps, la mère étant inconsolable. Elle s'agrippait au cercueil en l'entourant de ses deux bras, comme si une partie d'elle-même s'en allait. Son mari tentait de l'en retirer, mais elle semblait soudée à ce qui avait été son enfant. Son bébé, son seul enfant, déchiqueté. Elle refusait cette mort atroce, inacceptable aux yeux de tous.

La photo du garçon avait été placée sur le dessus de la bière. Pauline Masson, tout en se dégageant, s'en empara. Qu'il était beau, son enfant; cette photo avait été prise le jour de sa première communion, elle s'en souvenait comme si c'était hier. Elle le sentit presque croître en son sein, le revit naître, entendit son premier cri, le vit faire ses premiers pas et balbutier « ma-ma » pour la première fois. Elle embrassa la photo avidement. Gustave Masson en fit autant, puis il prit sa femme par la taille et tenta de l'entraîner hors de cette grande pièce impersonnelle et froide, mais elle s'écroula. Elle avait défailli de nouveau. Des employés qui attendaient en retrait accoururent, l'aidèrent à s'asseoir et lui tendirent un verre d'eau. Ils n'avaient jamais, au cours de leur carrière, vu un drame aussi poignant. Pourtant, ils avaient été témoins de plusieurs scènes déchirantes, mais nullement comparables à celle qui se déroulait sous leurs yeux.

* * *

Pendant ce temps, à quelques rues de là, l'église Notre-Dame-du-Saint-Rosaire était pleine à craquer. Des centaines de personnes durent demeurer debout à l'arrière, refoulant jusque dans le portique, faute de place. Le service, prévu pour dix heures, allait commencer en retard. Tous les sympathisants étaient religieusement recueillis et attendaient patiemment. Au moindre bruit, des têtes se retournaient, croyant avoir entendu les pas des parents. Le maire se tenait à l'arrière avec sa femme ; quelques échevins et le secrétaire durent prendre place, craignant de ne plus trouver de banc. Toutefois, le magistrat n'eut à bousculer personne. On avait réservé un banc pour sa femme et lui à l'avant de l'église où il se dirigea quand tous les fidèles furent assis. Il fut alors certain de se faire remarquer.

Le célébrant et les enfants de chœur, chacun à leur place dans une attitude de recueillement, attendaient les parents et la dépouille pour commencer la cérémonie.

Vingt minutes plus tard, les grandes portes de l'église s'ouvrirent, accueillant le cercueil de Pierre Masson porté par six hommes, tout de noir vêtus, qui accordaient leurs pas. Retentirent enfin les premières notes des cuivres de l'orgue qui accompagnait le *Kyrie eleison*, le chant d'entrée. Un mouvement de foule à l'arrière de l'église céda le passage aux membres de la famille en larmes, engloutis dans une douleur incommensurable. Une douzaine de personnes, les yeux bouffis, marchaient au même rythme, le pas traînant. Les parents de Pierre, Pauline et Gustave ouvraient la marche ; ils franchirent l'allée centrale pour ensuite gagner les premiers bancs, réservés aux membres de la famille du défunt. Ils étaient soutenus par des gens plus âgés, sans doute les grands-parents, qui les aidèrent à s'asseoir. Ils étaient tous deux livides, soudés l'un à l'autre. Ils se laissèrent choir sur le banc. Ni l'un ni l'autre ne regardait autour de lui. Gustave avait passé son bras autour du cou de Pauline, comme pour la soutenir. Elle laissa sa tête reposer sur son épaule.

On aurait dit que chacun dans l'assistance était en deuil tellement la vue de ce cortège était touchante. Carmel eut des frissons. Comme beaucoup d'autres, elle pensait que c'était un vrai drame que de survivre à son propre enfant, la chair de sa chair. Le cercueil fut roulé vers l'avant de l'église. Un autre homme, lui aussi vêtu de noir, vint y déposer cérémonieusement la photo de Pierre. La mère fit un mouvement pour s'approcher du cercueil, mais son mari la retint étroitement contre lui et l'incita à se rasseoir.

Le rituel du service religieux commença. Le prêtre officiant gravit les marches le conduisant à la chaire. Il s'adressa à l'assistance avec un accent de tristesse.

— Mes bien chers frères et sœurs, nous sommes rassemblés dans la maison de Dieu, en ce sombre jour de deuil, afin de rendre un dernier hommage à Pierre et de nous souvenir de lui, fils de Pauline et Gustave Masson.

En entendant prononcer le nom de son fils, Pauline fut prise d'une pulsion incontrôlable. Un sentiment de révolte l'étreignit. Gustave et la parenté ne purent retenir leurs pleurs qui saisirent l'assistance. Cet afflux d'émotions se propagea dans la foule, comme une contagion. Plusieurs personnes, mouchoirs déjà en main, s'épongèrent les yeux. Les journalistes se firent discrets. Ils avaient eu la délicatesse de ne pas troubler la cérémonie et de ne pas prendre de photos ; ils se fondaient dans la foule. Carmel, comme pas mal de femmes dans l'assistance, tenait fermement la main de son mari dans la sienne. Elle faisait en vain un effort pour retenir les lourds sanglots qui secouaient sa poitrine et qu'elle avait peine à maîtriser. Elle priait la Vierge pour qu'elle apporte du réconfort aux parents de ce jeune garçon et aussi pour protéger l'enfant qui grandissait en elle. Joseph dut cligner des yeux pour refouler ses larmes.

Le célébrant, pour qui une telle cérémonie revêtait un caractère particulier, avait eu de la difficulté à choisir des paroles apaisantes. Il s'adressa aux fidèles d'une voix chevrotante :

— Le rappel de Pierre en si bas âge par le Père tout-puissant et dans des conditions aussi cruelles pourrait paraître inexplicable. Un enfant, l'incarnation même de la vie. Je suis conscient qu'il n'est pas facile de se séparer de celui qu'on a tant aimé et chéri.

Le prêtre accentua le ton en prononçant ces paroles, semblant vouloir se convaincre lui-même. Sous la soutane battait un cœur d'homme.

— Les voies du Seigneur sont impénétrables, enchaîna-t-il. Cette âme si pure a trouvé une place de choix auprès de notre Créateur. Vous devez faire preuve de courage et de force devant une telle épreuve.

Le mot « épreuve » fut prononcé du bout des lèvres.

Cette rhétorique visant le réconfort fut peu convaincante et reçut un accueil acide de la part de Pauline et Gustave qui, malgré leur grande piété et leur foi indéfectible, voire inébranlable, jusqu'à ce jour, n'arrivaient pas à concevoir que leur fils unique leur ait été enlevé aussi brutalement. Quel étrange mystère, que le sacrifice de la vie d'un enfant ! Pauline et Gustave interrogeaient Dieu pour savoir quelles fautes ils avaient commises et ce qu'ils avaient pu faire de mal pour mériter un tel châtiment.

***

Aucun membre de la famille Masson n'avait eu le courage de prononcer un éloge funèbre à la mémoire du jeune Pierre. Tous étaient trop affligés pour se concentrer et trop émus pour s'adresser à une si grande assistance. C'était totalement hors de leurs capacités. Les parents avaient donc demandé l'aide de l'institutrice de leur fils afin qu'elle mandate un élève pour s'adresser aux fidèles en leur nom. Lise Lavoie, touchée par la confiance manifestée par les parents, avait accepté. Puisque c'était la période des vacances de Noël pour les élèves et les enseignants, l'institutrice avait dû se creuser les méninges pour répondre dignement à une telle requête.

Lise Lavoie s'était rendue à l'école et avait fait ouvrir le local de sa classe par le concierge. Elle s'était assise à son bureau devant des rangées de pupitres délaissés pour les grandes vacances. Le cœur en deuil, elle avait tenté de rassembler ses idées. Elle ignorait comment formuler un témoignage pour le décès atroce d'un enfant, comment résumer le parcours d'une vie si courte, fauchée tragiquement. Elle n'avait que des louanges à l'égard de Pierre qui, selon elle, était un ange.

En effet, Pierre avait été un élève studieux et discipliné, elle ne lui connaissait aucun ennemi. Des larmes avaient embrouillé sa vue. Elle avait tenté de se concentrer sans se laisser aller à la compassion. Il lui avait fallu trouver vite, car le service avait lieu dans deux jours. Après avoir cogité longuement, une idée avait jailli. « C'est ça, s'était-elle dit en se félicitant intérieurement, c'est ça, j'ai trouvé. Un poème, oui, il faut lui réciter un poème. Pas de grandes paroles, ni de discours d'apitoiement, c'est un poème qui convient le mieux dans les circonstances. »

Lise Lavoie avait trouvé la bonne idée, mais encore fallait-il choisir le texte ou peut-être le composer. Elle avait continué de réfléchir. Elle s'était rendue à la bibliothèque de la mère supérieure et s'était mise à feuilleter quelques recueils, aucun ne lui semblant approprié à un enfant de dix ans. Elle en avait apporté quelques-uns dans sa classe. Un écrit de Jacques Prévert avait retenu son attention : *Chanson pour les enfants l'hiver*. Lise s'était mise à griffonner, à biffer puis à ajouter au texte des expressions et des phrases appropriées à la jeune victime. Elle l'avait relu et corrigé, en changeant quelques mots. Enfin, elle avait été satisfaite, le texte conviendrait, elle n'y avait plus rien ajouté.

Lise avait parcouru avec minutie la liste de noms de ses élèves afin de trouver celui qui pourrait représenter dignement la classe, s'adresser à l'assistance au nom de tous. La tâche s'était avérée difficile. C'étaient des gamins pour qui la mort de leur ami semblait incompréhensible.

Catherine, âgée d'à peine dix ans, avait été choisie par l'institutrice parmi les élèves de la classe des filles, car aucun garçon de la classe de Pierre choisi par Lise ne se sentait capable de lire cette élégie. Cette élève avait été retenue, car elle avait récité par cœur une fable de La Fontaine à l'examen de récitation de fin d'année et avait obtenu 100 %. La fillette portait de petites lunettes rondes et deux tresses blondes tombaient sur ses épaules. Sa mère avait acquiescé avec fierté à la demande de Mme Lavoie. Catherine serait accompagnée à la flûte par le père d'un élève de la classe de Pierre. L'institutrice était arrivée à l'église à l'avance afin de se placer dans le premier banc pour souffler les paroles à Catherine et l'encourager si nécessaire.

Catherine se tenait le dos droit dans la nef, une feuille parcheminée roulée, nouée d'un ruban blanc entre les mains. Lorsque le célébrant l'y invita, elle se plaça devant le microphone qui fut ajusté à sa hauteur. La fillette dénoua le ruban et déroula le parchemin, encouragée par le regard approbateur de l'institutrice, un tantinet nerveuse. Au signal de cette dernière, elle entama sa lecture. On aurait pu entendre une mouche voler dans l'église à ce moment-là. De sa voix mélodieuse, Catherine récita posément :

*Dans la nuit de l'hiver*
*Galope un grand cheval blanc*
*Monté par un enfant*
*C'est un bonhomme de neige*

Elle fit une légère pause et reprit sa lecture lorsque la première note de la flûte résonna.

*Poursuivi par le froid*
*Il arrive au village*
*Voyant de la lumière*
*Le voilà rassuré*
*Dans la maison du Père*
*Il entre sans frapper*
*Là pour s'y réchauffer*
*Il s'assoit près de Lui*
*Et d'un coup, disparaît*
*La froidure de l'hiver*
*Ne laissant que son âme*
*Flotter resplendissante*
*Subitement réchauffée.*

Les mots du poème avaient été prononcés si doucement qu'on aurait dit qu'un ange avait parlé. Comment une fillette de cet âge avait-elle pu tenir le coup ? L'effet fut saisissant. Toute l'assemblée de fidèles soudés à leur banc semblait retenir son souffle avec ravissement. La fillette alla se rasseoir, satisfaite d'elle-même ; elle n'avait pas hésité une seule fois et ne s'était pas trompée. Sa mère et Lise Lavoie seraient satisfaites d'elle. Des chuchotements se firent entendre, vantant la voix magnifique et la diction impeccable de Catherine. Plus que satisfaite, l'institutrice porta son mouchoir à ses lèvres tremblantes.

Puis vint la fin de la cérémonie, moment où s'amorçait la lugubre procession ayant en tête le petit cercueil de Pierre. L'assistance était frappée de mutisme.

Une immense tristesse jaillit du plus profond du cœur de Carmel lorsque Pauline, vacillante, passa près d'elle. Elle lui jeta un regard éperdu ; elle ne put retenir les lourds sanglots qui l'étreignaient. Plusieurs auraient voulu serrer la mère de Pierre dans leurs bras, la consoler. La vue de cette femme au teint blafard, qui semblait tellement fragile, fendait le cœur. Le moindre faux pas l'aurait fait défaillir. La sortie de ce petit ange vers son dernier repos fut saluée par les sons mélancoliques de l'orgue. Retenir ses larmes était impossible.

Le célébrant invita parents et amis à exprimer un dernier adieu à Pierre au cimetière. Il n'y aurait pas de mise en terre, car le sol était gelé. Le cercueil ne serait enterré qu'à la fonte des neiges. Durant la saison hivernale, les cercueils des défunts étaient déposés dans un charnier.

La population et davantage les personnes concernées de près ou de loin par l'enquête se disaient qu'un tel accident ne devait jamais se reproduire.

Les journalistes, munis de leur carnet de notes et de leur appareil photo, étaient sortis les premiers de l'église. Ils espéraient capter sur le vif l'angoisse des parents. Ils durent bousculer quelques fidèles tellement les gens se tenaient serrés les uns contre les autres. Bien que les représentants des médias se soient tenus discrets durant toute la cérémonie, maintenant, c'était à qui rapporterait un papier qui ferait vendre le plus grand nombre de copies. Les lecteurs, inondés d'informations concernant la situation internationale et cette guerre qui progressait en Europe et pour laquelle ils ne se sentaient pas concernés, suivaient assidûment cette nouvelle. Le lendemain, le titre le plus accrocheur et le plus sensationnel serait peut-être celui qui irait de sous-entendus concernant l'état du conducteur, car les journalistes étaient hésitants. Ils se demandaient si faire l'étalage des photos des parents affligés d'une peine aussi atroce ne serait pas déplacé.

Monsieur le maire s'était abstenu de serrer la main des parents du défunt tellement il craignait, devant tant de chagrin, que son geste soit mal interprété. Même l'échevin Martin s'était fait discret. Le magistrat se réconforta en pensant qu'il avait accompli son devoir en allant offrir ses condoléances aux parents à la maison funéraire.

Un froid de gueux, mordant en ce jour de décembre, contraignit les fidèles à quitter rapidement le parvis de l'église. Le maire délaissa subitement sa femme pour s'approcher d'Arthur Sicard, dont le génie faisait la réputation.

En serrant la main de Sicard, Charles Legendre avait une idée en tête. Il ne put s'empêcher de discuter de ce malencontreux accident et du comité qui avait été mis sur pied dans le but d'éclaircir les circonstances qui avaient mené à une telle catastrophe. Les épouses des deux hommes trépignaient d'impatience et grelottaient malgré leurs manteaux de vison qui les distinguaient de la classe ouvrière. Elles discutèrent à leur façon des causes de l'accident. Les hommes, eux, s'entretenaient à voix à peine audible de leur position respective. Ils se vouvoyaient. Legendre exposa son idée à l'illustre inventeur des souffleuses à neige.

— J'ai une suggestion à vous faire, monsieur Sicard. J'ai l'intention, après avoir rencontré les membres du comité exécutif, de recommander aux membres du conseil municipal la formation d'un comité afin de faire la lumière sur toute cette malheureuse histoire.

Arthur Sicard l'observa intensément, se demandant où il voulait en venir, mais il ne l'interrompit pas. Le maire termina son exposé. Il ne voulait aucunement offusquer cet homme, qui avait eu la clairvoyance de mettre sur pied un comité, et cela, bien avant lui. Il s'était fait devancer, il fallait absolument qu'il se rattrape aux yeux de la population.

Le maire précisa qu'il ne remettait aucunement en question ni ne critiquait cette initiative prise immédiatement après l'accident. Il le félicita même de sa vivacité d'esprit et de sa volonté d'agir rapidement. Il voulait une union des deux comités. Legendre, en invitant Sicard à fusionner son comité à celui de la Ville, mettrait Martin moins en évidence. Il se félicita intérieurement d'avoir trouvé une idée aussi lumineuse visant à éclipser l'échevin. Il avait, selon lui, trouvé un bon filon.

— Je vous propose de ne former qu'un comité, une seule force, nos experts réunis dans une même équipe. L'efficacité passe par la force de nos compétences respectives. Je mettrai à la disposition des membres un local à l'hôtel de ville ainsi que le personnel de soutien nécessaire.

Les épouses étiraient le sujet de conversation. Aucune d'elles, toutefois, n'osa interrompre son mari. Sicard n'avait pas encore dit un mot. Le magistrat ne pouvait évaluer sa réaction, c'était un homme qui s'était fait lui-même. Sa forte personnalité lui avait ouvert plusieurs portes. Il était respecté pour la façon dont il faisait du *business*. L'homme d'affaires ouvrit enfin la bouche.

— Venez donc me rencontrer à mon bureau, Monsieur le Maire, nous en discuterons.

Sicard avait usé de plus de tact que lui, encore une fois ; il s'en voulait de ne pas s'y être pris de la même façon. Il détestait se faire dicter sa ligne de conduite. Sicard avait raison, le lieu et le moment étaient mal choisis pour une telle discussion. Il s'était montré maladroit et impulsif. Il lui faudrait corriger ce défaut, Paré lui en avait déjà fait la remarque. Legendre était mal à l'aise à cause de la présence des deux femmes, de la sienne en particulier. Son épouse, qui n'était nullement politisée, en revanche, tirait avantage d'un instinct féminin bien aiguisé et prêtait l'oreille discrètement. Elle savait que M. Sicard avait raison, ce n'était pas l'endroit pour parler affaires. Elle était heureuse que l'échange finisse afin de rentrer dans sa somptueuse demeure qu'elle s'était amusée à décorer avec doigté pour la période des fêtes. La domestique n'en finissait plus d'ouvrir la porte aux citoyens et aux gros bonnets venus souhaiter à la famille du magistrat une heureuse période de réjouissances, certains déposant habilement des cadeaux destinés au maire. Il en serait ainsi jusqu'après le jour de l'An, la domestique l'avait déjà vécu, étant à leur service depuis plusieurs années.

Le politicien serra la main de Sicard et lui répondit :

— À votre convenance, monsieur.

Comme Sicard n'avait rien précisé concernant une date pour la tenue d'une telle rencontre, il en remit et se cala davantage.

— Quand croyez-vous pouvoir me rencontrer ? demanda-t-il.

Il n'avait pas terminé sa phrase qu'il s'interrompit. Encore une fois, il aurait dû réfléchir avant de parler. Il eut le sentiment que l'entrepreneur le regardait de haut et il n'aimait pas cela.

— Laissons donc passer le jour de l'An.

Rien de plus précis, mais cette fois le maire avait compris. Il tenta de prendre un ton neutre. Il mit un terme à la discussion.

— On se revoit donc en 1941, mon cher.

Les deux hommes et leurs épouses se dirigèrent vers leurs automobiles et s'engouffrèrent dans l'habitacle, aussi froid qu'une glacière. Après avoir réussi, avec soulagement, à faire démarrer leurs véhicules, ils prirent la direction de leurs résidences respectives.

Un modeste cortège funèbre se mit en branle et s'achemina sans hâte vers le cimetière. Pauline et Gustave Masson prirent place sur la banquette arrière de la longue voiture noire conduite par un employé de la maison funéraire qui suivait le corbillard. Ce fut en compagnie de la famille et de quelques proches qu'ils dirent adieu à leur enfant chéri. Malgré son immense chagrin, le couple trouva la force de faire pour lui cet ultime geste sur cette terre gelée, aussi gelée que leurs âmes. Le prêtre prononça la dernière prière. Pierre était monté directement au Ciel, avait dit monsieur le curé, ce serait là dorénavant que ses parents s'adresseraient à lui.

Un journaliste brandit un micro sous le nez des parents éplorés. Des rumeurs circulaient concernant une possible poursuite contre la Ville ou le fabricant de la souffleuse impliquée dans l'accident.

— Allez-vous poursuivre la Ville ?

Un autre ajouta :

— Ou Sicard ?

Pauline et Gustave ne répondirent point. Ils s'étaient réfugiés dans leur silence, on les aurait crus absents du monde des vivants pour rejoindre celui de leur fils, le monde des esprits. Aucune parole ne les atteignait. Les journalistes, ayant compris qu'ils ne tireraient rien d'eux, se tournèrent vers les amis pour recueillir leurs commentaires sur ce triste événement.

# Chapitre 4

La cérémonie profondément émouvante en avait affecté plus d'un. Beaucoup de femmes tenaient en petite boule leur mouchoir imbibé de larmes. Devant l'ampleur du drame, Carmel avait compris que la fonction que son mari aurait à occuper dans l'enquête était extrêmement importante. Dans cette église, aux côtés des parents de l'enfant, elle avait pris réellement conscience de la lourdeur de la tâche de Joseph ; elle se promit d'être plus patiente. Elle assumait pleinement son rôle d'épouse et avait l'intention de s'en acquitter dignement. Joseph aurait besoin de son soutien psychologique et de sa compréhension. Au cours de la cérémonie, Carmel avait pensé ardemment à la vie embryonnaire qu'elle portait en son sein. Pour la première fois, elle mesurait toute l'importance du mot « mère ». Elle pensait à sa propre mère, et, dans son esprit, se dessina le visage crispé d'Eugénie. Elle voulait lui venir en aide, mais ne savait de quelle façon s'y prendre. Elle déplorait encore une fois de devoir vivre loin des siens. Elle aimait tellement Joseph qu'elle aurait accepté toutes les situations pour vivre près de lui. Mais elle n'était installée à Montréal que depuis quelques mois et déjà elle espérait que son mari occupe un emploi à Québec, car elle caressait l'espoir de retourner y vivre. Encore fallait-il qu'il le souhaite lui aussi ! Le projet était peut-être envisageable ; cette idée s'infiltra en elle.

Durant le trajet de l'église à leur logis, Carmel passa un commentaire concernant l'employeur de son mari :

— Il est impressionnant, M. Sicard !

Joseph se contenta de répondre avec un air approbateur :

— Tu peux le dire !

* * *

Dès que les Courtin furent dans leur appartement, ils chaussèrent leurs pantoufles pour réchauffer leurs pieds gelés. Il était passé midi. Carmel n'avait pas d'appétit, mais elle offrit à Joseph de lui servir à dîner.

— *No thanks*, je n'ai pas faim. Mange donc, toi. Tu dois avoir de l'appétit pour deux.

Carmel avait un nœud dans l'estomac.

— Je vais manger un peu plus tard.

Elle recouvrit d'une nappe de plastique la surface en stratifié de la table de cuisine aux pattes chromées et les deux s'y installèrent. Joseph sortit son dossier. Ils se plongèrent dans leurs préoccupations respectives. Carmel s'apprêtait à écrire à sa mère pendant que Joseph parcourait silencieusement ses notes.

— Veux-tu une tasse de thé bien chaud, Jos ?

Il releva la tête, son regard était plein de compassion. Même un cœur d'homme ne pouvait demeurer insensible à une telle tragédie. Tout en prenant la main de Carmel dans la sienne, il se confia. Le timbre grave de sa voix était révélateur de son état d'âme.

— Tu sais, Caramel, malgré le rapport de l'accident assez détaillé que nous a lu le sergent Harvey, j'ai mieux compris toute l'atrocité de cette mort depuis que j'ai été en présence des parents du garçon. J'ai tellement d'empathie pour eux que je vais faire tout ce qui est en mon pouvoir pour que cet accident soit le dernier. La cérémonie d'aujourd'hui m'a profondément troublé.

Il fit une pause avant de continuer.

— J'ai pris toute la mesure de ce drame durant le service. C'est autre chose de lire les faits dans un rapport et dans les journaux que d'avoir les victimes sous les yeux. Je me suis mis à la place du père et me suis dit que rien au monde ne pouvait être plus pénible que de perdre son fils. Tu sais, avant aujourd'hui, je croyais que la plus grande douleur était la perte d'une mère. Mais depuis que j'ai compris la souffrance de la maman de Pierre, je sais que je me trompais.

— Tu as un grand cœur, mon amour.

— Malgré ce que je viens de te dire, je dois t'avouer que je pleure encore aujourd'hui la mort de ma mère.

Pathétique, Joseph avait parlé avec des trémolos dans la voix.

Carmel compatissait avec son cher Joseph. Elle lui rappela :

— Tu te souviens de ce que je t'ai dit concernant une mère qui perd son enfant ? Eh bien, c'est aussi difficile pour un père, assurément.

Elle lui caressa affectueusement la main.

Carmel, aussi triste que son homme, s'efforça tout de même de sortir son couple de cette torpeur. Joseph prenait des notes lorsqu'elle revint, une bouilloire fumante à la main, prête à lui verser de l'eau dans une grande tasse. Elle y avait déposé des feuilles de thé qu'elle laissa infuser.

Elle commença la rédaction de la lettre qu'elle destinait à Eugénie. Elle griffonnait et biffait au fur et à mesure les phrases inachevées. C'était ardu de mettre sur papier ses idées les unes à la suite des autres. Joseph s'en aperçut.

— Tu es fatiguée, ma belle, l'avant-midi a été troublant, ne désires-tu pas te reposer et reprendre la rédaction de cette lettre lorsque tu seras mieux disposée ?

— En effet, tu as raison, je suis fourbue, j'ai de la difficulté à me concentrer.

Carmel déchira en petits morceaux les feuilles gribouillées, les jeta à la poubelle et suivit le conseil de son mari. Elle somnola en mettant la tête sur l'oreiller. Lorsqu'elle se réveilla, une bonne heure et demie plus tard, Joseph, toujours attablé, mangeait un sandwich à belles dents. Elle s'étira négligemment en le voyant.

— J'ai faim, je crois que ce sont les gargouillis de mon estomac qui m'ont réveillée.

Elle prit une bouchée du sandwich de son époux.

— Oh là, c'est à moi ! lui dit-il d'un ton blagueur.

On aurait dit que l'atmosphère s'était détendue, ils avaient envie de taquineries. Joseph éloigna le sandwich de Carmel et le rapprocha de sa bouche avec un brin de gaminerie dans les yeux.

— Viens donc le chercher si tu en veux.

Carmel participa volontiers à ce petit jeu du baiser volé entre deux bouchées de sandwich au jambon qu'ils dévorèrent en un rien de temps.

— Miam ! C'était tellement bon, j'aimerais en avoir un autre, dit Carmel.

Joseph en profita pour relever l'allusion.

— Qu'est-ce qui était bon : le baiser ou le sandwich ?

Carmel le trouva marrant.

— Le sandwich, sans aucune hésitation !

Cette diversion fit du bien à Joseph qui décida de fermer les livres pour le reste de la journée.

— Tant pis, je vais t'en faire un, mais je ne te donnerai pas de baiser puisque tu choisis de te sustenter de jambon préférablement aux lèvres tendres de ton mari.

Était-ce par nostalgie que Joseph se remémora tout à coup la bonne cuisine de sa mère ?

— J'y pense, sais-tu faire du porridge ?

Carmel fit une moue dubitative.

— Porige ?

Joseph éclata de rire.

— Mais non, pas porige, porridge !

Il eut de la difficulté à reprendre son sérieux pour ajouter :

— Le porridge est une bouillie de flocons d'avoine. Maman nous en servait à presque tous les déjeuners, j'en raffolais. C'est une spécialité écossaise facile à faire. Pourrais-tu en cuisiner demain matin ?

Joseph avait éveillé la curiosité de sa femme, qui rétorqua :

— J'aimerais bien, pour cela il me faudrait la recette.

Joseph tenta de se souvenir de la façon dont sa mère le préparait.

— Comme je te le disais, le porridge est un plat écossais, très ancien. Maman faisait une bouillie de farine ou de flocons d'avoine, je n'en suis pas certain. On pouvait préparer son porridge avec du lait ou de la crème et le sucrer légèrement, selon le goût de chacun. C'était le plat quotidien des populations rurales.

Il s'interrompit, un brin de malice au fond des yeux.

— Tu ferais cela pour moi !

Carmel planta ses radieux yeux de biche dans l'azur de son regard amusé.

— Qu'est-ce que je ne ferais pas pour toi ?

Elle l'aimait d'un amour incommensurable, elle était prête à tout pour lui plaire.

— Je te le répète, il me faudrait la recette, ce que tu me décris là ressemble à du gruau.

Joseph n'y tenait pas mordicus, mais il aurait aimé introduire dans sa nouvelle vie quelques clins d'œil de son enfance.

— Et tant qu'à y être, dans la culture écossaise, le 25 janvier de chaque année, comme le veut la tradition, nous mangeons du *haggis*.

Carmel s'exclama :

— Du hachis ! C'est facile à faire, maman en faisait, j'ai sa recette.

Joseph l'interrompit, les bras en l'air, faisant de grands gestes loufoques, riant aux éclats.

— Tu vas me faire mourir de rire, pas du hachis, mais du *haggis*.

— C'est la même chose, c'est toi qui prononces mal avec ton accent. Peu importe, on dit *hachis* et non pas *haaggggis*.

Joseph eut de la difficulté à cesser de la taquiner sur ce point et lui expliqua calmement :

— C'est bien du *haggis*, un plat traditionnel écossais à base de panse de mouton farcie avec sa fressure.

— Quoi ! Tu veux me faire manger de la panse de mouton farcie de… ? Beurk ! Non, merci ! Veux-tu empoisonner l'enfant que je porte ?

— Tant pis pour toi, tu ne sais pas ce que tu manques.

Joseph ne put s'empêcher de porter à ses lèvres avec application les doigts graciles de sa femme et se pourlécha la langue du goût de moutarde qui y était encore imprégné. Puis il écarta sa main et admira les alliances qui avaient scellé leur union. Il contempla son visage à la carnation de pêche. Il l'aimait. Il se ressaisit et continua de l'instruire sur le même sujet :

— Le 25 janvier, c'est l'anniversaire du poète-laboureur Robert Burns, né en 1759. Il est aussi connu sous le nom de Rabbie Burns. La tradition veut que nous le célébrions chaque année. Alors on chante ou on récite ses poèmes.

À titre de fier Écossais, Joseph en remit :

— Robert Burns, le « chantre de l'Ayrshire », a immortalisé son pays natal en le décrivant comme le berceau du courage et de la valeur. En tant que poète des Lumières, il a chanté l'essentielle égalité des hommes de bonne volonté partout dans le monde. Pour lui, les origines ancestrales, l'accent et le lieu de naissance devaient céder la place à l'honnêteté, à l'indépendance d'esprit, au bon sens et à l'estime de soi, autant de qualités qui font qu'un homme est un homme.

Carmel soupira en se disant que ces qualités étaient innées chez Joseph.

— Burns, ce poète ! Cela me rappelle quelque chose !

Joseph lui serra la main d'un geste affectueux, il était content qu'elle s'en souvienne.

— Je t'aime !

Carmel lui avoua :

— Tu m'apprends des choses concernant la culture écossaise.

Joseph mit encore plus d'élan dans son enseignement.

— Tu sais, les Écossais se couvrent souvent le corps d'un tartan. Autrefois, chaque clan possédait un tartan représentant un motif qui lui était propre. Parfois ils revêtent encore le kilt, une jupe courte et plissée attachée sur le côté sous laquelle, apparemment, ils ne portent pas de sous-vêtements.

— Va pour la culture écossaise, moi, tu sais, mon cœur est habillé de dentelle depuis que tu m'aimes !

Joseph s'arrêta brusquement en entendant de la bouche de son amour ces mots poétiques. Les yeux de sa douce étaient excessivement aguichants.

Cette journée se termina par des aveux d'amour grisants. Ni l'un ni l'autre ne reparla de la tragédie. Ils badinaient sans doute pour s'étourdir et oublier. Ils se retirèrent dans leur chambre. Ils avaient prononcé des paroles sensibles au cœur. Ils s'aimèrent encore et encore puis, blottis l'un contre l'autre, ivres d'amour, ils se laissèrent gagner par un sommeil douillet.

***

Le lendemain matin, dans l'obscurité, la sonnerie stridente du téléphone tira Carmel de son sommeil. L'inquiétude la gagna quelques secondes.

— Qui est-ce que ça peut être à une heure aussi matinale ? dit-elle après avoir allumé la lampe de chevet.

Joseph, qui était éveillé depuis six heures, se leva rapidement pour répondre. Une légère appréhension se lut sur ses traits lorsqu'il entendit la voix de la standardiste de Bell lui demander :

— Mme Carmel Courtin, s'il vous plaît ?

Après un moment d'hésitation, Joseph répondit :

— Un instant, je vous la passe.

L'œil interrogateur, il tendit le combiné à Carmel, qui le saisit, abasourdie.

— Oui, allô ?

La téléphoniste vérifia l'identité de l'interlocutrice.

— Madame Carmel Courtin ?

— Oui, c'est moi à l'appareil.

Une fois l'identité de la personne confirmée, la femme annonça d'une voix claire et bien posée :

— J'ai un appel longue distance de Québec, à frais renversés, de la part de Mathilde Moisan, acceptez-vous les frais ?

— Oui, j'accepte, répondit Carmel en fronçant les sourcils.

Mathilde eut de la difficulté à entamer la conversation tellement elle était bouleversée.

— Bonjour, Carmel, c'est moi.

— Bonjour, que se passe-t-il? Tu me sembles hésitante et préoccupée.

— J'ai une mauvaise nouvelle à t'annoncer.

Le cœur de Carmel fit quelques tours.

— Quoi donc ? Parle, je t'en conjure !

Mathilde débita d'une voix apitoyée son chapitre.

— Maman est bouleversée, Alfred a été arrêté hier, il a passé la nuit au poste de police. Ce n'est pas son arrestation qui me chagrine, c'est plutôt l'état de notre mère. Elle est inconsolable, je dirais même troublée, je l'ai entendue renifler jusqu'au petit matin. Forcément, je n'ai pas beaucoup dormi. J'ai pas mal de choses à te révéler, ma sœurette, mais tu dois tout d'abord savoir le pire.

Elle poussa un long soupir avant de lancer :

— Notre mère se drogue !

Carmel s'écria :

— Mon Dieu, que me racontes-tu là ? Maman se drogue ? Voyons donc, ça ne se peut pas, de la drogue, comment est-ce possible ?

Le mot « drogue » lui était resté coincé dans la gorge.

Mathilde en avait marre de toutes ces cachotteries, elle ne se sentait plus capable de porter sur ses épaules l'énormité de la situation familiale. Elle prononça des paroles d'impatience envers sa sœur.

— Réveille-toi donc, Carmel ! Elle se pique à la morphine depuis longtemps, comment ne t'en es-tu pas rendu compte ? Ce n'est pas possible !

Un silence entrecoupa cette inattendue et surprenante révélation.

— C'est Alfred qui lui en fournit. Maintenant qu'il est en prison, maman sait que personne d'autre ne peut lui en procurer. Je crois même qu'elle est en manque, car cette nuit j'ai cru qu'elle délirait.

Carmel avait le souffle coupé. Non seulement Alfred était un pervers qui vouait un amour maladif à sa sœur, mais, de surcroît, il fournissait de la morphine à sa mère. La réalité lui apparut comme si elle venait de recevoir un coup de massue en plein front.

— Je comprends maintenant, ce n'est pas surprenant que maman le protège aveuglément. C'est épouvantable, je n'en reviens pas ! Elle le défendait inconditionnellement afin qu'il lui procure sa morphine. C'est lamentable ! Lamentable !

Carmel avait pâli, Joseph tenta d'intervenir, mais elle tenait le combiné collé contre son oreille, elle voulait à tout prix en savoir plus. En écoutant la conversation de sa femme, Joseph fut interloqué.

Mathilde se sentait démunie depuis le départ de Carmel, elle ne put s'empêcher de se défouler :

— Tu sais, depuis que tu n'es plus là, la situation est invivable : avant d'être arrêté, Alfred ne cessait de m'épier. Vous n'étiez partis que depuis quelques jours qu'il réussissait à mettre un somnifère dans le thé de tante Élise à son insu. Il a attendu qu'elle dorme profondément pour tenter d'ouvrir la porte de ma chambre. Heureusement que j'y avais installé un loquet, même si maman me l'avait interdit. Je ne sais pas ce qui serait arrivé s'il avait réussi à entrer. Tante Élise dormait trop dur pour entendre quoi que ce soit… je ne sais pas quoi faire, Carmel, je ne sais plus, je suis désespérée.

Carmel prenait mal l'annonce de ces renseignements stupéfiants. Joseph, qui l'observait avec consternation, le réalisa.

— Passe-moi le téléphone, Caramel.

Ce fut une Mathilde sans voix qu'il entendit renifler à l'autre bout du fil.

— Mathilde, tu es là ?

Le silence vexa Joseph.

— Mathilde, réponds-moi s'il te plaît.

Le ton persuasif de Joseph incita finalement sa belle-sœur à parler.

— Oui, je suis là, Joseph.

— Que se passe-t-il exactement chez vous pour te troubler à ce point ? Les réparties de Caramel me tracassent grandement. J'ai besoin d'avoir des précisions.

Mathilde savait que son beau-frère n'était pas au courant des turbulences qui secouaient sa famille, mais elle ne se sentait plus la force de se battre seule contre tant de malheurs.

— Comme je viens tout juste de le dire à Carmel, Alfred est en prison. Il s'est fait arrêter.

Joseph réagit promptement.

— Pardon ? Pour quel motif ?

— Pour trafic de stupéfiants, c'est-à-dire de morphine pour ma mère, enfin, c'est ce que j'ai cru comprendre.

Joseph, stupéfait, se sentit impuissant et dépassé par les événements. Il se retint pour ne pas déblatérer contre toute la famille.

— Comment pouvons-nous t'aider ?

L'intonation aiguë de son beau-frère lui parut outrageusement cruelle, alors Mathilde ne répondit pas. Conscient de sa maladresse, Joseph se reprit :

— Je t'en prie, dis-moi ce que tu attends de nous. Tu sais que Caramel est enceinte ; je ne veux pas qu'elle soit bouleversée par tous ces problèmes. Je m'excuse d'être aussi direct, c'est de la santé de ma femme et de notre enfant à naître qu'il s'agit. Tu connais ta sœur, elle est tellement dévouée qu'elle voudrait vous venir en aide. Tu sais, nous sommes à plusieurs heures de route de Québec, en hiver en plus, et nous en revenons tout juste ! *My God!* Mathilde, je suis sincèrement désolé pour ce qui vous arrive, mais je dois penser à ma femme avant tout, j'espère que tu me comprends.

Carmel se morfondait à côté de son mari, elle aurait voulu lui enlever le récepteur des mains. Devant l'air dégoûté et les propos virulents de Joseph, elle n'osa pas. Elle gesticulait avec énergie. Joseph lui fit signe de se calmer. Il prit sa main en la comprimant. Il poursuivit la conversation avec sa belle-sœur d'une voix plus posée.

— Il en a pris pour combien de temps, Alfred ?

Mathilde comprit que ni sa sœur ni son mari ne pouvaient lui venir en aide. Elle se sentit seule au monde. Elle répondit sur un ton neutre ; elle avait quelque peu regagné ses esprits.

— Je n'en sais rien, les accusations portées contre lui semblent être lourdes. Les policiers étaient très satisfaits d'avoir enfin pu le coffrer, à ce qu'ils ont dit.

Elle qui était en quête de sympathie fut terriblement déçue de la tournure de l'échange téléphonique. Elle se sentait maintenant à l'abri des attaques de son frère, certes, mais cela ne la réconfortait que partiellement. Elle savait sa mère vulnérable et dépendante à la morphine. Cette substance tellement chère sur le marché noir engloutissait l'argent des pensions que tante Élise et elle-même lui versaient, sans oublier la paie de son père. Privée de l'argent que lui donnait Carmel lorsqu'elle habitait à la maison, Eugénie en demandait encore plus à Mathilde.

Ulcéré par ce qu'il venait d'apprendre, Joseph voulut mettre un terme à la discussion, mais une idée surgit dans son esprit.

— Je te conseille de demander à un médecin de venir voir ta mère, c'est sérieux, tu sais. Et dis-moi, ton père, il fait quoi au juste dans tout cela ?

Mathilde venait de constater que Joseph ne connaissait nullement le fonctionnement de la famille ni le rôle que le paternel y jouait, c'est-à-dire aucun. Son père était un homme bon, mais insouciant, toujours à l'extérieur du foyer familial, loin des responsabilités qui lui incombaient.

— Tu sais que papa n'est presque jamais ici. Il arrive tard en soirée et, après une longue journée d'ouvrage, il se met au lit, nous ne le voyons presque pas.

Joseph était stupéfié.

— Mathilde, écoute-moi, s'il te plaît. Parle à ton père, il faut qu'il soit au courant de ce qui se passe sous son toit. C'est inconcevable qu'il ne prenne pas ses responsabilités.

Mathilde savait que toute la colère de sa mère lui tomberait dessus si elle parlait à son père. Elle se fit expéditive.

— D'accord, Joseph, je vais faire ce que je peux. Cela dit, repasse-moi Carmel.

Joseph tendit l'appareil à sa femme en lui demandant de se calmer.

— Ma pauvre sœurette, fais ce que Joseph te recommande, essaie de parler à papa, il doit t'aider.

Carmel allait poursuivre lorsque Joseph, la voyant si agitée, lui fit signe de terminer l'appel. Elle obtempéra à contrecœur.

— Donne-nous des nouvelles, Mathilde, dès que tu pourras.

Mathilde raccrocha l'appareil en conservant au fond de son cœur un sentiment de grande impuissance. Elle se sentait délaissée, de plus en plus seule pour affronter tant de maux. Elle enviait l'éloignement de sa sœur. Elle aussi aurait tant voulu s'échapper de cette famille dysfonctionnelle, mais il était vraisemblablement trop tard. Elle n'avait même pas osé mettre à exécution le plan que Carmel lui avait suggéré, soit de demander que Céline partage sa chambre. Étant donné les événements nouveaux, elle se doutait que sa mère n'accepterait pas de s'en séparer.

***

Carmel était atterrée. Sa mère se droguait et cela expliquait passablement de choses. Comme elle avait pu être aveugle, au temps où elle habitait avec sa famille ! Combien de fois avait-elle vu sa mère, amorphe dans sa berceuse, dormant d'un sommeil si profond? Elle venait de découvrir que ce sommeil n'était pas naturel, mais plutôt provoqué par la morphine. Elle comprenait désormais pourquoi Eugénie couvait tant Alfred.

— C'est évident, dit-elle à voix haute, c'est lui qui lui fournissait sa morphine !

Joseph, qui avait entendu des bribes de la conversation, en savait tout de même assez pour saisir de quoi il était question. Il fut choqué d'apprendre ce qui se passait dans sa belle-famille. Il ne put s'empêcher de dire à Carmel sa façon de penser.

— Tu parles de drogue, de morphine et de prison pour ton frère Alfred, c'est affreux, ne trouves-tu pas, Caramel ? Depuis quand ta mère se drogue-t-elle, d'après toi ?

Carmel éprouvait de la gêne et de l'humiliation du fait que son mari ait pris connaissance de tout cela. Sa gorge se serra. Elle savait son frère vicieux, ce qu'elle avait réussi à cacher à Joseph lors de leurs fréquentations ; toutefois, cette dépendance de sa mère à la morphine, elle l'ignorait. La femme en elle se sentait si diminuée aux yeux de Joseph qu'elle fut incapable de lui répondre. Elle enfila son peignoir et se rua vers la salle de bain pour en ressortir plusieurs minutes plus tard. Elle avait tellement vomi qu'elle croyait que son cœur allait sortir de sa poitrine.

Elle affichait un visage ravagé de larmes et rougi par l'effort lorsqu'elle revint vers la chambre. Joseph passait une chemise propre, se préparant pour la messe dominicale. Lorsqu'il vit sa femme dans cet état, il s'approcha, la prit par le coude et l'invita à s'allonger. Carmel se laissa guider comme un oiseau blessé, évitant le regard indéchiffrable de Joseph. Elle avait l'impression qu'il la jugeait durement et la méprisait à la suite de ces révélations. Elle était anéantie. Déjà que sa grossesse la rendait larmoyante, elle n'en finissait plus de se tapoter le visage. Elle articula difficilement.

— Tu vas m'appeler « la Vallée des larmes », si cela continue.

Joseph l'exhorta à se recoucher. Ce qu'elle fit. Il se pencha vers elle en lui ordonnant d'un ton que Carmel perçut comme repoussant :

— Tu vas rester à la maison ce matin, j'irai seul à la messe. Tu as besoin de te reposer, tu dois être prudente, tu portes notre enfant, ne l'oublie pas.

Il la couvrit.

Carmel prit mal cette recommandation qui lui parut amère. Elle se sentit rejetée et interpréta à sa façon le propos de Joseph. Elle réagit impulsivement.

— C'est ça, tu es gêné de t'afficher avec moi maintenant, voilà pourquoi tu m'ordonnes de ne pas t'accompagner !

Joseph ne savait plus quoi faire pour raisonner sa femme, il devait partir, sinon il serait en retard, ce qui était absolument injustifiable pour lui. Il lui dit, en terminant de nouer sa cravate, sentant l'irritation le gagner :

— Repose-toi. Reste allongée, je rentrerai directement après la messe.

Il se tenait devant elle, élégant et tellement beau, peut-être trop beau et trop bien pour elle, se disait-elle.

La tête haute, le regard intense, il haussa légèrement le ton.

— Tu me promets de te reposer, n'est-ce pas ?

Carmel eut du mal à émettre un faible « oui ».

Joseph se rendit à l'église à pied comme il en avait l'habitude. Il marcha à grandes enjambées et sentait à peine le vent âpre du nord qui lui léchait le visage. Tout le long du parcours, il défila dans sa tête la conversation entre Carmel et Mathilde. La mère de sa tendre épouse se droguait et Alfred était en prison ! Il lui revenait, selon lui, de gérer la pression que ces gens exerçaient sur elle, et il était de son devoir de l'en tenir éloignée. Sa progéniture ne devait pas être exposée à l'influence délétère de ces criminels.

Lorsque Joseph fit sa génuflexion et se signa en franchissant son banc, il implora modestement le Seigneur de le guider. Il conversait régulièrement avec celui qu'il appelait son « ami d'En-Haut ». Il en avait long à lui dire ce matin-là. L'état dépressif de sa femme le troublait. Il tentait de la comprendre. Cette condition était sans doute le lot des femmes enceintes. Peu importait, il fallait tenir Carmel à l'écart de sa famille, et ce, sans la blesser.

* * *

Carmel, restée seule dans sa chambre, se rongeait les sangs. Elle pensait à Mathilde, qui devait endurer une situation insoutenable. Elle en voulait à son père, un faible qui n'arrivait pas à faire régner l'ordre dans sa famille. Et sa mère, pourquoi avait-elle commencé à s'injecter de la morphine ? Cela devait coûter une fortune, elle qui ne roulait pas sur l'or. Il n'était pas étonnant qu'elle manque toujours d'argent.

Le rejet de celui qui avait semé en elle cette graine de vie était le plus difficile à supporter. S'il fallait qu'il l'abandonne dans son état, elle en mourrait. À mesure que les pensées négatives s'infiltraient dans son cerveau, les larmes inondaient son visage. Entre deux sanglots, Carmel consulta le radio-réveil. Joseph était parti depuis plus d'une heure, la messe était certainement terminée, il aurait dû être revenu. Une autre nausée l'obligea à se précipiter dans la salle de bain. Elle se sentait tellement faible qu'elle crut défaillir. Elle eut à peine le temps de s'asperger la figure d'eau froide et de retourner dans la chambre qu'elle s'effondra sur le lit. Lorsqu'elle rouvrit les yeux, elle constata que l'heure habituelle du retour de Joseph était largement dépassée. Son angoisse s'accentua, elle supplia Dieu pour qu'Il le lui ramène.

* * *

Joseph était quelque peu bouleversé lorsqu'il quitta l'église après avoir remercié son ami d'En-Haut de l'avoir écouté, de l'avoir guidé. Lorsqu'il s'approcha de son appartement, il accéléra l'allure et suivit une intuition qui le poussa directement chez Jacques, dont la femme pourrait sans doute lui être d'un grand secours. Ce fut elle qui lui ouvrit la porte.

— Nous arrivons de la messe nous aussi, entre donc, Joseph.

Joseph ne savait pas comment aborder l'objet de ses préoccupations avec ses amis. Il espérait particulièrement l'avis de Rita.

— Je ne veux surtout pas vous déranger.

Rita l'aida à enlever son paletot et lui dit :

— Viens donc prendre un bon café chaud avec nous. Est-ce que Carmel te suit ?

Joseph vit là une belle entrée en matière.

— Non, elle se repose, dit-il d'une voix mal assurée.

Rita s'inquiéta, car elle savait le couple dévot ; il fallait à l'un comme à l'autre une bonne raison pour ne pas assister à la messe du dimanche.

— Rien de grave, j'espère ?

Joseph avait un criant besoin de conseils. Il mettait sa confiance entre les mains de Rita, qui saurait être discrète. Il ne tenait pas à ce que Carmel soit au courant de sa démarche, elle n'aimait pas voir les autres se mêler de ses affaires personnelles.

— Je dois t'avouer, Rita, que je suis préoccupé.

Il s'accorda une pause avant de continuer :

— Caramel a beaucoup de nausées.

Rita l'observa avec attendrissement, comme elle aurait regardé son propre frère. Joseph ne pouvait dissimuler sa nervosité. Elle aimait beaucoup son voisin, qu'elle connaissait depuis plusieurs années. Elle se voulut rassurante.

Jacques se fit discret, il les écoutait attentivement, sans intervenir.

— Joseph, tu devrais savoir que presque toutes les femmes enceintes ont des nausées, c'est connu. Tiens, bois donc un peu, cela te calmera.

Joseph sirota en silence quelques gorgées de café un peu trop fort avant de poursuivre :

— Il y a autre chose, Rita. L'état de Caramel me trouble. Est-ce normal pour une femme enceinte d'être aussi dépressive ? Elle a souvent la larme à l'œil ; une simple petite remarque la fait renifler, je ne sais plus quoi penser, ni quoi lui dire tellement elle est devenue susceptible.

Joseph n'avait pas l'intention de parler des problèmes de la famille de Carmel. Il savait pertinemment que sa femme ne lui pardonnerait jamais une telle indiscrétion.

Rita, qui avait vécu une grossesse plus sereine, conseilla son ami en usant de psychologie et en évitant de l'alarmer davantage.

— Pour ma part, je n'étais nullement dépressive lorsque j'ai porté Sophie, par contre je sais que certaines femmes le sont. Tu devrais emmener la tienne consulter un médecin qui pourrait vous conseiller adéquatement, je pense qu'à cette étape de sa grossesse elle a besoin d'être rassurée.

Joseph se sentit tout à coup réconforté par ce simple conseil. Il se félicita d'avoir discuté avec Rita. Il conduirait son épouse chez le médecin dès que possible, il avait hâte de la retrouver pour lui faire part de cette décision qui, espérait-il, lui redonnerait confiance. Soudain, il se souvint que c'était son intention à elle, Carmel, de prendre ce rendez-vous, et qu'elle lui avait même demandé de l'accompagner.

Il ne prit pas le temps de terminer son café, de toute façon il n'était pas buvable. Il remercia Rita de ses conseils judicieux et salua rapidement Jacques, qui leva les yeux au ciel, un petit sourire narquois au coin des lèvres. Guilleret, Joseph enfila son manteau sans le boutonner, sortit en coup de vent puis monta bruyamment l'escalier de métal pour se rendre chez lui. Il ne savait pas à quoi s'attendre une fois la clé glissée dans la serrure.

L'appartement était silencieux. Carmel n'était pas dans la cuisine. Joseph se dirigea vers la chambre à coucher. La jeune femme avait sursauté en entendant la porte se refermer et s'était tout de suite levée. Elle hésita en le voyant, elle avait une envie folle de lui sauter au cou, mais craignait qu'il la rejette. Elle venait de surprendre le reflet de son propre visage dans le miroir surplombant le lavabo de la salle de bain et se désola en voyant les cernes sous ses yeux. Elle détourna la tête, Joseph n'allait plus la trouver belle. Elle avait le sentiment qu'il la regardait maintenant avec mépris. L'angoisse la tenaillait. Joseph s'approcha d'elle avec précaution.

— Bonjour, comment vas-tu ?

La douceur de la voix de son mari ne la réconforta qu'à demi. Elle devait se raisonner. Elle reprit un peu d'aplomb.

— Je vais mieux.

Elle ne lui mentionna pas l'heure atroce qu'elle venait de passer, presque entière dans la salle de bain. Elle n'allait pas non plus se lancer dans une diatribe parce qu'il était rentré plus tard qu'il le lui avait promis.

— Je suis heureux d'entendre cela, j'arrive de chez Rita et Jacques.

Carmel ne broncha pas, Joseph perçut le trouble qui dominait le regard de son épouse. Elle le dévisageait avec des points d'interrogation dans les yeux. Elle voulait lui demander ce qu'il était allé faire chez les voisins alors qu'il lui avait promis de rentrer directement, mais elle s'abstint. Elle s'informa tout simplement.

— Comment vont-ils ?

— Bien, ils te saluent.

Il enchaîna :

— Tu devrais prendre un rendez-vous chez le médecin dès la semaine prochaine.

Joseph n'eut pas le temps d'en dire plus long, Carmel comprit que son mari avait été conseillé par Rita. Bien que froissée, elle ne fit aucun commentaire.

— Certainement, j'appellerai après le jour de l'An, car actuellement le bureau doit être fermé. C'était d'ailleurs mon intention de consulter.

Elle allait ajouter : « Je t'en avais même déjà parlé », mais se l'interdit.

Joseph lui suggéra :

— Nous devrions aller marcher, le grand air te ferait du bien. Est-ce que tu crois être capable ?

Elle dut faire un effort pour se reprendre, elle se sentait encore faible, mais accepta son offre. Il avait sans doute raison.

Tout en marchant dans le froid tenace, Joseph soutenait sa femme par le bras. Cette proximité la rassura. Elle respirait mieux à présent.

Joseph évoqua le sujet épineux de la famille Moisan, le regard fixe devant lui, sans se tourner vers elle, sans l'observer.

— Tu sais, Caramel, durant la messe, j'ai pensé à ce qui se passe dans ta famille.

Il fit une courte pause avant de continuer.

— Et toi, y as-tu réfléchi ?

Carmel ne savait que répondre, elle ne saisissait pas le sens de sa question. Elle craignait qu'il lui demande de cesser de voir les siens et cela lui paraissait impensable. La peur lui comprima la poitrine. Elle jugulait ses larmes avec difficulté.

— Je n'ai pas pu m'empêcher de penser à tout ce qui arrive. Je suis désolée que tu apprennes tant de réalités dérangeantes au sujet des miens.

Elle avait soigneusement pesé ses mots. Elle poursuivit :

— Je regrette que tu aies à subir mes pleurnichages, je t'avoue que c'est plus fort que moi, j'ai toujours envie de brailler, un rien m'affecte.

Joseph sursauta aux mots « un rien m'affecte ». Il immobilisa Carmel et la regarda sérieusement droit dans les yeux.

— Caramel, ce n'est pas rien, ce qui se passe chez tes parents, c'est grave. Je me tracasse pour ta sœur Mathilde, c'est certain, toutefois ma plus grande préoccupation concerne Gilbert, il est si jeune. Quel mauvais exemple pour cet enfant !

Une question lui brûlait les lèvres depuis que Carmel lui avait raconté la venue du garçon dans sa famille.

— Je ne suis pas parvenu à saisir les circonstances de son arrivée chez vous. A-t-il été adopté légalement ?

Carmel ne s'attendait pas à cette question, elle réagit nerveusement.

— Maman nous a dit qu'on le prenait avec nous, nous n'en avons quasiment pas discuté, j'avoue ne pas avoir posé plus de questions à ce moment-là. Où veux-tu en venir exactement, Jos ?

Il hésitait à lui faire part de ses préoccupations. Devait-il lui en parler maintenant ? Elle paraissait si malheureuse qu'il crut préférable de reporter cette discussion. Il pensait, sans toutefois le lui dire, qu'il ne voudrait pas que ses enfants côtoient cette parenté visiblement nuisible à leur éducation.

— Je me tracasse pour lui, voilà tout.

Carmel n'était pas allée aussi loin dans son évaluation de la situation. Nonobstant le fait qu'elle n'avait pas pensé à Gilbert, elle trouvait que Joseph avait tout à fait raison. Elle n'avait pas la force de débattre ni d'encourager Joseph dans son questionnement. Un long silence s'installa. Elle reconnut qu'elle n'avait jamais pensé à sa jeune sœur Céline non plus. Elle nuança ses propos.

— Je ne m'illusionne pas sur ma famille, je sais que ce qui s'y passe est très grave. Je me sens impuissante si loin d'eux. Comment pourrais-je venir en aide aux miens ?

Le petit visage de Gilbert s'imposa dans son esprit.

— Et Gilbert ? Ce serait terrible s'il fallait qu'il soit retiré de ma famille ! Non, non !

Joseph était lui aussi inquiet pour l'avenir et le sort de ce garçon. Il prit les mains de Carmel dans les siennes.

— *Sorry, my dear*, tu dois penser à toi d'abord et à notre enfant. Je n'aime pas te voir torturée de la sorte, ce n'est sûrement pas bon dans ton état. Essaie de te tenir loin de tout cela, je t'en prie.

Carmel craignait les sous-entendus de Joseph. C'était la première fois qu'elle l'entendait parler avec tant de ressentiment. Elle se raidit et retira ses mains des siennes en le fixant d'un air méfiant.

— Me tenir loin, je ne suis pas encore assez loin à ton goût ? Cent cinquante milles nous séparent, ce n'est pas suffisant pour toi ?

Joseph n'apprécia pas la réplique de sa femme, sa réaction lui semblait disproportionnée.

— Ne t'emporte pas, Caramel, comprends ce que je veux dire.

Toutefois, il ne lui révéla pas ses pensées profondes, à savoir que si ses communications avec sa famille continuaient de la perturber, il devrait agir pour son bien. Carmel avait les nerfs à fleur de peau. Lorsque les passants qu'ils croisèrent les distancèrent, elle reprit :

— Tu ne vas tout de même pas m'empêcher de les voir, je t'en supplie, Jos, ce serait cruel.

Elle prit une pause et dit :

— En plus de m'imposer cet éloignement.

Elle se mordit la lèvre après avoir prononcé ces derniers mots. Elle avait parfaitement compris ce que Joseph avait voulu dire. Son appréhension n'était nullement le fruit de son imagination. Immobile sur le trottoir, elle le supplia du regard.

La conversation prit une tournure que Joseph n'avait pas souhaitée. Sa femme devait savoir ce qu'il pensait, certes ; s'il fallait en arriver là pour son bien-être, il n'hésiterait pas, mais n'en dit pas plus pour le moment. « M'imposer cet éloignement », cette affirmation avait fait naître en lui un questionnement nouveau. « Je lui ai imposé cet éloignement », se répéta-t-il. Il trouvait que le terme « imposé » était un peu fort. Il offrait à Carmel un gîte des plus convenables, du pain sur la table et son amour. Il l'aimait, n'était-ce pas suffisant pour combler cette distance entre Montréal et Québec ? Après ce qu'il venait d'entendre, il n'en était plus certain, lui qui n'aspirait qu'à couler des jours paisibles avec sa douce.

Ils rentrèrent, distants, portant chacun en eux le fardeau de leurs tourments. Carmel avançait d'une démarche chaloupée, mais s'abstint de se pendre au bras de son mari. Lorsque Joseph lui demanda de ne rien faire qui puisse nuire à leur enfant, mortifiée, elle avait rouspété avec véhémence.

— Pour qui me prends-tu ? Je tiens à cet enfant comme à la prunelle de mes yeux, comment peux-tu en douter ?

Joseph était dépassé, ce n'était pas ce qu'il avait voulu dire. Encore une fois, il s'y était mal pris puisqu'il ne doutait nullement qu'elle tienne à cet enfant autant que lui. Cela devenait irritant de devoir soupeser ses mots avant de les prononcer. Il eut le sentiment qu'il était temps de changer de sujet. Il était tellement perturbé qu'il s'adressait maintenant à Carmel en anglais.

# Chapitre 5

À maintes reprises depuis son mariage, Joseph avait pris l'initiative d'enseigner l'anglais à Carmel en tenant avec elle de courtes discussions. Elle lui répondait toujours que le français était sa langue et qu'elle n'avait aucune envie de la renier en parlant anglais. Chaque fois, Joseph insistait sur un ton enjôleur, mais aujourd'hui il était inquiet pour l'avenir de leur couple, pour l'éducation de leur progéniture. Durant un infime instant, il eut la sensation d'avoir épousé une parfaite inconnue, puis il chassa cette réflexion affligeante. Ne tenant pas à provoquer une nouvelle crise de larmes, il s'adoucit. Il sentit qu'il venait de blesser Carmel. C'était la première fois qu'ils se querellaient depuis qu'ils avaient échangé leurs vœux. Comment en étaient-ils venus à se déchirer de la sorte ? Pourraient-ils un jour parvenir à vivre harmonieusement malgré ce sujet familial, qui serait peut-être toujours controversé ?

Joseph devrait-il désormais se montrer plus compréhensif envers la femme qu'il aimait de tout son cœur ? Parviendrait-il à juguler la crise qui secouait son couple ? Il était habité par un sentiment d'effarement. Il s'adressa à Carmel sur un ton faussement léger :

— *Never mind*, essayons de terminer cette année sur une bonne note, *please*.

***

*Mardi 31 décembre 1940*

Joseph était absorbé dans ses pensées. Son esprit vagabondait. Il réalisait que c'était le dernier jour de l'année. Subtilement lui revint à la mémoire une ancienne coutume des Highlands, qui consistait à célébrer le nouvel an en bénissant la maisonnée tôt le matin, avant le déjeuner. Pourquoi était-il submergé par les réminiscences de son enfance, lui, marié depuis quelques mois seulement avec cette belle femme allongée près de lui, mais si lointaine à la fois ? Un silence mortifiant s'était abattu sur son couple depuis cette dispute. Joseph se méfiait de ce fossé qui s'était creusé insidieusement entre eux. Pour le meilleur et pour le pire : c'était la promesse qu'il lui avait faite quelques mois auparavant.

Il passa une partie de la soirée confortablement assis dans son fauteuil à parcourir les journaux étalés devant lui. Pour rompre le silence, il décida de lire à voix haute, à l'intention de Carmel, les articles qui faisaient la manchette ou qui retenaient son attention. Flemmarde, elle s'était étendue sur le canapé, près du fauteuil de son mari, enroulée dans une couverture de laine. Elle suivait avec effort cette lecture de la rétrospective des événements de l'année qui se terminait. Joseph tentait de tenir sa femme éveillée. Ils arboraient tous deux un air grave. En cette fin d'année, grande période de troubles dans le monde, la plupart des journaux récapitulaient les points saillants de la guerre qui faisait rage en Europe depuis plus d'un an et qui avait changé le cours de la vie de beaucoup de gens. Joseph lisait tout en commentant d'une voix préoccupée :

— Le conflit a éclaté le 10 septembre 1939. Et on en connaît la suite, ajouta-t-il. Quand donc cela va-t-il se terminer ? Et réussirons-nous à éviter le pire ? L'engagement des Canadiens dans cette guerre ne me semble rimer à rien, et tellement inutile !

Il fit une légère pause avant de poursuivre avec un autre grand titre, laissant à sa femme le temps de s'exprimer, ce qu'elle ne fit pas.

— « Le libéral Adélard Godbout a remporté les élections à l'Assemblée législative du Québec contre l'unioniste Maurice Duplessis. La conscription était le thème central de sa campagne électorale. Le 30 septembre, M. Godbout déclarait : "Je vous affirme avec toute la force dont je suis capable que le gouvernement d'Ottawa ne décrétera jamais la conscription militaire tant que vous laisserez le Parti libéral diriger vos destinées. Je m'engage sur l'honneur à quitter mon parti et même à le combattre si un seul

Canadien français, d'ici la fin des hostilités en Europe, est mobilisé contre son gré sous un régime libéral, ou même un régime provisoire auquel participeraient nos ministres actuels dans le cabinet de Mackenzie King." »

Carmel poussa un long soupir sans intervenir, n'écoutant que d'une oreille. Les propos chicaniers que Joseph et elle avaient échangés étaient toujours gravés dans son esprit. Elle n'arrivait pas à chasser l'amertume qui s'agrippait tenacement à elle. Les paroles de leur discussion acerbe trottaient inlassablement dans sa tête. La voix surélevée de Joseph la ramena au moment présent.

— « Le 26 mars 1940, les libéraux de William Lyon Mackenzie King ont remporté l'élection à la Chambre des communes d'Ottawa. Le 15 juillet, l'enrôlement des célibataires a été décrété. Il en a résulté une course au mariage au Québec. »

Carmel n'émit aucun commentaire. Joseph poursuivit la lecture de l'article :

— « Pour soustraire les hommes à l'enrôlement obligatoire, les paroisses avaient organisé des mariages de groupes et des centaines de couples ont pu unir leurs destinées au parc Jarry, à Montréal. Certains hommes se cachaient dans les bois pour se soustraire à cette guerre. Le 9 octobre, tous les hommes âgés de seize ans et plus, en bonne santé, ont été tenus de suivre un entraînement militaire. Le maire de Montréal, Camillien Houde, a encouragé les hommes à ne pas s'enrôler. Il fut arrêté le 6 août et interné dans un camp à cause de ses positions antimilitaristes. »

Un autre article capta l'attention de Joseph :

— « Création du régime d'assurance-chômage. »

Carmel l'interrogea sur un ton détaché.

— Qu'est-ce que cela signifie ? Une assurance pour les gens qui perdent leur emploi ?

Joseph ne s'interrompit point, on aurait dit qu'il n'avait pas entendu la question de sa femme.

— «L'assurance-chômage a été créée grâce à un amendement constitutionnel, car la main-d'œuvre relève des attributions des provinces…»

Il sauta quelques lignes et passa au paragraphe suivant sur un ton qu'il tenta de rendre taquin.

— Depuis si longtemps que Thérèse Casgrain réclamait le droit de vote pour les femmes, tu es au courant de cela ? C'est le 25 avril 1940 qu'elles ont pu voter pour la première fois au Québec.

Sans lever les yeux de son journal, Joseph continua à lire le texte d'un ton plus détendu, en sourcillant.

— «Le 1er mars 1940, le cardinal québécois Rodrigue Villeneuve avait dénoncé le projet de loi sur le suffrage féminin discuté par l'Assemblée législative. Selon lui, ce projet de loi allait à l'encontre de l'unité et de la hiérarchie familiale parce que son exercice exposait la femme à toutes les passions et à toutes les aventures de l'électoralisme.»

Joseph fit une pause, puis poursuivit sa lecture.

— «Parce que, en fait, il semblait que la grande majorité des femmes de la province ne le désirait pas ; parce que les réformes sociales, économiques, hygiéniques, etc., que l'on avançait pour préconiser le droit de suffrage chez les femmes, pouvaient aussi bien être obtenues grâce à l'influence des organisations féminines, en marge de la politique.»

Il reprit son souffle.

— «C'était depuis le début des années 1920 que des groupes de femmes ou de suffragettes, dirigés au Québec par Thérèse Casgrain, réclamaient ce droit de vote.»

Carmel ne dit rien. Joseph l'observa afin de déchiffrer son regard, mais sa femme avait les yeux presque fermés. Joseph s'adressa directement à elle. Avec une prudence consternante, il tenta de la tirer de sa léthargie.

— Voici quelque chose qui va t'intéresser. Écoute bien.

Carmel se redressa et prêta enfin attention à son récit.

— Cela concerne la Ville de Québec, ta ville.

Carmel avait maintenant les yeux ronds. Il avait finalement réussi à la captiver.

— « Au cours de son premier mandat, de 1938 à 1940, le maire de Québec, Lucien Hubert Borne, a commencé à faire remplacer les tramways par un système d'autobus jugé plus efficace. Un premier circuit a été créé dans Limoilou, puis le système s'est agrandi pour desservir la Haute-Ville, le quartier Stadacona suivi de celui de Saint-Sauveur. À la fin de l'année 1940, les autobus ont remplacé les tramways partout sur le territoire de la municipalité. »

Carmel avait été témoin de ce changement et poussa un soupir de regret.

— Cela me fait tout drôle, car j'aimais prendre le tramway, c'était singulièrement pittoresque.

Ce fut la plus longue phrase que Carmel prononça depuis leur querelle. Joseph bâilla, il hésita, finalement non, il ne s'excuserait pas de sa conduite, il ne désirait pas ranimer la discussion. Il referma les journaux, étira les bras au-dessus de sa tête et dit à sa femme :

— C'en est assez pour moi, je vais me coucher. Je tombe de sommeil. Tu m'accompagnes ?

— Tout de suite.

Carmel n'hésita pas à le suivre. Après s'être tous deux agenouillés pour réciter leur prière du soir, ils se mirent au lit. Ils s'endormirent sans commenter ce résumé de l'année qui venait de s'achever. Le seul bonheur de se retrouver enlacée dans les bras de son mari rassura Carmel. Joseph la serra doucement contre lui. Avant qu'il ait eu le temps de prolonger le mouvement de sa main le long de son dos, elle s'était endormie. Malgré leur récente dispute, il lui faisait bon de la sentir calme tout contre lui, et cela lui apporta une grande quiétude. Il avait la sensation de percevoir le battement de deux cœurs, tout près de lui. Il allait être père, et ce rôle, il l'assumerait pleinement. Il s'endormit en rêvant à l'enfant qui allait naître, son fils. Quel beau cadeau l'attendait pour la nouvelle année ! Il pria pour que l'enfant naisse en santé et demanda de surcroît à son ami d'En-Haut de lui accorder ce fils tant désiré.

***

Le premier jour de l'année 1941, Carmel se réveilla à l'aube. Dès qu'elle entrouvrit les yeux et qu'elle sentit son mari, somnolant à ses côtés, elle prit une importante résolution, celle de ne plus se laisser aller à la déprime. Elle devait dorénavant consacrer sa vie et toute son énergie à l'harmonie et au bon fonctionnement de leur couple. Il lui fallait se raisonner, ne plus s'en faire outre mesure et ne pas laisser les problèmes de sa famille porter ombrage à son bonheur. Elle espérait que Joseph ne lui en voulait pas et qu'il se garde de répéter à ses proches les embarras dans lesquels les Moisan les plongeaient. Elle en aurait été mortifiée. Elle se leva et prépara son premier déjeuner de cette année qu'ils allaient commencer avec confiance, en dépit de l'angoisse et des privations qu'occasionnait la guerre. Elle souhaitait reléguer le sort du monde au second plan. Elle se trémoussait dans l'appartement en attendant le réveil de Joseph. Elle allait lui faire plaisir en lui annonçant la résolution qu'elle avait prise. La naissance de leur enfant devait l'emporter sur tous les malheurs qui s'abattaient sur le monde et perturbaient la planète.

Dès qu'elle vit son mari, après lui avoir souhaité une bonne année, Carmel lui fit une demande à laquelle il ne s'attendait pas. En raison de la taille de Joseph, elle dut se hisser sur la pointe des pieds pour le regarder droit dans les yeux et passer ses bras autour de son cou.

— Veux-tu nous bénir, notre bébé et moi ?

Joseph fut saisi d'une vive émotion. Cette demande le ramena des années en arrière. Il ne put oublier le regard fier et paternel de George James posé sur lui lors de ce rituel. Il trouva tout de même curieuse la coïncidence, lui qui, la veille, avait pensé aux traditions de ses ancêtres.

— Tu me mets mal à l'aise en me faisant une telle demande.

Carmel insista quand même.

— Tu es le chef de notre famille, ce rôle t'incombe dorénavant.

Joseph plissa le front, puis opina. C'était la première fois de sa vie qu'il allait faire un tel geste. Il réfléchit un moment avant de s'exécuter. Il se concentra afin d'accomplir dignement cette tâche qu'il prenait très au sérieux. Certes, il avait vu son père procéder, mais cette fois-ci, c'était lui, le protecteur. Il demanda à Carmel de lui accorder quelques minutes pour se préparer minutieusement. Heureuse, elle y consentit. D'un pas allègre, il se dirigea vers la chambre. Il revêtit une chemise blanche et un pantalon de flanelle gris. Il voulait que sa tenue soit aussi solennelle que l'action qu'il s'apprêtait à commettre. Joseph était un homme fier, toujours impeccable. Il détestait le laisser-aller. Il ne porta cependant pas de cravate, qui lui semblait trop protocolaire. Lorsqu'il apparut dans le salon, Carmel fut prise d'un émoi. Elle dévisagea ce bel homme avec tellement de tendresse et d'amour que ce dernier en fut saisi au plus profond de son être. Elle le fixa avec adoration. L'amour que lui inspirait Joseph en cet instant précis était incontestable.

Un silence cérémonieux les enveloppait en ce moment magique. Carmel s'agenouilla. Joseph, de sa main droite, fit le signe de la croix au-dessus de la tête de sa femme. Le geste était franc.

— Je te bénis, Caramel, ainsi que notre enfant, que tu portes.

Intérieurement, Joseph invoqua toutes les puissances divines pour que son mariage ne sombre pas à la dérive et que son enfant naisse en pleine santé.

Les trémolos dans sa voix montraient à quel point il était à la fois fier et ému. Il ne prononça que cette seule phrase, comme s'il était à court de mots. Carmel se leva et le gratifia d'un baiser affectueux. Elle lui dit, rayonnante :

— Ce sera dorénavant une belle tradition que nous allons perpétuer chaque année. Et l'an prochain, ce sera ton enfant en personne que tu auras à bénir, mon amour.

La sérénité de Carmel combla Joseph de joie. Manifestement, elle s'était rassérénée. Ils allaient passer un beau jour de l'An ensemble. Il n'allait pas inviter leurs voisins, à moins que Carmel insiste, ce qui était fort improbable. Il lui demanda avec entrain ce qui lui ferait plaisir.

— Nous passerons toute la journée juste nous deux, sans dossiers ni journaux, je suis à votre entière disposition, madame, dites-moi ce qui vous ferait plaisir, et je comblerai tous vos désirs.

Sa voix était douce comme une caresse. Joseph avait cette charmante habitude de vouvoyer sa femme lorsqu'il voulait l'éblouir ou la séduire, ce qu'elle aimait particulièrement.

— Je me sens assez forte pour aller à la messe, je n'ai pas eu de maux de cœur en me levant, ce qui est une grande amélioration. Nous irons ensuite nous balader en voiture, tu me feras découvrir des endroits pittoresques de Montréal. Nous reviendrons pour un souper en tête à tête. Que dirais-tu de le préparer avec moi, ce serait amusant, n'est-ce pas ?

Joseph était tellement apaisé en constatant que la santé et l'humeur de sa douce semblaient s'être améliorées qu'il était prêt à tout lui accorder. Il déposa un baiser au creux de la paume de sa main.

C'est ainsi qu'ils passèrent leur premier jour de l'An, dans la grande ville de Montréal. Chacun voulait faire plaisir à l'autre. L'amour régnait en souverain. Les Desmeules ne se manifestèrent pas, étant en visite chez de la parenté en dehors de la ville.

* * *

Le congé des fêtes terminé, lorsque Joseph quitta le confort de son lit, sa femme dormait paisiblement. Il ne la réveilla pas. Elle entrouvrit les yeux lorsqu'elle entendit la porte de l'appartement se refermer. Elle tâtonna le long du lit et constata que son mari venait de partir. L'odeur de la peau de Joseph envahissait encore les draps. Elle se rendormit tranquillement.

En raison des événements tragiques survenus avant les fêtes, Joseph avait dû écourter sa deuxième semaine de vacances. Il ne restait plus que deux jours avant le week-end, et ils seraient bien remplis. Lorsqu'il pénétra dans le grand garage chez Sicard, Joseph s'imprégna des odeurs familières d'huile. Il aimait cette atmosphère. Plusieurs employés étaient déjà à l'ouvrage. Il offrit ses vœux de bonne année à ses collègues et se dirigea vers le bureau d'Arthur Sicard, qui se leva en le voyant et lui tendit une main sincère.

— Je te souhaite une bonne année, Joseph.

Joseph lui serra la main et lui présenta aussi ses vœux. Après que les deux hommes eurent échangé quelques phrases d'usage sur l'état de santé des membres de leurs familles, Sicard mit Joseph au courant des intentions du maire Legendre de former un comité d'enquête sur le tragique accident.

— Pourquoi maintenant ? s'informa Joseph d'un air surpris.

D'emblée, le patron lui expliqua :

— Il semble que le maire veuille faire toute la lumière sur cet accident : les multiples appels de la part des citoyens l'ont apparemment secoué et il veut absolument éviter d'être soupçonné d'indifférence. J'ai mûrement réfléchi à sa proposition de ne former qu'un seul et unique comité qu'il présiderait afin de canaliser nos énergies. Il a sans doute raison. Nous ne voulons surtout pas nous mettre le maire à dos, nous dépendons des municipalités pour vendre nos équipements. L'enquête menée conjointement ne peut qu'être efficace. Elle pourrait nous aider à défendre la fiabilité de nos machines. J'ai entendu des rumeurs, les citoyens ont même demandé au maire de cesser d'utiliser les souffleuses à neige jusqu'à ce que les explications soient données sur cet accident.

Joseph écoutait attentivement. Il admirait cet homme posé au jugement rigoureusement mesuré.

— Qu'en pensez-vous, monsieur ?

Le patron avait suffisamment confiance en Joseph pour s'entretenir ouvertement avec lui. Il lui répondit sans hésiter :

— J'estime qu'il faut suivre la recommandation du maire. Nous devons tout mettre en œuvre pour trouver les causes de cet atroce événement afin qu'aucune autre mère n'ait à pleurer la mort de son enfant survenue d'une façon aussi cruelle. Que notre équipement soit en cause ou non, nous devons rassurer la population, conjointement avec le conseil municipal, sur la fiabilité de nos souffleuses. Il faut être prudent et ne pas porter d'accusations hâtives. Le conducteur ne s'est toujours pas remis du traumatisme qu'il a subi. Il faut tenter de le blanchir de toute accusation et d'établir son innocence, si tel est le cas. Tu es au courant de tout cela, n'est-ce pas ?

Joseph avait patiemment attendu la fin de l'exposé avant d'émettre son opinion. Il crut le moment opportun de faire part de ses idées.

— Je crois que la suggestion du maire est intéressante, mais, selon moi, nous devrions être représentés correctement au sein du comité qu'il désire mettre sur pied. J'ai évidemment eu tout le loisir de repenser à l'accident. Nos mécaniciens sont compétents et connaissent à fond l'équipement. L'un d'eux pourrait partager ses connaissances et rassurer les membres du conseil municipal, car, à mon avis, la mécanique de la souffleuse impliquée n'est pas en cause. J'y ai longuement réfléchi. Si l'équipement avait été défectueux, le conducteur s'en serait rendu compte et l'aurait signalé immédiatement après l'accident, n'êtes-vous pas d'accord ?

Joseph se tut. Il n'avait aucun doute que Sicard était lui aussi d'avis qu'un problème mécanique n'était pas en cause, toutefois il fallait attendre la fin de l'enquête avant de l'affirmer publiquement. Tous deux se mirent d'accord sur la proposition du maire.

Le conseil municipal résolut de former ce comité d'enquête et de commencer les réunions sans tarder. La proposition fut adoptée à l'unanimité.

***

Du lever du jour au coucher du soleil, Carmel passait ses journées cloîtrée dans l'appartement. Joseph partait tôt le matin pour ne rentrer que tard le soir. La froidure du mois de janvier la retenait encabanée, confortablement au chaud. C'était du moins l'excuse qu'elle donnait à Joseph lorsqu'il s'informait de l'emploi de son temps. Un sentiment de solitude et d'isolement assombrissait ses premiers mois de vie de couple : elle avait la sensation de vivre en ermite. L'inverse de ce qu'elle avait vécu à Québec. Elle qui avait l'habitude de côtoyer tant de monde à la manufacture, et chez elle, vivait maintenant une situation opposée : il n'y avait plus personne autour d'elle avec qui parler ou échanger. Les discussions même simplistes de son ancien entourage lui manquaient. Elle n'avait pas prévu être aussi seule, avoir tant d'heures à combler. Joseph avait beau s'obstiner à lui suggérer différentes sorties, elle trouvait toujours une excuse pour refuser ses propositions. Cette grande ville l'effrayait. Sa résolution de la nouvelle année était tombée à l'eau. Elle ne répondait pas non plus aux invitations de Rita, qui aurait voulu lui rendre la vie moins monotone. Rita, qui possédait tant de ressources et de connaissances à Montréal et qui vivait une situation semblable à la sienne, n'avait pas assez d'heures dans une journée pour faire tout ce qu'elle voulait. Elle s'occupait de façons diverses et aurait voulu entraîner Carmel dans son sillon. Elle lui offrit même de l'accompagner chez le médecin, sachant que l'emploi du temps surchargé de Joseph, comme celui de son mari, Jacques, ne lui permettait pas de s'absenter. Carmel avait décliné son offre.

# Chapitre 6

Il fallut que Carmel fasse preuve de courage pour se rendre toute seule consulter le médecin. Rita avait vu juste : Joseph avait été dans l'impossibilité de l'accompagner, malgré sa promesse. Elle avait refusé l'offre de Rita d'aller avec elle, et celle-ci n'avait pas insisté. Carmel se rendit à pied chez le médecin recommandé par sa voisine, car elle prenait rarement le tramway de peur de s'égarer.

Carmel hésita devant l'immeuble avant de gravir les quelques marches qui menaient au bureau du médecin. En pénétrant dans la salle d'attente, elle fut surprise d'y voir des femmes de tous les âges. Certaines remuaient d'inconfort sur leur chaise, d'autres se tenaient les mains croisées sur leur ventre rebondi. Une jeune femme était si énorme que Carmel pouvait l'imaginer sur le point d'accoucher tellement son ventre était proéminent. Elle se demandait si elle ressemblerait à cela à la fin de sa grossesse. Carmel déclina son nom à la secrétaire qui lui posa les questions d'usage. Elle remplit un questionnaire. La secrétaire l'invita à prendre place dans la salle d'attente. Elle s'y rendit, hésitante.

Au bout de quelques minutes, la porte du bureau du docteur s'ouvrit, laissant entrevoir la salle de consultation. Carmel vit une table d'examen sur laquelle du papier blanc était étendu. Le médecin, mince, de taille moyenne et dans la cinquantaine, vêtu de son sarrau blanc, avait l'air sympathique. Dossier en main, il appela une patiente qui se leva difficilement et le rejoignit dans son bureau. Carmel dut attendre, inquiète, plus d'une heure avant que vienne son tour. La femme assise à côté d'elle entreprit de lui raconter sa vie de but en blanc. Elle se lamentait des douleurs qu'elle avait endurées lors de la délivrance de son premier petit et de la peur de devoir subir à nouveau tant d'atrocités. Rien dans ses doléances n'était pour rassurer une femme qui attendait son premier enfant. Carmel aurait voulu la faire taire, mais ne trouva aucun moyen de la museler. Même si elle n'encourageait aucunement sa voisine à poursuivre son récit, cette dernière en avait gros sur le cœur. Elle en voulait aux hommes et se répandait en invectives contre son bon à rien de mari qui l'avait encore engrossée en lui imposant tant de souffrances alors que lui n'avait satisfait que son plaisir. Carmel se sentit soulagée quand la femme fut appelée pour son examen ; en revanche, rien ne la sécurisa lorsqu'elle lui tapa énergiquement sur l'épaule en disant, avec pitié :

— Bonne chance, ma petite, tu vas en avoir grandement besoin.

Carmel attendit anxieusement son tour en feuilletant des revues de médecine contenant des articles sur différents aspects de la grossesse. En cours de lecture, elle entendit le médecin prononcer son nom.

— Mme Joseph Courtin.

Ses mains tremblèrent lorsqu'elle déposa la revue sur la pile désordonnée placée sur une petite table au milieu de la salle d'attente. Carmel rejoignit le médecin qu'elle venait d'apercevoir dans l'entrebâillement de la porte. Elle prit place sur l'une des deux chaises devant son bureau. L'homme avait le visage penché sur un dossier, le sien. Après avoir parcouru le formulaire contenant les renseignements que Carmel avait notés, il leva la tête vers elle. Il alla droit au but.

— Vos dernières règles remontent au mois de septembre. Vous n'avez jamais eu d'enfant ?

Carmel avait déjà répondu à cette question sur la fiche.

— Non, docteur.

À ce moment précis, elle pensa à sa tante Élise et à son amant. Pourquoi une telle vision lui venait-elle à l'esprit à cet instant ? Carmel était mal à l'aise. Le médecin l'invita à se préparer pour l'examen.

— Veuillez passer dans la salle d'examen. Enlevez tout le bas de vos vêtements et dégrafez votre soutien-gorge, je vais vous y retrouver.

Elle se dirigea sans tarder dans la salle à l'ambiance austère. Avait-elle mal compris? Lui avait-il demandé d'enlever ou de dégrafer son soutien-gorge? Elle l'enleva. Lorsque le médecin revint quelques minutes plus tard, elle était assise, les fesses au bout de la table d'examen, les mains jointes sur son ventre, son chemisier déboutonné, croisé sur sa poitrine. Le médecin se lava les mains.

— Allongez-vous et placez vos pieds dans les étriers à l'extrémité de la table, puis écartez vos jambes.

Le médecin s'approcha de Carmel, qui n'était pas installée convenablement, et lui demanda d'approcher ses fesses du bord de la table.

Elle était tellement gênée qu'elle ferma les yeux après avoir étendu ses jambes et senti le froid des étriers métalliques du bout des pieds. Lorsqu'elle rouvrit les yeux, elle vit le médecin prendre un drôle d'instrument en forme de bec de canard. Elle se raidit.

Le médecin prit conscience de l'angoisse de sa patiente et tenta de la rassurer.

— Ne craignez rien, détendez-vous. Je vais commencer l'examen en introduisant ce spéculum dans votre vagin, cela va être un peu désagréable quelques instants seulement.

Sans plus tarder, le médecin introduisit l'appareil dans le vagin de sa patiente, qui grimaça au contact de l'instrument métallique et froid: l'effet était beaucoup plus que désagréable. Heureusement, le médecin avait dit vrai, il le retira peu de temps après, au grand soulagement de Carmel. Elle ressentit une sensation étrange lorsque le médecin palpa ses seins. C'était plutôt inusité de se laisser toucher par un autre homme que son mari. Sa gêne et sa pudeur furent mises à rude épreuve. Elle tentait de ne penser à rien, de faire le vide dans son esprit, lorsque le médecin termina son examen par une palpation de son abdomen.

— Vous pouvez remettre vos vêtements et me rejoindre dans mon bureau, lui dit-il.

Carmel se rhabilla rapidement, impatiente de connaître le résultat de l'examen. Elle ressentait une sensation de froid à l'intérieur de son ventre et de chaleur dans ses seins. Le médecin avait été peu bavard. Il était en train d'écrire ses observations lorsqu'elle reprit place devant lui. Elle n'osa pas lui poser de questions, elle attendit qu'il parle. En fait, depuis son entrée dans le bureau et durant tous les examens, ils n'avaient échangé que quelques mots.

En refermant son dossier, il posa les yeux sur elle.

— L'examen est concluant, vous pourrez annoncer à votre mari qu'il va être père, vous êtes enceinte.

Carmel ne put s'empêcher de lui demander :

— Est-ce que tout est correct ?

Tout en retenant un sourire, le médecin lui répondit sur le même ton.

— Oui, tout est correct.

Carmel s'empressa de lui poser une autre question.

— Quand croyez-vous que je vais accoucher ?

Le médecin consulta ses notes et fit un calcul rapide.

— Vers la fin de juin, au plus tard au début du mois de juillet.

Il referma son dossier en lui disant que la rencontre était terminée.

— Avez-vous des questions, madame ?

Carmel jubilait intérieurement. Elle était réellement enceinte. Elle ne s'était donc pas méprise.

— Non, merci, docteur.

— Vous pouvez partir, nous nous reverrons dans trois mois. Si vous avez quelque problème d'ici là, vous n'aurez qu'à prendre rendez-vous.

Sur le chemin du retour, prise de frénésie, Carmel fredonnait la même rengaine : « Je suis enceinte, je suis enceinte, je suis enceinte ! » Elle se surprit même à chanter et rit en s'imaginant que les passants devaient la croire folle. Folle, certes elle l'était, folle de joie.

Elle marchait prudemment, elle avait peur de tomber, de se blesser, de blesser le chérubin qu'elle portait en elle, son trésor. Elle avait envie de crier sa joie au monde entier, pourtant elle n'avait personne avec qui partager son bonheur, sauf son mari, évidemment. Elle jugea que le moment n'était pas opportun pour appeler sa famille. Elle ne voulait pas attrister Mathilde qui vivait des moments pénibles. Il y avait sa voisine Rita, mais elle tenait à informer Joseph en premier.

Le soir venu, dès que son homme mit les pieds dans l'appartement, Carmel lui annonça :

— C'est confirmé, mon amour, tu vas être père !

Joseph serra étroitement sa femme dans ses bras. Elle avait le visage resplendissant et serein en lui annonçant cette heureuse nouvelle.

Joseph était lui aussi au comble de la joie. Enfin, il croyait avoir la réponse à toutes ses préoccupations. L'attitude et le comportement de sa femme, ces dernières semaines, s'expliquaient. Il ne devait plus se faire de souci et être plus patient avec elle comme le lui avait suggéré Rita. Il mettrait de côté, pour l'instant, les problèmes des Moisan qui faisaient ombrage à son bonheur et tenterait de chasser de son esprit ce nuage grisâtre.

Après avoir enlevé ses couvre-chaussures, son manteau, son écharpe et son chapeau, il l'assaillit de questions :

— Raconte-moi tout, lui dit-il, comment s'est passée ta visite chez le médecin ? Est-ce qu'il t'a trouvée en forme ? Quand notre enfant arrivera-t-il ?

Carmel fut prise d'un fou rire.

— Jos, voyons, je t'en prie, pas tant de questions à la fois, laisse-moi souffler un peu.

Il pressa davantage sa femme contre lui et lui dit :

— Excuse-moi, je suis tellement heureux que ta grossesse soit confirmée.

Carmel demeura un bon moment lovée dans les bras de son mari. Elle était tellement bien, rassurée par cette étreinte protectrice dont elle ne voulait plus se détacher.

Joseph l'éloigna de lui et la regarda droit dans les yeux.

— Je t'aime, ma douce, je t'aime tellement. Tu me combles de joie, je suis l'homme le plus fier du monde.

Son visage exprimait les sentiments de son cœur.

— Tu es ma raison de vivre. *Thank God.* Je vais prendre soin de toi, je te le jure, tu ne dois te préoccuper de rien, c'est compris ?

Le ton convaincant de sa voix était sans équivoque. Elle se sentait en confiance et allait faire en sorte de ne pas le décevoir.

— À partir d'aujourd'hui, je ne vais plus me laisser aller au chagrin, je te le promets.

Ils n'avaient pas le goût de se distancer. Chaque fois que l'un faisait un pas pour s'éloigner, immanquablement, l'autre le ramenait à lui. C'était comme si leurs corps étaient aimantés. Il leur était doux de demeurer ainsi dans cet enlacement si réparateur.

— Je t'aime tellement, lui dit Carmel.

— Je t'aime encore plus, lui répondit Joseph.

— Nous devrions penser à préparer le souper, notre héritier crie famine.

Ce rappel à la réalité convainquit Joseph de laisser sa femme s'éloigner de lui. Une lueur malicieuse apparut dans ses yeux lorsqu'il lui demanda à voix basse :

— Est-ce que nous pouvons continuer à faire l'amour ?

Il avait l'air d'un collégien. Elle sourit d'un air entendu avec l'envie de le taquiner.

— Non, mon cher !

Joseph demeura interdit un instant, scrutant sa mimique.

— Pourquoi donc ? Est-ce que le médecin l'a vraiment interdit ?

Carmel aurait voulu l'étriver davantage, mais elle perdit son ton narquois.

— Il n'a rien précisé à ce sujet et je ne lui ai pas demandé.

Joseph gloussait de contentement.

— Le médecin t'a-t-il confirmé une date pour la naissance du bébé ?

— Selon lui, notre enfant devrait voir le jour à la fin juin, au début juillet. Il semblerait que tout se passe normalement, que je ne présente pas de problème. C'est ce que j'ai compris dans le peu de paroles qu'il a prononcées. Il n'était pas très bavard, il n'a rien dit non plus lorsqu'il m'a palpé les seins.

— Quoi ? Il t'a touché les seins !

Soudain, elle se souvint de la promesse que Joseph lui avait faite de la conduire à Québec pour son accouchement. À la suite des récents événements chez les Moisan, elle espérait qu'il ne changerait pas d'avis. Allait-il tenir parole ? Elle trouvait le moment mal choisi pour lui en parler.

Joseph exultait, il allait être père, Dieu merci, c'était confirmé ! Il crevait d'envie de partager son bonheur avec ses amis.

— Descendons communiquer cette bonne nouvelle à Jacques et Rita ! s'écria-t-il avec enthousiasme.

Simultanément, il prit son manteau et celui de sa femme sur la patère et lui tendit le sien. Carmel se sentait un peu bousculée. Elle aurait préféré célébrer dans l'intimité ce grand jour, mais elle n'osa pas refuser. C'était l'occasion de montrer sa bonne volonté, de tenir sa promesse d'être plus sociable ; ce n'était pas le temps d'assombrir leur bonheur avec ses réticences. Elle enfila son manteau en affichant un sourire d'extase.

Rita les accueillit, cette phrase à la bouche :

— Je le savais ! Tu vois, Carmel, nous ne nous étions pas trompés. Bravo ! Quand le bébé arrivera-t-il ?

— À la fin juin, au début juillet, en plein été dans des chaleurs mortifiantes. Ouf !

Joseph saisit l'allusion de sa femme.

— Caramel ira à Québec pour son accouchement.

Il n'eut pas le temps de terminer sa phrase que Rita répliqua :

— À Québec ? Tu vas faire le voyage dans un état de grossesse aussi avancé ? Est-ce prudent ?

Carmel n'apprécia pas cette manifestation de crainte. C'était paradoxal de la part de Rita, d'habitude si positive. S'il fallait qu'elle influence Joseph au point qu'il se ravise ! Elle avait usé d'astuces pour le convaincre de la laisser partir avec, pour argument principal, le soutien de sa mère, de sa sœur Mathilde et de sa tante Élise. Joseph n'avait pas remis sa parole en question malgré les dernières révélations sur sa famille.

Carmel rétorqua du tac au tac.

— Je ne suis nullement inquiète, Rita. Joseph va m'y conduire quelques semaines avant la date prévue. En été, il n'y a aucun risque à voyager sur les routes, ma famille m'aidera pour mes relevailles. Maman se fait une joie de voir naître mon enfant à Québec.

Carmel, par ses propos un peu décousus, tenait à mettre un terme à cette discussion. Au ton coupant de sa voisine, Rita s'abstint de poser plus de questions. Elle était de nature discrète et ne tenait pas à indisposer Carmel, avec qui elle tentait de tisser des liens d'amitié. De plus, le moment se prêtait davantage à la réjouissance.

Lorsque Joseph et elle regagnèrent leur logis, Carmel voulut éluder la question. Elle ne tenait pas à ce que Joseph revienne sur sa décision.

— J'aimerais téléphoner à Québec pour les informer de la confirmation de ma grossesse et pour prendre de leurs nouvelles.

Joseph la regarda avec cet air qu'elle lui connaissait par cœur. Elle insista :

— Nous n'avons pas communiqué avec eux depuis l'appel de Mathilde, nous ne les avons même pas appelés au jour de l'An.

Joseph se préoccupait des retombées d'une telle conversation avec sa belle-famille. Il ruminait des pensées inquiètes quant à l'arrestation d'Alfred et à la dépendance d'Eugénie. Il était encore ébranlé par tant de révélations. Sa femme était issue d'une famille de délinquants, et cela le préoccupait énormément.

Il s'inquiétait aussi pour le petit Gilbert. Carmel lui avait dit que ses parents l'avaient adopté, il s'interrogeait sur ce fait. Avait-il été adopté légalement ou était-il en famille d'accueil ? Si tel était le cas, Gilbert pourrait en être retiré ; cette perspective troublait Joseph. Sa dernière rencontre du jour de Noël lui avait permis de tisser des liens avec ce gamin qu'il affectionnait.

Il acquiesça à la demande de sa femme.

— Vas-y, passe un coup de fil à tes parents, j'aimerais aussi parler à Gilbert.

Carmel composa le zéro, joignit la téléphoniste de Bell et lui donna le numéro.

La téléphoniste lui répondit de sa voix posée :

— La ligne est occupée, désirez-vous que j'essaie à nouveau dans cinq minutes et que je vous rappelle ?

Carmel mit sa main sur le combiné et répéta les mots de la téléphoniste.

— Jos, la ligne est occupée.

Il poussa un soupir, ne comprenant pas l'exaspération de sa femme ni cette façon de vouloir cacher ses propos à la standardiste.

— Nous tenterons de les joindre plus tard.

Elle répéta textuellement les paroles de Joseph dans l'appareil puis raccrocha.

— Calme-toi, nous les rappellerons.

Cet appel laissa Carmel pantoise.

— Tu ne trouves pas étrange que la ligne soit occupée ?

Joseph ne put s'empêcher de pouffer de rire. Il l'attira à lui.

— Nous réussirons à leur parler plus tard, ou peut-être demain.

Carmel s'éloigna de lui.

— Oh non ! Je tiens à leur parler aujourd'hui même. Je ne sais pas si tu vas me croire, mais j'ai un mauvais pressentiment.

Joseph, ne tenant nullement à ce que sa femme retombe dans un état dépressif, lui fit signe de s'approcher de lui.

— Raconte-moi donc ce qui mijote dans cette belle tête.

Il l'embrassa sur le front.

Carmel se laissa aller à la confidence.

— Maman disait toujours que lorsqu'un enfant naît, immanquablement, une personne de la famille perd la vie la même année. Elle me déclarait : « La nature s'équilibre, ma fille ! » C'est troublant, ne trouves-tu pas ?

Carmel croyait en toutes sortes de présages. Joseph eut un rire désarmant.

— Voyons, ce sont des histoires à dormir debout. Des idées de bonnes femmes ! Je n'ai jamais entendu une chose pareille.

Carmel avait une réponse toute prête.

— C'est tout à fait normal, tu es Écossais. Tu ne peux pas connaître les croyances des gens de mon pays, croyances différentes des tiennes.

— Oh là ! Ton pays, c'est aussi mon pays ; n'oublie pas que je suis né dans cette province.

— Ah, je croyais que tu étais né aux États-Unis ?

— La ville de Stanstead se trouve à la frontière du Vermont, *in the province of Quebec*, ne l'oublie pas, même si la moitié de ses résidants parlent anglais.

Elle le remercia ironiquement pour le cours de géographie, puis revint à la charge.

— Ce n'est pas pire que toutes vos croyances écossaises et votre sorcellerie. Une fille à la manufacture, qui avait un cousin écossais, nous en a raconté des vertes et des pas mûres à ce sujet. Je me souviens, entre autres…

Joseph haussa les épaules, d'un geste il la fit taire puis lui tendit le combiné.

— Tentons à nouveau de parler à ta famille, tu ne perds rien pour attendre !

Carmel lui souffla un baiser du bout des doigts, puis s'empara du combiné pour s'adresser une deuxième fois à la standardiste.

— Ça sonne !

Joseph fronça les sourcils. Il avait envie de lui dire : « Tu vois bien que… »

— Allô !

À ce simple mot, Carmel perçut facilement l'angoisse dans la voix de son interlocutrice. Elle entama la conversation sans tarder.

— Bonsoir, Mathilde, c'est moi !

Aucune réponse.

— C'est moi, ça va à la maison ?

Le silence était persistant.

— Mathilde, es-tu là ?

Carmel s'inquiéta. Un pressentiment obscur lui vint à l'esprit. La dernière fois qu'elle avait parlé avec sa sœur, Joseph lui avait presque imposé de raccrocher tellement elle était perturbée. Mathilde lui en voulait-elle encore ? Carmel se languissait au bout du fil. Elle ne savait plus quoi dire. Joseph se doutait qu'il se passait réellement quelque chose. Sa femme avait-elle eu raison en lui parlant de son intuition ?

Carmel éleva le ton.

— S'il te plaît, Mathilde, réponds-moi.

La réponse se fit brève.

— Bonsoir, je suis là.

Carmel haussa les épaules.

— Comment ça va à la maison ? Et maman, comment va-t-elle ? Et toi ? Avez-vous des nouvelles d'Alfred ?

Trop de questions à la fois pour Mathilde.

— Ça va, ça va, tout va bien.

— Dois-je comprendre qu'Alfred est sorti de prison ? Maman doit être drôlement contente.

Carmel entendit un grand soupir.

— Non, il n'a pas encore été libéré.

Carmel avait la sensation de parler à une inconnue dont les reparties laconiques sonnaient faux ; sa sœur lui semblait évasive. Elle ne savait pas de quelle façon lui apprendre qu'elle était vraiment enceinte. Elle préféra ne pas le signaler pour l'instant.

— Avez-vous eu de ses nouvelles, es-tu allée le voir en prison ?

Mathilde réagit vivement.

— N'y pense surtout pas. Je suis débarrassée de lui. Son retour éventuel ne m'enchante nullement, c'est tout le contraire.

Dieu que cette conversation était difficile ! Pourquoi les choses avaient-elles changé de façon si abrupte entre sa sœur et elle ? Quelques mois d'éloignement et voilà que la communication était devenue tendue. Carmel ne savait pas comment approcher sa sœur. Jamais elle n'aurait pensé que son départ mettrait tant de distance entre elles, jadis inséparables. Pourquoi avait-elle posé cette question idiote ? Elle savait que Mathilde n'aurait aucunement le désir de rendre visite à son frère en prison. À moins… à moins que sa mère l'y oblige. Elle fit une autre tentative.

— Comment vont maman et papa ?

— Tu sais, Carmel, c'est toujours la même chose. Maman était tellement en manque que je crains qu'elle ait persuadé quelqu'un d'autre de la maison de l'approvisionner.

Carmel répéta ce que sa sœur venait de lui dire.

— Elle a persuadé quelqu'un d'autre de la maison de lui procurer sa morphine ?

Au mot « morphine », Joseph sursauta. Il vit aux frémissements des lèvres de sa femme qu'elle était tourmentée.

— Que veux-tu dire par là ?

Mathilde était désabusée.

— Ah, rien de plus que le fait que maman a recommencé à prendre de la morphine, je le sais, son attitude ne ment pas. Elle dort presque tout le temps ou sinon elle est dans un état anormal.

C'en était trop pour Carmel, elle était impuissante devant tout ce gâchis.

Joseph l'interrogea.

— Qu'est-ce qu'elle dit ?

Carmel lui fit signe d'attendre.

— Sois plus précise, Mathilde, je t'en prie.

Mathilde hésitait à se vider le cœur.

— Carmel, voyons, tu es si loin. À quoi ça te servirait d'avoir plus de détails, c'est ma vie, ma petite vie, il ne se passe rien de différent qu'à l'époque où tu habitais avec nous.

Joseph vit le visage de sa femme s'assombrir. Il lui demanda doucement de lui passer l'appareil, ce qu'elle fit.

— Bonsoir, Mathilde, j'ai entendu votre conversation, dis-moi, comment vas-tu malgré tout cela ?

Au timbre si doux de la voix de son beau-frère, Mathilde ne put tenir plus longtemps.

— Pas très bien.

Elle se mit à pleurer, Joseph enchaîna instinctivement :

— Passe-moi Gilbert.

Pas de réponse.

Joseph insista.

— Mathilde, s'il te plaît, passe-moi Gilbert.

— Il n'est pas ici, lui dit-elle d'un ton désespéré.

Joseph consulta sa montre. Huit heures du soir. Il ne connaissait pas les habitudes ni les règles de sorties du garçon.

— À quelle heure crois-tu qu'il rentrera ?

Mathilde reniflait de plus belle.

— Normalement, il est ici à neuf heures, il est très obéissant.

— Nous rappellerons, dans ce cas.

— C'est ça, rappelez donc.

La réplique de Mathilde le laissa perplexe. Le ton était tranchant. Joseph entendit un déclic.

— Elle a raccroché. Gilbert n'est pas à la maison, il est censé rentrer à neuf heures.

Joseph déposa le combiné. Carmel et lui se dévisagèrent. Il prit la main de sa femme dans la sienne.

— Essaie de ne pas trop t'en faire, nous allons rappeler. À ce moment, Mathilde sera peut-être plus réceptive et tu pourras alors lui annoncer la bonne nouvelle.

Carmel fit des pieds et des mains pour tuer le temps durant l'heure qui suivit. Elle tentait de se montrer indifférente à cet appel. Joseph savait qu'elle faisait un effort pour retenir ses larmes. Ils échangèrent des paroles vides. Lui aussi était inquiet, mais pas pour les mêmes raisons. Il était bouleversé par les réponses déconcertantes de sa belle-sœur. Mathilde lui avait semblé beaucoup plus préoccupée qu'elle ne voulait le laisser paraître. Qu'est-ce qui pouvait l'affecter plus que toute cette situation dans laquelle elle vivait ?

Carmel avait les yeux rivés sur l'horloge de la cuisine, les aiguilles indiquaient huit heures quarante-cinq minutes. Encore quinze minutes et elle pourrait parler à Gilbert, qui lui dirait ce qui se passait réellement. Il le dirait de préférence à Joseph, en qui il avait pleine confiance.

Joseph avait suivi son regard angoissé.

— Patience, nous rappellerons bientôt.

Carmel sirotait son thé lorsque Joseph lui tendit l'appareil téléphonique. Elle s'adressa encore une fois à la téléphoniste. La sonnerie se fit entendre. La voix qui répondit était éteinte. Carmel reposa la même question sans espoir. Mathilde répondit de façon encore plus laconique. Joseph dit à Carmel de lui demander de lui passer Gilbert.

— Il n'est toujours pas rentré.

Carmel lui dit aussitôt :

— Il est neuf heures, tu m'as dit qu'il n'avait pas l'habitude de tarder.

Elle consulta l'horloge.

— C'est vrai qu'il n'est que neuf heures et trois minutes, nous ne pouvons pas considérer cela comme un retard.

Elle se reprit, tenta quelques questions, mais ne reçut pour réponse que le néant.

— Mathilde !

Ce fut alors que la vérité éclata.

— Gilbert n'est pas rentré après l'école. Il ne s'est pas présenté pour le souper non plus, nous l'avons attendu, mais… il demeure introuvable !

Le cri que Carmel laissa échapper préoccupa Joseph. Le reste de la révélation de Mathilde se confondait dans la tête de Carmel. Joseph ne savait pas ce qui se passait. Dévoré par l'anxiété, il prit le combiné.

Mathilde, angoissée depuis la fin de la journée, fit part de ses craintes.

— Oui, je peux te l'avouer, Joseph, il ne me sert à rien de vous cacher la vérité plus longtemps : nous sommes malades d'inquiétude.

Joseph était stupéfait, il rétorqua violemment :

— Pourquoi ne pas nous avoir avertis avant ?

— Je ne voulais pas vous affoler ; j'espérais qu'il appellerait ou qu'il rappliquerait à tout moment, mais non, il n'est même pas revenu ici après l'école.

Et c'était vrai, rien ne servait de les alarmer puisqu'ils étaient loin et ne pouvaient rien faire de toute façon. De plus, sa dernière conversation avec eux concernant l'emprisonnement d'Alfred lui avait en effet laissé un goût amer dans la bouche. Mathilde était seule avec sa misère, et quelle misère !

Joseph était hors de lui. Des doutes lui passèrent par la tête.

— Qui est à la maison avec toi ?

— Je suis seule avec maman !

— Où est tante Élise ?

— Je ne sais pas.

— Tu ne penses pas que Gilbert puisse être chez un ami ou peut-être sorti avec elle ?

Mathilde réfuta ces hypothèses.

— Tante Élise ou lui aurait téléphoné pour nous prévenir.

Joseph, qui ne connaissait pas les allées et venues de l'enfant, risqua tout de même une autre question :

— Connais-tu ses amis ? As-tu communiqué avec leurs familles ? As-tu le numéro de téléphone de l'école ? Il participe peut-être à une activité sportive.

— Non, je n'ai pas appelé à l'école. Non, je n'ai pas le numéro de téléphone de ses amis. Non, non et non !

— As-tu appelé la police ?

Cette question de Joseph secoua Mathilde. Un silence se fit entendre. Ce silence valait mille mots.

Carmel sursauta, elle saisit le combiné des mains de son mari. Elle n'en pouvait plus.

— Mathilde, réponds-moi.

Elle posa la même question dont elle appréhendait la réponse.

— As-tu appelé la police ?

Mathilde craignait de leur avouer qu'elle se sentait dépassée par les événements et qu'elle n'en pouvait plus. Au lieu de crier à l'aide, elle se ravisa ; d'une voix éteinte, elle répondit à sa sœur avec acrimonie :

— Tu sais que maman ne veut rien entendre des policiers. Dès qu'elle a constaté que Gilbert n'était pas rentré de l'école, elle est tombée dans un sommeil profond. Mon petit doigt me dit qu'elle sait quelque chose. Ce qui me trouble le plus, c'est ce qu'elle m'a répondu lorsque je lui ai dit qu'il fallait aller chercher de l'aide.

— Qu'a-t-elle dit ?

— Elle m'a formellement avertie de ne pas mêler la police à nos histoires de famille et que, si je le faisais, elle ne me le pardonnerait jamais. Elle était furieuse et a levé la main sur moi en me menaçant.

Carmel n'en revenait tout simplement pas.

Joseph vociférait, il parlait en même temps que Carmel.

— On est en plein hiver ! Un gamin d'à peine neuf ans sans surveillance ni protection est introuvable ! C'est inacceptable, il faut faire quelque chose.

Un chaos d'émotions s'ensuivit. Carmel tremblait, Joseph s'impatientait et Mathilde se décourageait.

— Je vais vous rappeler si j'ai de ses nouvelles, dit-elle à Carmel.

L'épuisement de Mathilde était perceptible. Puis la ligne coupa.

Carmel s'adressa à Joseph.

— Elle a raccroché !

À la suite de cet appel, le couple céda à l'affolement. Carmel sanglotait, il n'en fallait pas plus pour l'ébranler. Elle se mit à broyer du noir. Puis le chagrin se déchaîna. Un débordement de larmes ruisselait sur les joues de cette femme qui s'était pourtant promis de ne plus pleurer.

— Mon Dieu, faites qu'il revienne.

Avec tendresse, Joseph posa la main sur celle de Carmel et l'attira contre lui.

— Tu ne dois pas te mettre dans cet état, essaie de te calmer, je t'en supplie.

Carmel le voyait réfléchir tandis qu'elle pleurait. Elle lui avoua :

— Maman ne veut pas que Mathilde joigne la police. C'est insensé.

Joseph reçut mal cette nouvelle. Carmel écrasa nerveusement sa cigarette dans le cendrier et alla s'asseoir sur le canapé du salon. Elle renversa sa tête sur le dossier. Joseph passa un bras autour de ses épaules. D'une voix placide, il lui dit :

— Ferme les yeux, essaie de te calmer. Nous allons réfléchir. Il y a sûrement un moyen de savoir où se trouve cet enfant.

Il l'aida à se déchausser et à étendre ses jambes sur le pouf. Il alla chercher une couverture de laine dans la lingerie pour en couvrir tendrement sa femme. Lorsqu'il revint, Carmel réfléchissait à haute voix.

— Allez donc savoir où il est ! Aurait-il pu être enlevé ?

Joseph pensait exactement la même chose.

— Nous ne savons rien du passé de Gilbert ni de ses parents. Et s'ils avaient tenté de le reprendre ?

Joseph eut soudain envie de sauter dans sa voiture et de filer vers Québec, mais il se dit qu'il ne pouvait risquer ce voyage en hiver, surtout pas avec Carmel. Ce déplacement était aussi impossible à cause de la tâche qui l'attendait chez Sicard. Le comité devait se réunir dès le lendemain. Joseph ne pouvait se permettre de manquer la première réunion qui se tiendrait à l'hôtel de ville.

Carmel posa des yeux interrogateurs sur lui.

— À quoi penses-tu ?

Il ne lui mentionna ni son questionnement ni les idées qu'il échafaudait. Le cendrier débordait de mégots ; ils avaient beaucoup fumé par nervosité et pour évacuer leur angoisse. De plus, ils tombaient de fatigue.

Croyant sa femme assoupie, Joseph chaussa ses pantoufles, marcha sur la pointe des pieds et alla s'asseoir à la table de la cuisine. Il sortit son agenda, le feuilleta jusqu'aux dernières pages contenant les numéros de téléphone. Il trouva le nom qu'il cherchait. Il pourrait l'appeler. Il était maintenant presque dix heures du soir, était-ce convenable de déranger ce haut personnage à une heure aussi tardive ? Ce n'était pas un ami, seulement une connaissance d'affaires qu'il avait rencontrée à quelques reprises lorsqu'il se rendait régulièrement à Québec, justement dans la période où il avait reluqué cette belle fille allongée dans son salon. Que de souvenirs et de tourments en si peu de temps !

Il releva la tête lorsque Carmel passa sa main le long de son cou. Malgré lui, il sursauta. S'était-il assoupi lui aussi ? Peut-être.

— Il est presque onze heures, qu'allons-nous faire ?

Carmel avait le visage défait, les yeux bouffis, elle se tira une chaise et prit place devant lui. Leurs mains se rejoignirent, leurs doigts s'entremêlèrent. Ils demeurèrent ainsi un moment à se parler. Elle qui avait toujours su lire en lui ne put pour l'instant rien déchiffrer. Son visage était neutre. Que de soucis elle lui avait apportés dans son trousseau de mariage ! Elle exprima son questionnement tout haut.

— Pourquoi une mauvaise nouvelle n'arrive-t-elle jamais seule ? Alfred en prison, voilà maintenant que Gilbert a disparu !

Ces quelques mots firent sursauter Joseph. Il frappa la main à plat sur la table. Il se leva et se mit à arpenter rageusement la cuisine.

— C'est ça !

Il répéta :

— Oui, c'est ça.

Carmel attendit qu'il formule son opinion. Il ne tarda pas à l'exprimer :

— C'est cela, Caramel, j'en mettrais ma main au feu. Voilà le hic ! Oui, il y a un lien entre la disparition de Gilbert et l'emprisonnement de ton frère Alfred !

Carmel l'encouragea à poursuivre sa réflexion. Elle savait qu'il n'avait pas son pareil pour élucider les problèmes.

— Dis-moi ce que tu penses au juste.

— Je raisonne tout haut, laisse-moi mettre de l'ordre dans mes idées. Il y a beaucoup de coïncidences dans toute cette histoire. Si tu savais combien je m'inquiète pour Gilbert. Je dois te dire le fond de ma pensée, essaie de ne pas m'en vouloir ni de m'interrompre.

Il fit une pause avant de partager ses impressions. Carmel le fixait sans ciller.

— Faisons un retour en arrière. Gilbert est un enfant triste, il s'ennuie de sa mère et de sa sœur. Il nous l'a clairement exprimé le jour de Noël, je ne peux oublier son visage ni ses yeux, tu as pu le constater toi-même. Bon, depuis, Alfred s'est fait arrêter. Nous croyons que la charge qui pèse contre lui est accablante : trafic de stupéfiants. Et voilà que Gilbert disparaît. Le plus étonnant dans tout cela, c'est le comportement de ta mère. C'est aberrant, elle défend à Mathilde d'appeler la police. Il ne faut pas être naïf, ta mère sait quelque chose.

Carmel allait lui couper la parole.

— Laisse-moi continuer. Mathilde prétend que ta mère a obtenu d'autre morphine…

Carmel ne put se retenir plus longtemps.

— Non ! Non, Jos, ce n'est pas possible. Prétends-tu que Gilbert, un enfant de cet âge, puisse se procurer de la morphine ? Ça me semble inimaginable !

Joseph visualisait la situation ; le fil des événements se déroulait dans sa tête. Il allait être franc avec Carmel. Un sentiment de crainte l'accablait.

— Penses-y comme il faut. Ne trouves-tu pas que tout cela se tient ?

Carmel s'en voulait de ne pas avoir été plus perspicace, mais rien ne prouvait que Joseph avait raison.

— Il vaut mieux suivre cette piste, je rappelle à Québec immédiatement.

Il s'apprêtait à prendre l'appareil lorsque la sonnerie les fit sursauter. Ils posèrent ensemble la main sur le combiné. Joseph fut le plus rapide.

— Allô ?

— Bonsoir, Joseph.

Ce n'était pas la voix de Mathilde qu'il entendit, c'était une voix plus pointue.

Elle enchaîna, ne lui laissant pas le temps de parler :

— C'est Élise, j'arrive tout juste à la maison, Gilbert est en larmes…

Joseph sursauta. Avait-il bien entendu ? Il lui coupa la parole.

— Gilbert est revenu ?

Le souhait de Carmel avait été exaucé. Elle poussa un grand soupir et dit spontanément, en mettant la main sur son cœur :

— Merci, mon Dieu ! Je me suis tellement fait du sang de punaise pour ce pauvre enfant.

Tante Élise, qui s'était absentée toute la journée pour des raisons qu'elle gardait pour elle seule, expliqua à Joseph :

— Mathilde m'a demandé de vous prévenir. Je comprends que vous avez vécu toute une commotion. Gilbert est rentré très tard, il est effrayé et ne cesse de pleurer. Il nous a dit qu'il était allé chez un ami après l'école, rien d'autre. Plus nous le questionnons, plus il pleure. Je vais le laisser dormir ce soir et tenter de le faire parler demain matin.

Joseph réagit promptement.

— Il faut tirer cette affaire au clair maintenant.

Carmel, qui ne se contenait plus, fit signe à Joseph de lui passer l'appareil.

— Bonsoir, comment va-t-il ?

Élise avait le cœur chaviré. Elle, à qui la vie avait appris à maîtriser ses émotions, n'en dit pas davantage pour le moment. Elle se voulut même brève.

— Il est inconsolable.

Carmel tentait de se calmer, tandis que Joseph essayait de comprendre. Sa tante mit un terme à l'appel en s'excusant de ne pas être en mesure de les rassurer.

— Pauvre petit ! dit Joseph.

Ce à quoi Carmel ajouta :

— Au moins, il est rentré sain et sauf, Dieu soit loué. Je me sens soulagée pour l'instant. Je t'avoue être épuisée, mes forces m'abandonnent. Il y a tant de questions auxquelles ni toi ni moi n'avons de réponses. Il est tard, je vais me coucher et essayer de dormir. Tu devrais en faire autant, tu dois te lever tôt demain.

Le ton était des plus mélancoliques. Joseph lui souhaita bonne nuit.

— Tu ne viens pas, Jos ?

Ne voulant pas la perturber, il s'abstint de lui dire à quel point il était troublé. Gilbert était peut-être sain et sauf, mais dans quel état ?

Il lui dit tout simplement :

— Je n'ai pas sommeil.

Cela était vrai en partie.

Il éteignit et se dirigea vers la cuisine. Il ouvrit la porte du réfrigérateur et en sortit une pinte de lait dont il se versa un grand verre. Il réfléchit un long moment, assis dans le fauteuil du salon, puis il cogna des clous. Il se leva et, à pas feutrés, rejoignit sa femme. « Je me couche, se dit-il, la nuit porte conseil. »

À tour de rôle, après s'être mis au lit, ils se relevèrent puis se recouchèrent, sans faire de bruit pour ne pas déranger l'autre.

# Chapitre 7

Le lendemain, au déjeuner, Carmel et Joseph avaient les traits tirés. Joseph ajouta du sucre à son café et beurra ses rôties ; il n'arrivait pas à se concentrer, une grosse journée l'attendait. Il devait assister le soir même à la réunion à l'hôtel de ville. Carmel le regardait pensivement. Joseph suggéra à sa femme de ne pas rester seule à ruminer la triste histoire de Gilbert.

— J'arriverai tard ce soir, tu devrais aller chez les Desmeules, cela te distrairait.

Contre toute attente, elle lui répondit spontanément :

— Excellente idée !

Carmel rangea la cuisine après le départ de Joseph. Elle se sentit soudain seule. Il lui fallait s'occuper, elle se morfondait depuis plus d'une heure. Elle se décida enfin à descendre chez ses voisins. Dès que Rita apparut et l'invita à entrer, Carmel lui lança :

— Es-tu certaine, Rita, que je ne te dérange pas ? Tu n'avais rien de planifié pour aujourd'hui ?

Heureuse de la voir, Rita l'attira vers la cuisine.

— Entre donc, Carmel, j'aimerais que tu me donnes plus de détails concernant ta visite chez le médecin... Pardon, excuse-moi, que je suis sotte de te bousculer comme cela ! Tu n'as pas encore enlevé ton manteau.

— Euh... Tu avais raison, Rita, comme je te l'ai dit hier, mon médecin a confirmé ma grossesse. Tu peux t'imaginer que je débordais de joie, tous mes malaises, semble-t-il, se sont apaisés en entendant ses paroles.

Rita la serra dans ses bras. Inquiète, elle n'arrivait pas à deviner pourquoi un nuage grisâtre assombrissait les yeux de sa voisine. Elle se risqua:

— Tout va bien, j'espère? Ton médecin t'a rassurée?

Carmel s'empressa de lui rapporter ses paroles, puis ajouta:

— Comme tu sais, Joseph m'a promis de me conduire à Québec. J'espère qu'il tiendra parole.

Carmel avait des trémolos dans la voix. Rita sentit que son amie avait besoin de réconfort. Elle prêta une oreille attentive à ses propos en espérant recueillir des confidences qui la libéreraient.

— Je connais Joseph, s'il te l'a promis, je ne vois pas pourquoi il changerait d'idée.

Carmel ne se livra que partiellement.

— Je dois te dire que mes parents demeurent dans un petit appartement. Trois de mes frères ainsi que mes deux sœurs y habitent toujours. Il y a aussi ma tante qui fait partie de la famille, alors ça fait pas mal de monde. Joseph craint peut-être que le bébé et moi y soyons trop à l'étroit.

Elle ferma les yeux et prit une grande respiration, avant de continuer. Rita n'émit aucun commentaire, elle regrettait cependant d'avoir exprimé son opinion sur ce voyage à Québec.

— J'ai aussi un jeune frère, enfin un frère d'adoption. Ah! que c'est compliqué!

— Je comprends ton attachement pour ta famille et ton désir d'accoucher auprès des tiens. Il ne me viendrait jamais à l'idée de t'en blâmer, mais je tiens à ce que tu saches que Sophie et moi pourrions t'aider; nous serions heureuses de prendre soin de toi et de ton poupon. Nous adorons les bébés. Jacques part tôt le matin pour le boulot et je ne le revois qu'en soirée, alors j'ai amplement de temps.

Carmel l'écoutait sans toutefois répondre. Il y eut un long silence. Elle avait peur de se laisser engouffrer par l'amitié. Elle ne put définir le sentiment qui l'animait. Était-ce son manque d'expérience ? À Québec, elle avait des amies. Enfin, à bien y penser, ce n'était pas vrai. Il y avait beaucoup de filles à la manufacture avec qui elle discutait, toutefois aucune d'entre elles n'était une véritable amie. D'ailleurs, Carmel et Mathilde n'invitaient personne à la maison, sans doute par gêne. Elles ne tenaient pas à ce que leurs collègues connaissent leur milieu familial. Avaient-elles honte de leur famille ?

Carmel cherchait un moyen de mettre un terme à la discussion. Elle ne se voyait pas avouer la vérité à Rita. Elle mit la main sur le bras de la femme.

— Merci, Rita, j'apprécie ton offre, mais je préfère aller à Québec. Mes parents nous trouveront certainement une place.

Rita comprit qu'elle ne s'épancherait pas davantage. Il faisait beau. Elle avait des achats à effectuer et elle saisit l'occasion pour inviter Carmel à l'accompagner.

— Quelle merveilleuse journée d'hiver, le temps est froid, mais il fait beau soleil. Viens donc avec moi, ça tombe bien, j'ai des courses à faire. Offrons-nous une belle sortie de filles. Nous irons fureter dans les magasins, puis on pourrait manger un bon *smoked meat* chez Schwartz's, sur le boulevard Saint-Laurent. Y es-tu déjà allée ?

Cette fois, Carmel ne refusa pas d'emblée, mais se laissa convaincre.

— Non, ce sera la première fois. Quel beau programme ! Je vais m'habiller plus chaudement et je te rejoins, disons dans quinze minutes, ça te va ?

Rita était disposée à l'attendre le temps qu'il faudrait, heureuse de l'avoir enfin persuadée de sortir de son cocon.

Le cœur gai malgré tout, Carmel accompagna son amie dans les rues de Montréal. Rita lui fit découvrir quelques boutiques où Carmel se promit de revenir. À l'heure du dîner, Rita devait prendre livraison d'un paquet qu'elle avait fait mettre de côté la semaine précédente. Elle suggéra à Carmel d'entrer chez Schwartz's et de se placer dans la file d'attente. Elles épargneraient ainsi beaucoup de temps. Carmel lui répondit :

— Je préfère t'attendre ici, dehors.

Elle avait eu envie de dire à Rita qu'elle aimait mieux aller avec elle, mais n'en fit rien, respectant la discrétion dont sa nouvelle amie semblait avoir besoin puisqu'elle ne lui avait pas demandé de l'accompagner. Elle observa les personnes qui patientaient dans le portique, la buée leur sortait de la bouche, elles riaient et fumaient. Il s'agissait sans doute de travailleurs profitant de leur heure de dîner pour bavarder et relaxer avant de reprendre le collier. Même par ce froid sec de janvier, l'odeur des viandes embaumait la devanture du restaurant dès que la porte s'ouvrait ; Carmel en salivait presque. Elle enleva ses gants, sortit son étui à cigarettes de son sac à main, y prit une rouleuse et fit cliquer son briquet. Le boulevard Saint-Laurent fourmillait de gens, tantôt pressés et se bousculant, tantôt détendus et léchant les vitrines des grands magasins ; des gens indifférents qui formaient cette foule disparate. Carmel tapa du pied. Elle commençait à avoir froid.

Elle frappa dans ses mains. Alors qu'elle faisait le pied de grue devant le restaurant, elle s'immobilisa soudainement. Le sang se glaça dans ses veines. Elle n'arrivait pas à détourner les yeux de ce personnage déambulant juste devant elle, sur le trottoir de l'autre côté du boulevard. Elle se retint de ne pas crier que c'était lui, vraiment lui. Elle se sentit bousculée, la personne qui l'avait heurtée s'excusa.

Elle était sous le choc. Elle avait envie de courir, de tourner les talons et de s'enfuir, mais elle demeura clouée sur place comme une statue de sel. Ses traits se figèrent, elle n'en croyait pas ses yeux. Lorsqu'elle se ressaisit, elle comprit qu'il était peu probable que ce soit l'homme qui l'avait un soir épiée par sa fenêtre, puisque cet individu avait été arrêté. Mais une petite voix en elle lui criait le contraire.

Rita arriva près de Carmel, l'examina, affolée à la vue de son attitude. Celle-ci fixait le vide, les bras plaqués le long de son corps. Elle lui prit la main, la secoua légèrement pour la ramener sur terre.

Carmel s'écria :

— C'est lui !

Elle pointait maintenant l'index en direction d'un homme. La tête recouverte d'un capuchon, il semblait s'être mis à marcher plus vite en voyant Carmel.

Rita ne comprenait pas.

— Que veux-tu dire, qui est-ce ? De qui veux-tu parler ?

Carmel aurait voulu appeler la police à son secours, mais les mots se coinçaient dans sa gorge.

— Carmel, réponds-moi, qui est-ce ?

Carmel avait de la difficulté à articuler, elle parvint à balbutier :

— C'est lui, c'est l'homme qui est venu m'épier à ma fenêtre !

Rita demeura interdite. Elle prit Carmel par le bras et l'invita à entrer dans le restaurant. La jeune femme réagit vivement.

— Je ne peux pas, Rita, c'est lui, j'en suis presque certaine. C'est la même stature, le même genre d'habillement. Il reviendra. La façon dont il m'a regardée m'a donné froid dans le dos, je veux rentrer chez moi. J'ai peur.

Rita tenta de la calmer en lui disant qu'elle se trompait sûrement puisque l'individu avait été appréhendé avant les fêtes. Malgré cela, Carmel n'en démordait pas. Rita insista.

— Profitons de la chaleur du restaurant, nous pourrons parler tout à notre aise.

Carmel ne pouvait s'empêcher de regarder dans la direction qu'avait prise son prétendu brigand, qui s'éloignait en accélérant le pas ; elle était convaincue qu'il prenait la fuite.

Rita l'invita à nouveau à entrer avec elle dans l'établissement, Carmel était toujours aussi réticente. Elle la tira par le bras. Carmel tenta de reprendre ses sens et la suivit, bouleversée.

Dans le restaurant, les deux femmes durent attendre vingt bonnes minutes avant de s'attabler. Rita profita de la compacité de la foule pour garder Carmel à l'intérieur. L'endroit bruissait d'une animation chaude, mais assourdissante. Elles furent invitées à s'installer sur une banquette de cuir. Rita pria son amie de lui donner son manteau qu'elle suspendit avec le sien sur la patère, sans la quitter des yeux. Un jeune serveur se tenait déjà debout à leur table, prêt à prendre leur commande. Sa voix s'élevait au-dessus des conversations. Le choix n'était pas compliqué, Rita sourit à Carmel en répondant au serveur.

— Nous prendrons un *smoked meat.*

— Quelque chose à boire avec cela, mesdames ?

Rita répondit :

— Ce sera un Coke pour moi.

Carmel en commanda un elle aussi, tout en sortant, du bout de ses doigts tremblants, une cigarette de son étui. Elle avait laissé tomber dans la neige celle qu'elle avait allumée sur le trottoir.

— En veux-tu une ?

Rita lui fit un signe de refus de la main. Carmel, dans son énervement, avait oublié que sa voisine ne fumait pas.

Rita attendait patiemment que Carmel engage la conversation. Elle se félicita d'avoir réussi à la faire pénétrer dans le commerce, espérant qu'elle parviendrait à la calmer. Inquiète devant le mutisme de cette femme qu'elle connaissait à peine, elle se demandait si elle fabulait. Elle entreprit toutefois de l'apaiser. Elle pesa ses mots, faisant dans la dentelle. Leurs *smoked meat* furent servis rapidement.

— N'oublie pas que beaucoup d'individus ont la même allure que ce personnage que tu crois être ton rôdeur. Avec ce froid mordant, des adolescents et même des hommes plus âgés portent ce genre de capuchon, pas forcément pour se cacher, plutôt pour se garder au chaud. De plus, tu sais qu'on lui a mis la main au collet, il faut que tu tentes de t'en convaincre.

Elle avait le sentiment que Carmel ne l'écoutait même pas. Celle-ci mangeait les épaules courbées ou, plutôt, elle picorait dans son assiette, débitant, avec le bout de sa fourchette, les minces tranches de bœuf sans lever les yeux.

Rita poursuivit :

— Autant que je me souvienne, il faisait passablement sombre lorsque cet individu s'est approché de ta fenêtre, c'était le crépuscule.

Carmel affirma avec force :

— Je suis certaine d'avoir reconnu ce voyou, juste sa façon de me regarder ne trompe pas. Comment expliquer qu'il ait ralenti le pas en me voyant et qu'il l'ait accéléré par la suite ? N'oublie pas que j'étais dans ma chambre et que c'était allumé. Il a facilement pu distinguer mes traits et m'avoir reconnue aujourd'hui. Je sais que c'est lui, car la lumière projetait une bonne lueur vers l'extérieur, je m'en souviens, c'est lui !

Devant l'incrédulité de Rita, Carmel haussa les épaules et dit sur un ton navré :

— Tu sembles mettre mon jugement en doute, Rita !

— Oh là ! Oh là !

Rita avait peur de se fourvoyer. Quelle coïncidence que Carmel reconnaisse le brigand et, fait encore plus étrange, qu'elle le trouve sur son chemin la première fois qu'elles sortaient et arpentaient ce boulevard ensemble. Cette sortie si prometteuse tournait au vinaigre. Carmel se leva brusquement, prête à partir.

— Je veux rentrer chez moi !

Rita ne la contraria pas. Elles payèrent l'addition, prirent leurs manteaux et sortirent. En proie à la colère, Carmel poussa un glaçon du bout du pied.

Chemin faisant, Rita tenta d'apaiser son amie et lui dit, de la façon la plus diplomate possible, qu'il lui fallait faire attention et ne pas laisser son imagination vagabonder ; l'éloignement et la solitude étaient un terrain fertile à la dépression. Sa grossesse aussi pouvait lui causer des moments d'angoisse. Lorsqu'elles se séparèrent devant la porte du logement des Desmeules, Rita lui dit sincèrement :

— Je suis là pour t'aider, si tu as la moindre crainte, n'hésite pas à m'appeler.

Et elle ajouta, sans beaucoup d'espoir :

— Nous pourrions nous reprendre pour une autre sortie de filles.

Carmel avait déjà gravi les marches la menant à son appartement. Prestement, elle déverrouilla la porte et la ferma bruyamment. Elle la verrouilla et sonda la porte à l'arrière : elle était déjà fermée à clé. Elle tira les rideaux de toutes les pièces et alluma toutes les lumières. Elle se rendit compte qu'elle avait encore son manteau sur le dos ; elle l'enleva. La rencontre avec ce supposé voyeur la révulsait.

Durant le reste de la journée, Carmel eut largement le temps de cogiter. Elle réfléchit à la recommandation de Rita. Et si elle s'était leurrée ? Son intuition la trompait rarement. Elle ne pouvait nier avoir la sensibilité à fleur de peau. Était-ce possible que son imagination lui joue de tels tours ?

Carmel occupa son temps à mettre de l'ordre dans l'appartement. Elle filait un mauvais coton. Elle se démena pour rendre le logis agréable. Elle tuait le temps. Elle épousseta pour la énième fois les meubles et frotta le comptoir qui brillait déjà. Le logement était tellement propre qu'on aurait pu manger par terre. Carmel s'étourdissait. Il était sept heures du soir lorsqu'elle rangea son torchon et le Windex. Elle saupoudra du Old Dutch dans l'évier qu'elle astiquait pour la troisième fois. Elle laissa couler suffisamment d'eau pour en faire disparaître toute trace de poudre. Elle ralentit à peine le rythme et mangea sur le pouce. Joseph l'avait prévenue qu'il rentrerait tard. Les aiguilles de l'horloge de la cuisine avançaient à pas de tortue. Elle était revenue sans achat de son après-midi interrompu. Comment allait-elle décrire sa journée à Joseph ? Tout n'était pas feint dans son esprit. Elle refit le fil des événements d'avant les fêtes. Cet individu qui l'avait épiée, les mains en visière à la fenêtre de sa chambre, était bel et bien réel. Il était grand ; même dans la pénombre, elle avait pu évaluer sa taille. Large d'épaules, certes, elle s'en souvenait. Elle se laissa choir dans le fauteuil et ferma les yeux pour mieux se concentrer, pour se remémorer le visage de son agresseur, mais les images étaient floues. Elle s'assoupit.

Une agréable odeur printanière lui fit ouvrir les yeux. Elle huma un parfum délicat, un doux effluve de fleurs en hiver. Était-elle éveillée ou rêvait-elle ? Entre ses cils apparurent des fleurs de toutes les couleurs : des rouges, des jaunes et des mauves. Elle cligna des yeux. Joseph était penché vers elle, un bouquet à la main, chaque fleur livrant son parfum. Carmel s'émerveilla. Joseph scruta son visage. Elle se leva, lui prit le bouquet des mains, le huma à nouveau puis l'éloigna d'elle, en contemplation.

— Merci, elles sont magnifiques !

Joseph avait eu une bonne idée. Étant donné les tourments de la veille, il avait souhaité la réconforter. C'était là un motif pour lui offrir un bouquet de fleurs, mais avant tout il voulait souligner la confirmation de sa grossesse. Il balbutia d'un air admiratif et amoureux :

— Pour la nouvelle maman !

Carmel fut touchée droit au cœur. C'était la première fois que son époux lui offrait des fleurs. Interloquée, elle ouvrit la bouche pour parler, mais n'y parvint pas. Elle fut envahie par une vague de bonheur et se mit à tournoyer dans le salon. Elle avait l'impression de vivre dans deux mondes : son monde à elle, rempli d'angoisses, et celui de Joseph, qui illuminait tout sur son passage.

Joseph retrouvait la jeune femme spontanée d'une beauté ténébreuse qui l'avait séduit jusqu'aux entrailles et qui avait fait battre son cœur un certain soir à la sortie de la manufacture John Ritchie Co. Il la prit dans ses bras. Ils esquissèrent un pas de danse. Carmel tenait le bouquet au bout de la main. Ils dansèrent serrés l'un contre l'autre, sans musique. Elle était pétrie d'amour. Comme par magie, elle avait mis de côté ses appréhensions et décidé de ne pas lui en faire part. Une autre fois peut-être, mais pas maintenant, car il émanait des yeux de Joseph tant de douceur et de contentement qu'elle ne voulut pas rompre le charme. Malgré les inconvénients que cette ville lui apportait, elle se trouvait chanceuse d'avoir un mari si attentionné, plus chanceuse que beaucoup de femmes, loin des orages d'afflictions du monde où souffraient malheureusement tant d'êtres humains. Elle mit la main sur son front.

— J'ai la tête qui tourne. Allons donc nous asseoir.

Elle entraîna son danseur dans la cuisine où elle lui prépara un thé. Elle grignota quelques biscuits et but un grand verre de lait.

Joseph avait les traits tirés, mais ses yeux étincelaient.

— Tu sais que tu es encore plus resplendissante depuis que tu es enceinte ? La félicité te sied à merveille, ma douce.

Émue, Carmel baissa les yeux. Joseph continua.

— J'ai annoncé la nouvelle aux gars chez Sicard. Tous te transmettent leurs félicitations.

Absolument rien dans l'attitude de Carmel ne laissait soupçonner la tension ressentie au cours de la journée. Joseph défit le nœud de sa cravate et enleva ses chaussures. Il se pencha en arrière, cherchant, du bout des pieds, ses pantoufles sous la table. Il s'informa de son emploi du temps. Carmel lui répondit évasivement.

— Rita et moi avons fait les magasins du boulevard Saint-Laurent. J'ai mangé un *smoked meat* chez…

Joseph termina la phrase à sa place.

— Chez Schwartz's !

Elle parla de son dîner avec un pincement au cœur. Les conseils de Rita lui revenaient en tête ; elle décida de les suivre et de ne pas parler de l'inconnu.

— Tu sembles soucieuse, as-tu aimé ton repas ?

Il enchaîna sans attendre sa réponse. Il connaissait bien ce restaurant, c'était le premier qu'il avait fréquenté lorsqu'il était arrivé à Montréal.

— Schwartz's est une véritable institution de la métropole. La maison accueille des célébrités des quatre coins du monde. As-tu vu les photos affichées sur les murs ? Sa réputation est établie et, pour cause, le *smoked meat* est préparé avec une viande d'une indéniable fraîcheur, marinée dans un savant mélange de fines herbes et d'épices. J'en salive rien qu'à y penser.

Carmel bâilla. Elle avait peu dormi la nuit précédente, Joseph non plus d'ailleurs. Ils n'évoquèrent aucunement la soirée de la veille. Joseph était songeur. Il conseilla à sa douce de mettre ses fleurs dans un vase et de venir avec lui dans la chaleur de leur lit. La journée avait été longue et difficile. Carmel ne s'était même pas informée du comité ni de la réunion à laquelle Joseph avait assisté en soirée. Son arrivée spectaculaire telle celle d'un Casanova, lui avait-elle dit, l'avait distraite du quotidien. Carmel le rejoignit, frémissante, et sans tarder se lova contre lui. Ils se retrouvèrent. Plus rien d'autre ne comptait. Elle le laissa parcourir les nouvelles courbes de son corps. Elle l'y encouragea même. Que ses caresses étaient apaisantes ! Tout son monde gravitait autour de lui et du chérubin qu'elle portait. Joseph allongea la main sur le léger arrondi de son ventre. Il y posa sa tête. Carmel, de ses longs doigts fins, fourragea ses cheveux, descendit jusqu'au commencement de son dos, s'attarda dans ce petit creux, son endroit préféré. Elle espérait qu'il puisse percevoir cette vie nouvelle dont elle croyait sentir la présence depuis quelques jours. Elle lui parla d'une voix étouffée d'émotions.

— Le sens-tu bouger ? Entends-tu ce petit cœur qui bat près du mien ?

Joseph prêta attention aux paroles de Carmel, ne tenant pas à la décevoir. Elle était si paisible et si sereine ce soir. Cette façon qu'elle avait de lui passer la main dans les cheveux et la proximité des battements du cœur de leur enfant le grisaient. Il ne releva pas la tête, il se sentait soudé à elle, à leur fils. Quel précieux réconfort de la retrouver en rentrant, sa femme! Lui qui avait mené une vie de célibataire appréciait sa compagnie. La seule pensée que quelqu'un l'attendait, Caramel, son amour, lui donnait des ailes. Il travaillait avec ardeur, s'investissant corps et âme dans ce comité. Demain peut-être, ou ce week-end, il lui raconterait comment ça s'était passé, mais pas aujourd'hui, il se l'était promis. Rien ne devait porter ombrage à leur bonheur. Il voulait goûter pleinement ces instants de plénitude. Il ne lui parlerait pas de Gilbert non plus, même s'il avait été distrait presque toute la journée par la situation de ce garçon qui vivait peut-être des événements trop prenants pour son jeune cœur. Ce soir, à l'aube de la nuit qui les emporterait au septième ciel, ils s'endormiraient, leurs corps soudés l'un à l'autre. Joseph érigeait une frontière autour d'eux. Carmel l'accompagnait dans cet hymne à l'amour pour saisir cet instant magique qu'elle aurait voulu faire durer pour toujours. Ils étaient hors d'atteinte.

Carmel lui avait posé une question, mais il n'eut pas le temps d'y répondre. Il l'avait aimée plus qu'il ne l'aurait cru possible. Ils succombèrent au sommeil, enivrés par l'odeur de l'amour. La pièce exaltait un parfum sensuel. Leur sommeil fut cependant tourmenté.

Le lendemain matin, à l'heure du déjeuner, ils revinrent à la vie, à leur quotidien. Joseph était déjà attablé lorsque son épouse entra dans la cuisine.

— Bonjour, lança-t-elle d'un ton joyeux.

Joseph ne répondit pas.

— À quoi penses-tu?

La réponse fut subite.

— À Gilbert.

— Oh !

Joseph marqua une pause puis continua.

— Je ne suis pas parvenu à le chasser de mes pensées de la journée, hier, malgré mon emploi du temps passablement chargé, je dois te l'avouer. Que s'est-il passé à Québec ? C'est étrange que cela soit arrivé le jour même où nous avons téléphoné chez tes parents. Si nous ne l'avions pas fait, crois-tu que nous l'aurions su ?

Carmel y avait pensé, elle aussi.

— Rien ne laissait prédire que Gilbert était un enfant désobéissant !

Carmel réfléchissait tout haut, assaillie de souvenirs.

— Il faut dire que, lorsque j'étais chez mes parents, Gilbert n'a jamais rien fait de répréhensible. J'ai remarqué qu'il avait changé. À Noël, son comportement m'a surprise. Qu'il s'ennuie de sa famille est fort compréhensible, malgré cela, c'était la première fois, à ma connaissance, qu'il l'exprimait. J'espère que mon départ ne vient pas alourdir…

Joseph lui mit la main sur le bras afin de réfréner ses craintes.

— Fais attention de ne pas te culpabiliser. Je crains que l'arrestation d'Alfred perturbe plus Gilbert que ton départ. Je n'ai peut-être pas raison, c'est plus fort que moi, je me fais beaucoup de souci pour lui.

Carmel le regarda avec un mélange d'agacement et d'admiration. Il avait peut-être mis le doigt sur le bobo. Il avala sa dernière gorgée de café, se leva de table et se pencha vers sa femme. Un sourire éclaira son visage lorsqu'il lui chuchota à l'oreille :

— Je rentrerai tôt aujourd'hui. Je ne travaillerai pas ce soir, à moins qu'il nous tombe une tempête sur la tête. Heureusement, rien de tel n'est prévu. Nous souperons à une heure normale pour une fois.

Carmel poussa un soupir de contentement.

— Tu ne peux pas savoir combien tu me fais plaisir!

Il la quitta le cœur léger.

Carmel s'activa dans la cuisine, puis jeta un coup d'œil autour d'elle, cherchant un moyen de tromper l'ennui. Le logement étincelait de propreté, donc il n'y avait pas de ménage à faire. Elle s'habilla modestement, elle changerait de tenue pour l'arrivée de Joseph. Elle se pomponnerait pour lui. Certes, elle avait du temps à tuer, mais elle se sentait plus sereine à l'idée de ne pas passer la soirée seule. Elle était en pleine forme même si elle avait peu dormi. Elle se dirigea vers le salon et ouvrit le panier contenant ses aiguilles à tricoter, les balles de laine ainsi que le patron qu'elle avait découpé dans une revue. Elle commencerait les petits chaussons de bébé. Elle avait acheté de la laine blanche. Que naisse un garçon ou une fille, le blanc, sa couleur préférée, conviendrait. Ce serait le premier tricot qu'elle ferait pour son bébé. Elle tricoterait peut-être toute sa layette en blanc, elle y penserait. Après avoir calculé le nombre de mailles de départ, elle esquissa un sourire. Elle se mit à se parler tout haut. «Ce n'est pas possible, c'est trop petit.»

Elle avait pourtant suivi le patron. C'était bien écrit «layette» en grosses lettres au-dessus de la photo d'un bébé adorable. «Ce doit être cela, "Chaussons pour bébé naissant"... que c'est petit, je n'arrive pas à croire que mon bébé aura des pieds si menus.»

Elle semblait jouir d'une énergie décuplée, absolument rien ni personne ne vint la distraire de ses travaux de tricot, de telle sorte qu'en l'espace d'une heure elle avait fini le premier chausson. Elle l'examina, l'étira.

« Ça ne se peut pas, c'est trop petit, se dit-elle à nouveau. Bon, je tricote le deuxième. »

Après le dîner, le sommeil la gagna. Elle laissait parfois filer une maille. Elle s'assoupit ; lorsqu'elle ouvrit les yeux, il faisait sombre dans la pièce. Elle se leva et se rendit à la cuisine. Elle émit un « ouf ! » de surprise lorsqu'elle constata que les aiguilles de l'horloge indiquaient quatre heures. Elle ramassa son tricot, qui avait glissé par terre lorsqu'elle avait somnolé, le déposa dans le panier et se dirigea rapidement vers la chambre. Elle devait prendre un bain et se faire une beauté. Elle souperait en tête à tête avec son mari, quel bonheur ! Elle ressentit un fort sentiment de contentement.

***

La veille à Québec, c'est-à-dire le jour où Gilbert avait créé un vif émoi, la journée avait mal commencé. L'enfant s'était levé plus tôt que de coutume. Il avait passé une nuit agitée. En conséquence, il avait les yeux comme des trous de suce. Tante Élise, assise près de lui dans la cuisine, s'en était aperçu.

— Tu ne sembles pas avoir beaucoup dormi, jeune homme.

Gilbert avait baissé la tête sans répondre, avec une expression boudeuse. Eugénie lui avait présenté un grand bol de gruau. Gilbert avait pris sa cuillère et l'avait fait tourner nerveusement dans le bol. Eugénie s'était impatientée.

— Tu dois te presser d'avaler ton gruau, tu vas être en retard à l'école.

Il gigotait maintenant sur sa chaise. Élise avait insisté à son tour.

— Gilbert, il faut que tu manges. Tu ne peux pas aller à l'école le ventre vide.

Mathilde avait regardé sa tante, des points d'interrogation dans les yeux.

— Qu'est-ce qui ne va pas ce matin, Gilbert ?

Élise avait mis sa main sur le front de l'enfant, qui l'avait repoussée vivement.

Il avait quitté la table sans avoir touché à son déjeuner. Il avait pris son sac d'école et était sorti en trombe de la maison.

— Ce n'est pas dans son habitude, qu'est-ce qu'il peut bien avoir ?

Mathilde l'avait rassurée :

— Ce n'est qu'un gamin, il est de mauvais poil ce matin, cela nous arrive à tous. Il faut partir pour la manufacture si nous ne voulons pas être en retard nous aussi !

Élise avait tenté de le rattraper.

— Il n'a même pas mis sa tuque, j'ai vu qu'elle dépassait de sa poche.

Mathilde, pragmatique, avait répondu :

— Il la mettra sûrement quand les oreilles vont commencer à lui geler. Partons maintenant.

Élise était préoccupée. Toutes deux avaient marché d'un pas vif, le froid intense les forçant à accélérer le pas. Essoufflées, elles s'étaient installées à leur poste de travail. Mathilde avait remarqué que sa tante avait la tête ailleurs. Lorsqu'elles s'étaient retrouvées à l'heure du dîner dans la grande salle servant de cafétéria, elle lui avait tout bonnement demandé :

— Vous n'avez pas l'air dans votre assiette, vous non plus, aujourd'hui, ma tante. Je suis surprise que le *foreman* ne vous ait pas crié par la tête. Vous avez eu quelques moments de distraction.

Tante Élise l'avait dévisagée.

— Peut-être bien, mais depuis le temps que je me morfonds dans cette manufacture, s'il fallait qu'il me réprimande, je t'assure qu'il aurait affaire à moi.

Mathilde n'avait pu s'empêcher de glousser. Elle savait que sa tante n'avait pas la langue dans sa poche. Puis elles avaient échangé un sourire.

En effet, Élise était à l'abri des bassesses des *foremen*, elle avait de l'expérience et elle leur avait appris, avec les années, qu'il valait mieux pour eux de ne pas la malmener. Elle prenait même la défense des «petites nouvelles» lorsque les patrons abusaient de leur autorité.

* * *

Gilbert était arrivé à l'école à l'heure. Il s'était installé à son pupitre. Il était distrait et avait la bougeotte. Son institutrice avait dû le rappeler à l'ordre à maintes reprises.

— Sors donc de la lune, Gilbert.

Il avait presque entièrement mordillé la gomme à effacer au bout de son crayon lorsqu'elle lui avait demandé, en s'approchant de son pupitre :

— Cinq fois huit ?

Il avait baissé la tête, la bouche cousue. Toute la classe s'était mise à rire, Gilbert s'était renfrogné davantage. Il était impatient de voir finir cette journée. Il était resté dans son coin durant la récréation. Heureusement pour lui, les dirigeants de l'école avaient avisé le personnel d'en écourter la durée à l'extérieur à cause de ce froid de canard. Dans la Basse-Ville de Québec, les enfants issus de familles défavorisées ne portaient pas de vêtements assez chauds ; il était fréquent que certains d'entre eux soient obligés de demeurer à l'intérieur, car ils n'avaient pas de couvre-chaussures et étaient mains nues.

Gilbert était rentré chez les Moisan passé dix heures du soir, le visage ravagé de larmes, sans se soucier de la frousse qu'il avait causée.

Élise, en entrant dans l'appartement ce soir-là, après l'arrivée tardive de Gilbert, l'avait scruté ; sa mine déconfite lui avait mis le cœur à l'envers. Elle s'était rendue dans sa chambre et l'avait questionné, mais Gilbert s'était tu. Il s'était réfugié dans son lit tout habillé et avait tiré les couvertures par-dessus sa tête. Elle avait tenté de le raisonner, mais elle était revenue bredouille. Découragée et désemparée, elle avait rejoint Mathilde dans le salon. Elles s'étaient interrogées. Pourquoi ne pas avoir prévenu qu'il ne rentrerait pas après l'école, comme le voulait la règle ? Depuis qu'il vivait dans la famille Moisan, il avait toujours été obéissant. Élise avait beau se remémorer les événements des derniers jours, elle ne pouvait relever aucun indice qui aurait pu déclencher un tel comportement chez lui. Alfred avait été incarcéré, pourtant Gilbert ne semblait pas s'en préoccuper. Elle s'était souvenue toutefois qu'il avait toujours été solitaire et qu'il se réfugiait dans sa chambre dès qu'il mettait les pieds dans l'appartement. En rentrant à cette heure aussi tardive, il avait dit à Mathilde qu'il était allé chez un ami, sans mentionner son nom. Justement, Gilbert ne semblait pas avoir de compagnons. En aucun temps il n'avait invité d'enfants à la maison. En y pensant bien, cela lui semblait étrange. Il n'avait mentionné aucun nom d'un quelconque élève de sa classe. Il avait un tempérament solitaire, certes, mais pas à ce point !

Gilbert avait reniflé dans son oreiller. Élise s'était levée plusieurs fois et avait tenté de lui parler, mais il s'était renfermé davantage. Elle avait passé une des nuits les plus oppressantes depuis que Gilbert vivait avec eux.

# Chapitre 8

En arrivant chez Sicard, ce matin-là, Joseph se dirigea directement vers le bureau de son employeur. C'était le lendemain de la première réunion du comité formé par le maire à l'hôtel de ville et il venait faire son compte rendu. Il frappa à la porte. Arthur Sicard la lui ouvrit et le salua chaleureusement en courbant un peu le dos.

— Entre donc, je t'attendais. Assois-toi. Prendrais-tu un café ?

— Lait et sucre, s'il vous plaît.

Joseph posa son dossier sur le modeste bureau d'Arthur Sicard, un homme sans prétention, qui n'aimait pas faire étalage de sa prospérité. Il dirigeait une entreprise composée de gens simples, d'ouvriers, et il ne tenait aucunement à leur jeter de la poudre aux yeux. Le vieux et imposant bureau de chêne quelque peu égratigné sur lequel était étalée une pile de dossiers, un modèle miniature d'une souffleuse à neige en métal jaune, pareil à un jouet d'enfant, ainsi qu'un cendrier, lui convenait parfaitement.

Sicard tendit la main à Joseph.

— Félicitations, j'ai appris, pour ta femme et toi ! Enfin, voilà une nouvelle réjouissante, une naissance ! Cela va sûrement vous permettre d'évacuer un peu de tension. Ce comité, je le sais, est éprouvant.

Le visage de Joseph s'illumina. Il était flatté que son employeur s'intéresse à sa vie privée.

— Merci, monsieur, ma femme et moi sommes vraiment heureux. Notre enfant doit naître au début de l'été.

Sicard revint aux occupations quotidiennes et, selon son habitude, alla droit au but.

— Comment s'est passée cette réunion à l'hôtel de ville ? J'ai déjà pris connaissance du procès-verbal, Mme Lapointe me l'a remis. Peux-tu me résumer l'essentiel de la réunion d'hier ?

Joseph lui répondit tout en sortant ses notes.

— Le maire présidait la réunion. D'entrée de jeu, il a tenu à souligner votre collaboration exceptionnelle dans la fusion des deux comités. Il vous en a remercié chaleureusement devant tous les participants et a mentionné que nous arriverions plus vite au but fixé en unissant nos forces. Vous avez dû lire ses propos dans le procès-verbal. Il m'a également remercié d'avoir accepté le poste de vice-président.

Joseph fit une pause ; il attendait une approbation de la part de Sicard.

— Hum ! Hum ! Ça va barder parmi les membres du conseil, laisser un non-élu occuper ce poste va les choquer. Ces hauts personnages ont la jalousie affreusement collante.

Sicard continua :

— J'ai longuement discuté avec Charles Legendre au sujet de la fusion de nos deux comités et j'ai insisté pour que quelqu'un de chez nous occupe la fonction de vice-président, en suggérant que ce soit toi.

— Merci de me faire confiance. Désirez-vous connaître le nom des autres membres du comité ?

— Certainement.

Joseph se souvenait de ceux qui en faisaient partie. Il avait tout de même devant les yeux la liste des personnes qui le composaient.

— Laissez-moi voir… il y a évidemment le maire, comme je viens de vous le mentionner. C'est l'échevin Jean Martin qui représente le conseil municipal, comme il l'avait fait au sein de notre comité où il a pu laisser sa marque grâce à la présence des journalistes, entre autres…

Sicard l'interrompit :

— Il mène actuellement une campagne parallèle à celle du maire, à ce que j'ai entendu dire. Il va tout faire pour le supplanter et se présenter à la mairie aux prochaines élections ; je tiens cette information de source sûre. En d'autres mots, ce Martin lui joue dans le dos, tu devrais toi aussi te méfier de lui. Il pourrait essayer de te faire faire un faux pas pour que tu perdes ton poste et qu'il puisse se l'approprier. Avec ce genre de politiciens, il faut user de ruse. Attention ! Il n'est pas question de vexer ces gens, nous avons absolument besoin d'eux. Si nous perdions le contrat de vente d'équipements lourds de la Ville, notre entreprise en souffrirait. D'autres municipalités seraient tentées de nous laisser tomber aussi. Si cela arrivait, ce serait catastrophique pour nous. L'effet domino : tu en connais les dommages ?

Sicard semblait réfléchir avant d'en remettre.

— Martin est certainement insulté qu'un non-élu soit nommé au poste de vice-président. Ne te laisse pas démonter par lui, ce n'est qu'un opportuniste. Nous devons leur montrer notre collaboration tout en demeurant sur nos gardes.

Joseph se racla la gorge. L'envie de donner son opinion sur cet échevin le démangeait, mais il s'abstint. Sicard continua sur un ton un peu angoissé.

— Le maire se dit assailli par une population en crise. Les mères de famille affirment que leurs enfants ont peur et qu'ils ne veulent plus voir une souffleuse dans les rues en se rendant à l'école. J'ai entendu des commentaires acerbes et passablement dénigrants sur nos machines.

Les conséquences manifestement négatives de cet accident sur la population pourraient compromettre l'avenir de l'entreprise Sicard, Joseph en était conscient. Il prit la parole :

— Ce que nous avons appris de nouveau, en prenant connaissance de plusieurs rapports, c'est la certitude de la sobriété du conducteur. Il a enfin pu répondre aux questions des enquêteurs. En présence du sergent Harvey, il a expliqué de peine et de misère qu'il n'était pas fatigué au moment de l'accident, ce que tentaient de lui faire avouer les enquêteurs. Il neigeait à plein ciel et, par moments, de grosses bourrasques soufflaient. Il venait à peine de commencer son *shift* de quatre heures : il était donc en parfaite forme. Ils lui ont même demandé s'il prenait des médicaments ou des somnifères, ce à quoi il a rétorqué par un « non » catégorique.

Le patron, préoccupé par une question, ne tarda pas à la poser.

— Est-ce que le chauffeur a dit quelque chose concernant l'aspect mécanique pouvant nous laisser croire que notre équipement était défectueux ?

Joseph répondit promptement :

— Il a déclaré n'avoir rien remarqué d'anormal, ni dans la conduite, ni du côté de la mécanique. La machine avait été inspectée la veille et avait démarré normalement en quittant le garage municipal. Selon lui, la mécanique n'est pas en cause, car tout fonctionnait pour le mieux.

Sicard enchaîna :

— Et qu'est-ce que l'inspection du véhicule a révélé ?

Joseph fut surpris par cette question.

— Je croyais que le rapport de police à cet effet vous avait été remis.

L'employeur fouilla dans les papiers qu'il avait reçus le matin même, il tomba dessus.

— En effet, je l'ai ici.

Il le parcourut à haute voix. Joseph lisait le sien en même temps.

Tous deux émirent en écho un soupir de soulagement.

— Voilà, il est précisé ici, dans ce paragraphe, que la mécanique n'est pas en cause. Les mécaniciens cherchaient à savoir si le moteur ne s'est pas emballé et si, par conséquent, le conducteur a pu perdre la maîtrise de la souffleuse. Dans ce cas, il lui aurait été impossible de retenir le mastodonte même en appliquant les freins.

Joseph reprit :

— Je dois vous dire que tous les participants tenaient à s'assurer que la mécanique n'était effectivement pas à l'origine de l'accident. Les mécaniciens ont confiance en cette machine et voulaient prouver qu'elle était fiable. Cela est excellent pour nous.

— Nos souffleuses ne présentent aucun risque, s'empressa presque de conclure le grand patron. Je n'en doutais aucunement. Je suis soulagé de voir que le rapport de police est sorti si rapidement.

Il tira nerveusement une cigarette de son étui. Il en offrit une à Joseph, qui accepta. On frappa à la porte.

La secrétaire, Louise Lapointe, n'attendit pas que son employeur l'autorise à entrer, comme convenu entre eux. Elle poussa la porte.

— Votre prochain rendez-vous est à neuf heures, monsieur. Votre client est déjà arrivé.

Joseph remarqua qu'Arthur Sicard affichait un air contrarié. Il n'osa pas l'interroger, mais celui-ci lui révéla le motif de ses préoccupations lorsque la secrétaire eut tourné les talons.

— Déjà un client qui vient discuter de l'importante commande de souffleuses qu'il nous a passée pour l'an prochain. Il a demandé à me rencontrer personnellement. J'ai pu lire entre les lignes qu'il remettait en question son achat.

Son regard s'assombrit. Il continua, car il faisait suffisamment confiance à Joseph. Nul besoin de lui demander de n'en souffler mot à personne. Il tenta de dissimuler son indicible angoisse.

— Ce serait catastrophique si des annulations se produisaient en chaîne. Voilà pourquoi il importe que nous rencontrions les journalistes le plus rapidement possible afin de leur faire part des conclusions de l'enquête concernant la fiabilité de notre équipement, et de leur démontrer, hors de tout doute, que la machinerie n'était pas en cause lors de l'accident. Il est impératif de redorer notre image.

Il poursuivit prestement :

— Je vais appeler le maire dès aujourd'hui et lui demander de tenir une conférence de presse conjointe, puisque je ne souhaite pas lui donner l'impression que je le devance. L'enjeu est crucial.

Sicard n'avait pas eu besoin de lui faire un dessin. Joseph se croisait les doigts afin que les conséquences ne soient pas trop néfastes. Il prit congé. Il continuerait cette conversation lorsque son patron lui ferait signe. Ce dernier avait d'autres chats à fouetter pour le moment. Joseph comprit la lourdeur de la tâche de l'homme à la tête de cette grande entreprise. Il l'en admira davantage. L'enquête avançait sans doute plus rapidement depuis que les deux parties avaient conjugué leurs forces. En un sens, il n'était pas déçu de ne pas présider ce comité ; il se rendait compte qu'il n'avait pas l'étoffe des politiciens. Il allait dorénavant exploiter son potentiel dans les domaines où il était le plus doué. Il comptait tirer profit de son expérience au sein des preneurs de décision : les élus municipaux. Il s'exercerait à s'en rapprocher. Il redoublerait d'énergie pour faire la promotion des souffleuses à neige Sicard. Par ailleurs, il avait constaté que son poste de vice-président du comité n'était qu'accessoire et qu'il avait été nommé pour satisfaire à une exigence d'Arthur Sicard. Le comité serait dissous, comme convenu, dès qu'on pourrait établir les raisons de l'accident, ce qui n'allait pas tarder. Il n'allait pas s'en plaindre.

* * *

En clôture de la réunion suivante, le maire dit :

— Nous sommes en mesure de rassurer la population : ni le conducteur ni la machinerie ne sont en cause. Les rapports concluent qu'il s'agit malheureusement d'un simple accident.

Les mécaniciens, en entendant la preuve qu'il n'y avait pas d'erreurs dans la mécanique, allaient se féliciter, mais à ces propos l'échevin se leva d'un bond, offusqué, et cria presque sur un ton méprisant :

— Un simple accident !

Il répéta cette phrase avec insistance en mettant l'accent sur le mot « simple ».

— Un simple accident ! Je ne peux pas croire, Monsieur le Maire, que vous qualifiiez de « simple » la mort de ce pauvre garçon. Une souffleuse à neige qui déchiquette un enfant !

Le maire se leva dans un mouvement d'aberration et mit, pour une rare fois, le poing sur la table.

— Ne jouez pas sur les mots, Martin, vous exagérez. Jamais, au grand jamais, je n'ai laissé entendre qu'il ne s'agissait que d'un simple accident. Je voulais dire…

À son tour, le conseiller frappa sur la table.

— C'est pourtant ce que vous avez dit et que vous répétez.

Sa réplique cinglante indisposa les participants qui ne prenaient pas tout au pied de la lettre comme ces deux politiciens. Joseph n'en revenait tout simplement pas. Il était content de ne pas avoir à débattre ces propos incendiaires; toute cette politicaillerie l'irritait.

Le maire rongea son frein. Il répliqua, pour s'excuser encore et éviter toute méprise:

— Vous comprendrez, messieurs, bien entendu, que nulle n'était mon intention de minimiser un tel drame.

Les membres du comité semblaient en avoir assez et certains refermèrent leurs dossiers. Le maire se redonna de la prestance. Il dit sèchement, en posant sur Martin un regard indéchiffrable:

— Nous allons donc clore cette réunion, qui aura été la dernière, et allons dissoudre ce comité, étant donné que les objectifs qui ont mené à sa création ont été atteints.

Il remercia tous les participants et referma à son tour son dossier.

«À la prochaine!» semblait dire l'échevin, qui avait perdu un peu de sa superbe.

Joseph sortit avec une idée satisfaisante en tête. Ni la souffleuse ni le conducteur n'étaient en cause. Il poursuivait aussi un objectif, nullement politisé: plus jamais un accident de la sorte ne devrait se reproduire. Il allait travailler à cela, s'y concentrer et tenter de trouver une solution constructive et judicieuse. Il possédait une ténacité à revendre.

***

Le même matin, c'était la rentrée de janvier à l'école qu'avait fréquentée le petit Pierre Masson. Une neige ouateuse follement insouciante virevoltait entre le bâtiment des petits et celui des grands pour finalement se poser tranquillement dans la cour de récréation délaissée depuis les vacances.

Les écoliers arrivaient par petits groupes, marchaient à pas traînants. La cacophonie de la rentrée de septembre ne ressemblait en rien à ces chuchotements d'élèves qui retrouvaient aujourd'hui la routine scolaire. Tous se tassèrent dans leurs rangs respectifs et retrouvèrent leurs camarades de classe.

Bébert, à peine de retour d'une visite à Trois-Rivières chez ses grands-parents où il avait passé ses vacances de Noël, cherchait son meilleur ami dans les rangs ; Pierre et lui auraient tant à se raconter ! Puisque celui-ci tardait à arriver et que la mère supérieure sortait en agitant sa grosse cloche dans le but de sonner la rentrée, il demanda à ses voisins, avant que le silence s'installe pour de bon, s'ils avaient vu Ti-Pierre ce matin. Comme réponse, on lui fit de gros yeux. Il en déduisit que son copain avait peut-être attrapé des poux à Noël. La directrice étant stricte sur le sujet, les pouilleux devaient rester à la maison. Bébert se dit que Pierre ne serait pas longtemps absent ; un ou deux jours de traitement au vinaigre et, rien qu'à l'odeur, les exigences incontournables de la supérieure seraient satisfaites. Après tout, attraper des poux valait mieux qu'attraper la scarlatine !

Attroupés comme des fourmis, les jeunes montaient en serpentant les escaliers menant à leurs classes où leurs institutrices les attendaient. Pour la première fois depuis le début de l'année scolaire, un seul manteau pendait sur le double crochet numéro huit. Le beau sourire de Mme Lavoie, qui rendait les élèves heureux, n'était pas au rendez-vous ce matin-là. Dans son regard plein de tristesse, on pouvait tout de même lire la joie de les retrouver tous.

Tous, non, pas tous. Bébert l'apprendrait assez vite. Le pupitre laissé libre par son meilleur ami ainsi que la mine piteuse des autres élèves le laissaient pantois. Une atmosphère de tranquillité morne s'empara de la classe. Chacun gagna promptement sa place, n'osant zyeuter du côté du pupitre du disparu de peur de subir le mauvais sort à son tour.

À ce moment, l'institutrice chevronnée sut trouver les mots justes pour informer les élèves du départ de l'un des leurs. Leur ami Pierre était mort. Plusieurs le savaient, leurs parents étant sûrement au courant de la nouvelle.

— Mes chers enfants, j'ai une bien triste nouvelle à vous annoncer… Votre ami Pierre… Pierre a eu un très grave accident.

Elle marqua un temps d'arrêt afin que chacun puisse se ressaisir. Elle conclut d'une voix éteinte :

— Malheureusement, Pierre est décédé.

La nouvelle en surprit et en secoua plusieurs. Les mots fatidiques prononcés un peu maladroitement par Mme Lavoie s'étaient transformés en vérité crue. Pour eux, impossible d'en douter, car l'institutrice ne se trompait jamais. En effet, bien des parents l'avaient appris rapidement à la réplique de leur petit qui rechignait pendant la période des devoirs : « Oui, mais Mme Lavoie, elle, elle a dit de faire cela comme ça ! »

Bébert, sous le choc de l'annonce brutale de la mort de son copain, sentit son cœur se gonfler, s'élargir et occuper de plus en plus de place dans sa petite poitrine. C'était la première fois qu'il ressentait une douleur aussi cruelle. L'angoisse l'emportait sur l'entendement. Son cœur pouvait-il éclater ? Retrouverait-il son état normal ? Bébert n'eut qu'une idée : fuir, quitter ce lieu où il se sentait si seul. À peine parvint-il à jeter un coup d'œil du côté de la seule issue possible qu'au même instant il vit apparaître, tel un corbeau, l'abbé Dugal à la fenêtre de la porte de classe.

Avec l'arrivée de cet homme d'Église, on put voir à l'attitude de Mme Lavoie que le nouveau visiteur représentait un signe du Sauveur lorsqu'elle posa un regard implorant sur lui. Sa présence apporterait du réconfort.

D'un geste rapide, les élèves se placèrent en situation d'écoute, sachant que l'abbé ne s'était pas déplacé pour leur parler d'une partie de hockey. Il n'avait pas l'habitude de rendre visite à ses joueurs dans leur classe. C'était plutôt le samedi, à la patinoire, qu'on discutait de ces choses.

Bébert retint peu de cette brève visite, car il était plus envahi par sa douleur que par le besoin de comprendre le désir du Père céleste de ramener Pierre à lui. En entendant les paroles de l'abbé, il ne put se contenir et toute la pression dans sa poitrine s'évacua en un flot de sanglots. Il se souvint des mots souvent prononcés par sa mère : « Pleure, Bébert, ça va te faire du bien. »

À ce moment précis, il en comprit le sens pour la première fois.

Après avoir prêché une morale démesurément lourde de sens pour ces jeunes oreilles, l'abbé laissa une classe ébranlée aux bons soins de l'enseignante. Il prit la direction du presbytère, situé de l'autre côté de la rue, où il répondit aux demandes pressantes de ses paroissiens. Le représentant de Dieu sur terre se félicita de la tâche accomplie. Il croyait que, comme il l'avait fortement conseillé à l'institutrice, les écoliers devaient mettre les bouchées doubles, de sorte que les travaux scolaires occupent les esprits de ces jeunes éplorés. L'ecclésiastique avait confiance en Mme Lavoie pour redonner vie à cette ruche d'abeilles. Il en reverrait plusieurs à la patinoire le samedi suivant.

***

Pauline et Gustave, les parents de Pierre, étaient inconsolables, prisonniers de leur douleur et de leur chagrin. La tristesse et l'abattement avaient plongé le couple dans la prostration. Gustave, la mort dans l'âme, avait demandé à son employeur un prolongement de son congé. Son patron avait manifesté un semblant de compréhension en lui accordant, du bout des lèvres, trois jours supplémentaires et en arguant qu'un retour au boulot lui serait salutaire et le distrairait de son grand malheur. Pauline et lui erraient comme des âmes en peine dans leur logement devenu trop grand et silencieux.

Au début du mois de novembre, Pauline avait acheté avec empressement et frénésie des cadeaux de Noël pour son fils : un bâton de hockey et une tuque des Canadiens, son club de hockey préféré. Elle les avait cachés dans sa garde-robe et les aurait placés sous l'arbre, comme le voulait la coutume, le soir du 24 décembre, lorsque Pierre aurait été couché. Il aurait découvert ses étrennes à son réveil, le matin de Noël.

Dans un geste de désespoir, elle avait quand même déposé les cadeaux au pied de l'arbre. Une grosse boîte soigneusement ficelée portant une étiquette au nom de Pierre y traînait encore. Gustave lui avait dit, la voix pleine de chagrin :

— Quand vas-tu donc défaire cet arbre, ma femme, et enlever ces cadeaux de ma vue ?

Elle lui avait répondu qu'elle n'en avait pas le courage et qu'elle ne se résignait pas à tout faire disparaître. Elle traînassait entre la chambre lugubre de son garçon et le salon. Elle errait sans cesse comme une désœuvrée. L'esprit de Pauline s'égarait, elle parlait constamment à son fils, lui demandait de venir manger ou lui recommandait de ne pas être en retard à l'école.

Gustave, comme convenu, avait dû retourner sans entrain au travail. Sa vie était brisée. Pauline se retrouvait seule dans l'appartement. Elle aurait voulu insuffler à son mari le pouvoir de se reprendre en main, malheureusement elle n'en avait pas la force, elle n'était plus elle-même. Son univers avait basculé. La révolte s'était emparée d'elle. L'injustice de la vie lui brûlait l'âme. Lorsqu'elle n'errait pas dans l'appartement, elle passait ses interminables journées allongée dans le lit de son fils, ne se levant, de peine et de misère, que pour s'alimenter.

Gustave et elle avaient eu une prise de bec fracassante lorsqu'il lui avait proposé de donner les vêtements et tous les effets personnels de leur fils, y compris les cartes de hockey que Pierre avait mis tant de passion à collectionner. Elle l'avait traité d'insensible et l'avait accusé de ne pas regretter la mort de leur enfant. Gustave, le cœur trop gros d'émotions refoulées, avait tenté sans succès de la raisonner ; ses yeux brillaient continuellement des larmes qu'il n'osait pas verser parce qu'un homme ne doit pas pleurer, c'était là le propre de la femme.

La veille du jour où Pierre aurait dû retourner en classe, Pauline avait préparé les vêtements de son fils et placé son sac d'école près de la porte comme elle le faisait depuis sa première année. Gustave avait regardé sa femme au travers d'un voile presque opaque, sans dire un mot. Il avait eu mal à son cœur. Il s'était dirigé vers elle, attiré par la mère de son enfant comme devant un phare. Il lui avait ouvert les bras et l'avait gardée tremblante contre son cœur afin d'apaiser sa douleur. Il s'était approché du sac d'école, avait tendu la main, mais n'était pas arrivé à y toucher. Il avait entendu la voix de son fils au loin, très loin, lui souhaiter : « Bonne journée, papa ! »

* * *

Les jours et les semaines passèrent. Joseph était soulagé de pouvoir se libérer, car les rencontres à l'hôtel de ville étaient terminées. Il avait constaté que la volonté du maire à faire la lumière sur cet événement et à rassurer la population était évidente. Le magistrat avait su mesurer l'affolement qui s'était emparé des citoyens. Les membres du comité avaient rencontré les représentants de la presse afin de leur faire part de la conclusion de leurs travaux. Bien sûr, puisqu'ils collaboraient avec les enquêteurs de la police, les participants de chaque groupe de ce comité mixte avaient déployé de grands efforts pour déposer leurs rapports le plus rapidement afin de clore cette malheureuse affaire.

Les journées de Carmel paraissaient ne plus finir. La solitude lui pesait, elle avait hâte d'avoir son bébé, elle serait moins isolée dans son cocon familial. Grâce à cette naissance, elle entrevoyait son avenir avec optimisme.

La jeune femme bondissait de joie dès que son mari mettait les pieds dans l'appartement. Ses nausées s'étaient espacées, elles ne l'indisposaient plus. Carmel étudiait les transformations de son corps. Un jour qu'elle s'était allongée sur le dos dans son lit et se palpait le ventre, elle se mit à trembler d'émotion. Elle n'était pas certaine, oui, c'était cela, elle le sentait bouger. Les petits coups de coude ou de pied la faisaient sourire ; elle s'endormit, des pensées heureuses en tête : « Le voilà enfin qui bouge dans mon ventre, cet enfant qui comble déjà tous nos désirs de futurs parents. Nous aimons sans le connaître le fruit de notre amour. Nous le guiderons dans la vie, Joseph sera un père attentif. Il espère tellement avoir un garçon. » Elle l'avait vu dans le regard qu'il posait sur Gilbert.

***

Joseph la tira brusquement de son sommeil en rentrant. Elle avait dormi profondément et s'éveilla en sursaut. Des idées sombres effleurèrent son esprit. Son cœur manqua un battement. Elle croisa les mains sur sa poitrine, elle mit un peu de temps à comprendre ; elle entendit une voix lui crier « bonjour ».

Elle inspecta autour d'elle. Elle comprit que c'était Joseph ; que se passait-il ? Elle s'était endormie et n'était pas prête à l'accueillir. Elle se leva trop rapidement, vacilla et faillit devoir se recoucher. Elle se reprit.

Joseph était entré par la porte arrière, il tenait un gallon de peinture dans chaque main et des accessoires coincés sous les bras. En le voyant dans la cuisine, Carmel ne put retenir un sourire.

L'émerveillement que Joseph lut sur le visage de sa femme le récompensa de son effort. Il posa la peinture sur le linoléum et ouvrit grand les bras. Tout le reste tomba sur le sol. Carmel était éberluée. Elle mit la main devant sa bouche et réfréna un rire sans dire un mot en fixant Joseph.

— Quoi, tu n'es pas contente ?

Il jeta un coup d'œil par terre, autour de lui.

— Je m'excuse, j'ai éclaboussé ton plancher avec cette neige.

Elle s'approcha de lui tout doucement, tel un félin. Il était un peu inquiet. Sa surprise avait-elle l'effet escompté ? Elle lui passa les bras autour du cou et l'embrassa avidement. Il se délecta bruyamment, se frotta les lèvres.

— Je vais acheter des douzaines d'autres gallons de peinture pour recevoir en échange un tel remerciement.

Exaltée, Carmel cherchait ses mots.

C'était tout de même exceptionnel qu'il achète de quoi peindre la chambre du bébé le jour même où elle avait senti cette vie en elle. Quelle étrange coïncidence ! Elle voulut immédiatement partager son plaisir avec lui.

— Il bouge !

Joseph la regarda avec étonnement, puis il répéta :

— Il bouge ?

Son visage s'illumina.

— Oui, il bouge. J'ai senti des petits mouvements dans mon ventre aujourd'hui pour la première fois.

Il la scruta, plein de fierté.

Elle constata alors que Joseph était encore emmitouflé pour l'hiver.

— Nous sommes fous ! Est-ce que tu t'es vu ? Les gants dans les mains, les bottes aux pieds, la sueur au front…

Il n'avait pas fait attention. Peu importait, il était heureux.

— Je ne me déshabille pas, je dois retourner à la voiture.

Il sortit en trombe. Carmel le suivit des yeux puis laissa son regard parcourir la cuisine. La neige avait fondu, son beau plancher toujours étincelant était tout mouillé, et elle s'en foutait. Avant que le charme soit rompu, Joseph était de retour avec un contenant à la main, puis un sac de papier dans l'autre. Il allait poser ses paquets par terre.

— Donne-moi cela et enlève ton manteau et tes couvre-chaussures.

Il lui obéit, l'œil moqueur.

— Nous avons tout ce qu'il faut pour aménager la chambre de notre bébé. On pourrait s'en occuper cette fin de semaine.

Carmel était au comble de la joie.

— Merci, mon amour, si tu savais le plaisir que tu me fais ! Si le bonheur existe, il s'est introduit ici même aujourd'hui.

Tous deux attablés, ils discutèrent de l'accomplissement de leur projet de la fin de semaine.

— Il nous faudra tout d'abord laver le plafond et les murs pour ensuite appliquer la première couche de peinture.

Carmel laissa sa fourchette en l'air.

— Au fait, quelle couleur as-tu choisie ?

Il répondit spontanément.

— Blanche !

Carmel fronça les sourcils en avalant de travers sa bouchée de pâté chinois. Joseph la regardait d'un air embêté.

— Le blanc me semble un choix rationnel : facile à appliquer, puisque les murs sont déjà de cette couleur ; il suffit de les rafraîchir.

Carmel esquissa un rictus et tenta de ne pas laisser voir sa déception. Tout compte fait, Joseph avait peut-être raison. Elle se permettrait une belle gamme de couleurs pour les rideaux et les décorations afin d'égayer la pièce.

— Tu as eu raison, tu as fait un bon choix.

Ils se levèrent tôt le samedi matin; Carmel était impatiente d'aménager la chambre de leur enfant. Le moment était presque venu. Elle avait à peine avalé sa dernière gorgée de café qu'elle se leva de table.

— Je commence tout de suite, dit-elle.

Joseph la prit par le bras et la fit se rasseoir.

— Holà, madame, je dois d'abord laver les murs.

— Je sais, lui dit-elle, je suis prête.

Joseph la regarda intensément.

— C'est moi qui vais laver le plafond et les murs, nous les laisserons sécher, ensuite nous appliquerons la peinture. Laisse-moi d'abord finir mon déjeuner.

Carmel s'affaira autour de la table en trépignant d'impatience. Joseph comprit son empressement. Il se leva.

— Bon, je me mets à la tâche.

Il fit comme il le lui avait dit, de sorte qu'ils eurent terminé d'appliquer la première couche peu après l'heure du dîner.

— Nous devons laisser sécher la peinture avant d'appliquer la deuxième couche. Profitons-en donc pour nous détendre.

Carmel était en train de nettoyer le pinceau.

— Impossible, Jos, je dois prendre un bain, j'empeste la térébenthine. Combien de temps devons-nous attendre ?

Joseph souleva le gallon de peinture vide et lut à haute voix les instructions inscrites sur l'étiquette. Il conclut en disant :

— Nous avons le reste de la journée à nous. Ouvre la fenêtre et ferme la porte de la chambre afin que l'odeur s'estompe un peu.

Carmel lui répondit :

— Cette odeur est incommodante, j'ai un peu mal au cœur. Je m'évade dans la salle de bain.

* * *

Durant la nuit, Carmel éprouva un malaise. Cette forte odeur d'émail lui donnait la nausée. Ils dormirent peu. En se levant le lendemain matin, Joseph vérifia le résultat de leur ouvrage. Il revint dans la chambre courbaturé, mais satisfait de l'effet d'ensemble.

— Il ne sera pas nécessaire d'appliquer une deuxième couche, je ne tiens pas à t'exposer davantage aux effets nocifs de cette peinture. Sortons de l'appartement.

Ils partirent plus tôt que d'habitude en direction de l'église de leur quartier.

Ce dimanche-là, au retour de la messe, Carmel eut le sentiment que quelque chose clochait. Joseph était évasif, un tantinet agité, contrairement à son habitude. Elle mit cet état sur le compte de la fatigue.

Joseph n'avait pas su cacher la nervosité qui l'avait gagné depuis son arrivée plus tôt à la maison le vendredi précédent. Il devait se rendre à New York dès le lendemain. Il se demandait de quelle manière il allait annoncer cette nouvelle à sa femme, et comment elle allait réagir. Depuis le terrible accident, Sicard tentait d'étendre sa production du côté des États-Unis, dont certaines régions profitaient d'un climat semblable à celui du Québec. Son patron avait parlé d'y envoyer un éclaireur pour évaluer les besoins. Tout de suite, Joseph s'était senti interpellé. Sicard l'avait laissé partir plus tôt le vendredi en lui recommandant de passer un peu de temps avec sa femme, car des rendez-vous avec des personnes clés à New York étaient déjà fixés pour le mardi. Il devait agir vite.

À l'évocation de cette ville, le cœur de Joseph avait chaviré. Il craignait de s'éloigner de sa femme si fragile. Tout de même, à bien y penser, il fallait qu'elle s'habitue à sa nouvelle vie.

Le dimanche après-midi, il se décida enfin à révéler à sa douce moitié la source de sa nervosité. Il mit des gants blancs pour justifier la nécessité de ce voyage de quatre jours à New York, qu'il avait accepté de faire avec plaisir, sans pourtant le lui avouer.

L'annonce du départ de Joseph reçut un accueil acide. Leurs regards se croisèrent. L'irritation perçait dans la voix de Carmel lorsqu'elle tenta vainement de dissuader son mari de partir, de ne pas la laisser seule.

Exaspéré par la réaction de sa femme qui allait à l'encontre de son propre désir de revoir New York, Joseph lui expliqua :

— Seulement quatre jours. À la suite des malheureux événements que tu connais, il faut agir rapidement et solliciter de nouveaux clients au cas où l'équipement de Sicard se vendrait moins dans notre province. C'est une décision contraignante pour moi, c'est facile à comprendre, il me semble !

Il se laissa emporter, épuisé de chercher des arguments persuasifs. Il n'avait pas le choix et Carmel non plus ; il fallait qu'elle s'adapte à ses absences, il y aurait d'autres déplacements, il le savait.

Il adoucit le ton devant son allure pitoyable.

— Ce n'est pas de gaieté de cœur que je m'éloigne de Montréal, tu peux me croire.

Le ton était flegmatique, il avait dit : « m'éloigner de Montréal », mais pas « m'éloigner de toi ». Cette phrase tomba froidement. Carmel se sentait incapable de demeurer seule dans l'appartement. Joseph perdit patience.

— Voyons, sois raisonnable. Tu sais parfaitement que tu peux compter sur les Desmeules en tout temps, Rita est toujours chez elle.

Carmel n'en finissait plus d'émettre ses craintes.

— J'ai peur, Jos.

Joseph se laissa attendrir par son air d'enfant affolée.

— De quoi ? Nous vivons en ville, et non pas isolés dans le fin fond d'une campagne, alors…

Il ne termina pas sa phrase, il anticipait la réplique de sa femme.

— Oui, effectivement, en pleine ville où il y a néanmoins des rôdeurs, des voyeurs et des voleurs. Quoi de mieux pour me rassurer ?

Joseph était à bout d'arguments, il alla même jusqu'à lui donner raison en pensée. Lui revinrent en mémoire le vol de leurs cadeaux de noces et l'apparition de ce rôdeur à sa fenêtre ; enfin, il ne l'avait pas vu, mais un suspect avait été appréhendé et, selon l'article du journal, tout portait à croire qu'il était coupable. Il croyait sa femme.

Une idée, qui lui parut convenable, lui vint en tête.

— Ça va, ça va, calme-toi, j'ai trouvé une solution.

Carmel tenta de se raisonner. Elle l'écouta sans l'interrompre ni rouspéter, espérant qu'il soit prêt à renoncer à partir ou à retarder son voyage.

— Nous allons demander à Sophie de venir dormir ici. Au moins, tu ne seras pas seule pendant la nuit. Je suis certain qu'elle se fera un plaisir de nous rendre ce service. Je vais en parler à ses parents. Elle pourrait même rentrer directement après ses cours, si tu préfères. Ce ne sera pas différent de notre rythme de vie, j'arrive rarement tôt à la maison.

Joseph venait d'avouer en quelque sorte qu'il la laissait seule de longues journées. Malgré cela, il n'allait pas continuer ni amorcer une nouvelle discussion. Il ne lui donnerait pas l'occasion de se plaindre de cet aspect de son horaire. Il se tut, la regarda presque avec pitié. Ce serait leur première séparation depuis leur mariage. Il tenta de la comprendre.

Il fit un pas vers elle. Carmel ne bougea pas.

— Ne me fais pas cette tête. Retrouve ton beau sourire, je ne veux pas partir avec cette image de toi, tu me fais de la peine.

Elle se retint de répliquer qu'il la délaissait, mais son sourire à lui, ses yeux convaincants, l'amour qu'elle y lisait l'apaisèrent quelque peu. Elle soupira bruyamment.

— D'accord, puisque je n'ai pas le choix, va à New York et appelle Sophie afin qu'elle vienne me garder. Tu devrais peut-être aussi engager un garde du corps.

Joseph encaissa la remarque sans sourciller, car il en avait marre de ses sinistres lamentations qu'il considérait comme des enfantillages.

— Madame joue les vedettes de cinéma maintenant ! Je peux toujours demander à Betty Grable si le sien serait libre pour les jours à venir. Qu'en pensez-vous, madame ?

Joseph était tellement cynique que Carmel en fut saisie. Sa rage monta d'un cran.

— Demande-lui donc s'il a dans sa mire un homme à cagoule qui rôde sur le boulevard Saint-Laurent en face de chez Schwartz's, tant qu'à y être !

— Que veux-tu dire par là ?

Carmel saisit l'occasion pour lui parler de sa rencontre avec le cagoulard.

Le sourire de Joseph s'effaça net. Il se sentit à court d'arguments. Il tomba des nues quand il apprit que sa femme avait peut-être croisé le rôdeur en plein jour et que celui-ci l'avait probablement reconnue. Comment était-ce possible, puisqu'il avait été mis à l'ombre ?

— Pourquoi ne m'en as-tu pas parlé avant? Tu attends aujourd'hui pour m'en informer. Pourquoi ? J'ai l'impression que tu tentes de m'empêcher de faire mon travail en voulant me retenir. Tu n'es pas raisonnable ! De plus, pourquoi te mettre de telles idées dans la tête alors que tu sais que le rôdeur est en prison ?

Carmel n'aurait pas pu donner la raison de ces cachotteries, elle-même ne la connaissait pas. Elle était prise au dépourvu. Le doute l'envahit, avait-elle imaginé ce personnage ? «Jos ne me croit pas, c'est évident, ses yeux me condamnent», se dit-elle. Elle n'allait pas continuer cette discussion. Elle détourna le regard.

Joseph marchait sur des charbons ardents. Il prononça entre les dents :

— J'essaie de te faciliter les choses.

Il enfila son manteau et sortit en claquant la porte. Il revint, une vingtaine de minutes plus tard, accompagné de Sophie, qui venait dire à Carmel qu'elle acceptait avec joie de passer quelques nuits avec elle.

— J'ai des bagages à préparer, je vous laisse entre femmes.

Il se dirigea vers la chambre à coucher et ferma la porte derrière lui. Il était de fort mauvaise humeur. Il prenait conscience qu'il avait peut-être épousé une femme-enfant qui ne pouvait même pas demeurer seule sans voir apparaître des imposteurs à sa fenêtre. Il ne la comprenait pas. Pourquoi ne saisissait-elle pas qu'il s'absentait pour une raison valable, soit son gagne-pain ? Son sentiment d'incompréhension se décupla.

Il ouvrit le premier tiroir de la commode et en sortit deux chemises qu'il lança négligemment sur le lit. Il referma le tiroir avec rudesse et ouvrit le suivant, pour y piger quelques paires de chaussettes qui allèrent rejoindre les chemises aussi promptement. Il le ferma d'un coup de pied. Il décrocha sa housse à vêtements de la garde-robe et y plaça rageusement un complet, un blazer et un pantalon assorti. Il lança un chandail, des sous-vêtements et sa trousse de toilette dans une valise. Quand il eut bouclé ses bagages, il se laissa crouler sur le lit. Il n'avait pas envie de se relever.

Au bout d'un long moment, Carmel vint misérablement vers lui. Joseph se leva et lui dit avec désinvolture :

— Je suis fatigué, je prends ma douche et je me couche.

Leur relation venait de se refroidir de plusieurs degrés. Pour la première fois, leurs mains ne se rejoignirent pas au centre du lit comme elles le faisaient chaque soir depuis qu'ils étaient unis par un consentement mutuel.

# Chapitre 9

Joseph aurait aimé que son départ pour New York se fasse dans l'harmonie. Durant le trajet, il avait réfléchi aux événements entourant son voyage. Il avait pesé les conséquences de ses actes. Subitement, il avait été distrait par ses années d'étudiant qui lui étaient revenues tranquillement en tête et s'étaient insinuées dans son cœur. Allait-il chercher à revoir cette jeune femme dans cette grande ville ? Il se souvenait parfaitement de l'instant où il était tombé follement amoureux d'elle. Considérait-il ce voyage comme une parenthèse dans sa vie ?

C'était la mi-février, l'air dans les rues de New York était sec et pinçant. C'était la première fois que Joseph remettait les pieds dans cette ville depuis qu'il y avait obtenu son diplôme d'ingénieur. Il avait un rendez-vous professionnel le lendemain matin, très tôt. Il parvint à destination sur le coup de midi. En arrivant, il s'enregistra à l'hôtel et se rendit directement à sa chambre où il déposa ses bagages. Il arpenta la pièce. Il n'avait pas eu le temps de réserver une place au théâtre, mais il pourrait toujours se rendre sur Broadway pour acheter un billet ou accepter une offre de revendeurs faisant le pied de grue devant l'édifice en espérant faire un profit intéressant auprès des amateurs en attente d'une occasion de dernière minute. Sans hésiter, il décida d'aller se balader dans Times Square. Il changea de tenue rapidement. Il était pressé, il se sentait attiré vers la jeune femme, vers son passé.

Joseph alla se promener dans le carrefour qui lui était familier. Par chance ou par malheur, ses clients potentiels lui avaient donné rendez-vous dans la 5e Avenue, à deux pas du grand magasin Macy's.

Plusieurs années s'étaient écoulées depuis qu'il avait travaillé à cet endroit. Il décida de parcourir le secteur où il avait habité, de revoir le magasin Macy's, son architecture remarquable ainsi que plusieurs autres lieux qu'il avait connus et fréquentés.

Sans protester contre son impulsion ni y résister, il dirigea ses pas jusqu'à un immeuble à la façade familière. Les yeux levés sur le devant de l'édifice, il était maintenant indécis. Devait-il entrer ? Machinalement, il consulta sa montre. C'était l'heure du lunch. Il n'entra pas, il fut attiré ailleurs. Il ressentait une grande liberté. Il respirait allègrement. Il se délecta de ce bien-être. Il avait le cœur léger. En un rien de temps, il avait retrouvé son âme de collégien. Des airs anciens s'insinuaient dans sa tête. Il ne les chassa pas, au contraire, il chantait sur la même note presque à voix haute. Il se laissait transporter.

Après avoir contemplé quelques façades dont certaines lui étaient connues, il s'immobilisa devant un restaurant très animé. Puis il recula de quelques pas. Était-ce sa mémoire qui lui jouait de mauvais tours ? Ce n'était pas le nom du restaurant qu'il croyait retrouver, « leur restaurant ». Il l'examina de plus près et remarqua que l'édifice était demeuré sensiblement le même, toutefois le restaurant ne portait plus le même nom, ce qui n'était pas surprenant après tant d'années.

Mû par un souvenir invitant, Joseph poussa résolument la poignée de cuivre de la lourde porte. C'était le même restaurant, il ne se méprenait pas. Exactement comme dans ses pensées. Il se fit bousculer, il avait momentanément oublié le rythme de cette grande ville. Il se ressaisit et prit place dans la file d'attente. L'hôtesse dut répéter :

— *Party of one?*

Il ne réagit pas. Un autre client plus vite que lui fut escorté par l'hôtesse. Joseph sortit de ses rêveries lorsqu'elle revint vers lui.

— *Sir, please follow me.*

Il suivit la dame mais ne la voyait pas. Il n'était plus lui-même. Il marchait comme un somnambule. Il n'appartenait plus au présent, il n'avait plus d'âge. Il prit la place qu'on lui désigna sur une banquette, serré contre deux jeunes gens discutant affaires. Soudain, il les trouva bruyants, ils le dérangeaient. Il aurait voulu être seul avec ses souvenirs, seul avec elle, mais la réalité le rattrapa. La serveuse lui présenta le menu et lui indiqua la spécialité du jour de son accent typiquement new-yorkais. Il lui fit signe de revenir; il n'était pas prêt à commander. Ses yeux étaient rivés sur une table au beau milieu du restaurant.

Tout autour de lui le grisait, ce va-et-vient, ces gens affairés, la frénésie de cette cité. Les yeux grand ouverts, il vit défiler des bribes de son passé qui s'étaient déroulées dans ces lieux, avec Mary, «Mary». Il cligna des yeux, peut-être pour éclaircir cette scène ou pour s'en détacher, il n'aurait su le dire, car il n'était plus maître de ses émotions. Son cœur se mit à tambouriner dans sa poitrine lorsqu'elle lui apparut tout à coup clairement, dans toute sa splendeur. Elle, Mary? Ses beaux yeux... il avait tout de suite deviné qu'ils étaient vert marin, couleur de l'océan, comme il les avait vus la première fois. Jamais il ne pourrait oublier cette première sensation, ce sentiment de ses vingt ans. Il ne se souvenait que de cela. La mémoire enregistrait-elle vraiment la réalité? Ses souvenirs étaient-ils embellis?

Il tressaillit lorsque l'hôtesse, impatiente, lui demanda s'il avait fait son choix. Il revint à lui. Il aurait voulu prendre la fuite, farouchement, mais son corps refusait d'obéir. Et le temps filait.

En rentrant, tard en soirée, dans sa chambre au New Yorker Hotel, Joseph demeura longtemps le front appuyé contre le froid de la fenêtre, le regard dans le vague.

Une belle jeune fille, la tête appuyée sur son épaule, dansait collée tout contre lui.

Ils faisaient ensemble des pas de danse lancinante.

La musique était douce et le corps de la jeune fille, envoûtant.

L'odeur de sa peau, enivrante.

Quelques mèches de cheveux lui chatouillaient le cou.

Il avait une envie folle de l'embrasser.

Puis elle disparut.

Pourquoi, cette nuit-là, le sommeil s'obstina-t-il à le défier ?

***

*Montréal*

Le matin même, les jambes de Carmel menacèrent de se dérober sous elle lorsque Joseph franchit la porte du logement. Il lui prit tendrement la main et la porta à ses lèvres. Carmel avait une face de carême, elle baissa les yeux. Ils n'en firent pas davantage.

Elle avait failli lui lancer en pleine figure qu'il lui avait promis de s'occuper de sa femme et de son enfant, de les protéger, mais n'en fit rien.

Un frisson la parcourut en entrant dans la chambre fraîchement peinte où elle tenta de se réfugier pour chasser le coup de cafard qu'elle ressentait. Les émanations nocives de la peinture à l'émail s'atténuaient un peu, le résultat était satisfaisant. Elle constata que la chambre était vide ; ce dépouillement la saisit. Elle grelotta à la vue de ce blanc, froid, partout sur les murs ! Cela manquait de vie, elle n'aurait jamais dû accepter cette absence de couleur. Encore une fois, elle s'était laissé influencer par son mari. Qu'en était-il de tous ses serments d'amour ? Joseph investissait trop d'énergie dans son travail. Il la délaissait. Carmel avait le sentiment de passer au dernier plan dans le cheminement de sa vie. Elle se sentit submergée de pensées brumeuses.

Assise par terre dans un coin de la chambre, la tête dans les mains, elle pleura tout son soûl. Au bout d'un bon moment, elle décida d'aller s'étendre ; elle voulait dormir. Dormir pour oublier. Dormir pour laisser le temps passer. Carmel tenta de se raisonner en se disant que sa réaction et son comportement étaient peut-être exagérés, qu'elle n'avait pas toute sa tête quand Joseph était loin d'elle.

Le sommeil la gagna. Elle se réveilla en sursaut, et une idée lui vint subitement. Elle alla chercher le *teddy bear* que Joseph et elle avaient acheté à Québec et le plaça sur le cadre de la fenêtre. Elle admira l'effet joyeux que ce simple ajout donnait à la chambre du bébé.

Le jour suivant, elle se leva à l'aube pour préparer le déjeuner de Sophie. L'odeur de la peau de Joseph envahissait les draps. Il lui manquait déjà. Son absence était insoutenable, l'empêchant de reprendre son train-train quotidien après que Sophie fût partie pour l'école. Elle caressait ardemment l'espoir de retourner vivre à Québec. Elle se posa cette question : « Quel amour me porte Joseph pour me retenir dans cette ville qui m'est indifférente et, qui plus est, m'affole ? » Elle traînassa comme une âme en peine, elle tourna en rond, perdue depuis le départ de Sophie. Elle consulta l'heure de nombreuses fois. Elle décida de téléphoner à Québec. Elle composa le zéro nerveusement sur le cadran, mais dut recommencer, s'étant trompée. Ce faisant, malgré l'heure matinale, elle espérait que Mathilde et sa tante seraient debout, elle était certaine qu'elles n'étaient pas encore parties travailler.

Sa mère lui répondit, à la grande surprise de Carmel. Ce n'était pas dans son habitude, mais c'était un bon signe.

— Bonjour, maman !

Elle s'exclama spontanément, sans prendre le temps de s'informer d'eux :

— J'ai une excellente nouvelle à vous annoncer.

— Ce doit être une fichue bonne nouvelle, ma fille, pour que tu prennes la peine de faire «un longue distance» pour me l'apprendre si tôt dans la journée.

Carmel reconnut le ton toujours aussi autoritaire de sa mère, mais cela lui importait peu.

— C'est officiel, je vais donner naissance à mon bébé au début de l'été, le médecin me l'a confirmé. Que je suis heureuse!

Elle voulait parler à Mathilde et à Élise, mais sa mère lui apprit qu'elles étaient toutes deux déjà parties chez Ritchie. La conversation piétinait. Le sujet de l'incarcération de son frère effleura ses lèvres. Carmel avait le cœur tellement gros qu'elle préféra écourter cet appel afin de ne pas craquer et affoler sa mère. Un voile de tristesse envahit son esprit. Surtout qu'Eugénie, toujours aussi maladroite, lui avait déclaré à nouveau qu'elle avait entendu dire, et qu'elle l'avait elle-même constaté, qu'une naissance annonçait presque immanquablement la mort d'une autre personne de la famille. Elle avait terminé en déclarant qu'elle se demandait quelle personne cet enfant remplacerait sur terre.

Carmel eut le souffle coupé devant cette prédiction déconcertante et répétée de sa mère. Elle ne comprenait pas ses pensées surannées. Était-ce son état second qui la rendait aussi pessimiste et négative? Carmel passa à deux doigts de lui demander pourquoi elle s'injectait de la morphine, mais n'en eut pas le courage. De plus, elle ne voulait pas trahir Mathilde qui subirait les conséquences de son indiscrétion.

Au même moment, Eugénie lui avoua, comme si elle avait deviné l'embarras de sa fille dévouée:

— Ce n'est pas facile, tu sais. Financièrement, je veux dire. Tout coûte tellement cher, je n'arrive pas à boucler le budget depuis ton départ. Quand on est né pour un petit pain!

Ce qu'elle n'avoua pas à Carmel, c'était que durant l'incarcération d'Alfred la morphine lui coûtait encore plus cher, car Alfred s'était fait des amis en prison qui l'avaient mis en relation avec une personne de l'extérieur qu'il nommait son «contact». C'était grâce à lui qu'Eugénie pouvait obtenir sa morphine, mais à un coût très élevé. Le détenu avait précisé qu'il y aurait une commission à payer.

À la première livraison, Eugénie avait payé le livreur sans rouspéter, trop heureuse de pouvoir combler son manque. Pendant combien de temps encore pourrait-elle assumer cette dépense supplémentaire? Elle souhaitait qu'Alfred sorte de prison au plus vite!

Carmel était extrêmement déçue de cette conversation, elle qui croyait retrouver la joie grâce à cet appel téléphonique. Sans réfléchir, elle répondit:

— Ne vous tracassez pas, je vais vous envoyer un peu d'argent.

En disant cela, elle pensait à l'argent de poche que lui remettait Joseph chaque semaine. Elle économisait en cousant elle-même les vêtements et en concoctant des repas économiques.

Eugénie lui dit:

— Merci, ma fille, t'es bien généreuse.

Carmel avait un goût amer dans la bouche lorsqu'elle raccrocha. Pourtant, elle s'exécuta immédiatement: elle prit la boîte de conserve qu'elle dissimulait avec les autres dans l'armoire de la cuisine, celle qu'elle appelait «sa conserve pour les mauvais jours». Elle retira l'élastique autour du rouleau de billets de banque et en sortit un de cinq dollars qu'elle glissa à l'intérieur d'une feuille de papier blanc pliée en trois, puis inséra le tout dans une enveloppe adressée à Eugénie Moisan. Elle cacheta l'enveloppe sans y ajouter un seul mot.

* * *

Carmel remercia Sophie de sa précieuse compagnie en lui disant que sa présence n'était plus nécessaire, car Joseph devait arriver le soir même aux environs de huit heures. Elle avait mal supporté son absence. Elle s'assura que les deux portes du logement étaient verrouillées. Par peur, elle répétait ce geste chaque soir.

L'horloge de la cuisine indiquait huit heures trente minutes. Joseph n'était toujours pas rentré de New York. Carmel étouffa un bâillement. Elle prit son tricot pour tromper son ennui.

Les broches en métal gris cliquetaient ; elle avait de la difficulté à compter les mailles et à se concentrer sur le motif qu'elle désirait exécuter. Elle refoulait ses larmes en attendant l'arrivée de son mari, elle ne voulait pas qu'il sache qu'elle avait pleuré abondamment au cours des derniers jours. Elle se composait un visage serein pour son retour.

Elle se jura qu'il ne la verrait plus pleurer comme une Madeleine. Durant son absence, elle s'était longuement questionnée sur leur vie, sur leur avenir. Elle n'arrivait pas à comprendre pourquoi elle était devenue si sensible, elle qui, avant son mariage, versait pour ainsi dire rarement de larmes. Était-elle prête pour une vie de couple ? Pour cet éloignement, cet isolement ? Elle avait l'impression que Joseph se détachait d'elle. Pourquoi n'arrivait-il pas à la comprendre et à concevoir que la solitude lui était difficile à supporter ? Un chatouillement au creux de son ventre la fit frémir, la ramena sur terre. Elle se palpa avec émoi, elle sourit, croyant percevoir les petits talons qui lui martelaient le ventre. Tout allait changer à la naissance de son fils, espérait-elle.

Neuf heures.

Dix heures.

Joseph n'était toujours pas arrivé, Carmel s'était enveloppée dans son peignoir en se morfondant et en s'efforçant de tuer le temps et de calmer son impatience. Cette impatience, petit à petit, se transforma en angoisse. S'il fallait que Joseph ait eu un accident en revenant de l'aéroport ? Et si sa voiture avait fait une embardée ? Il conduisait tellement vite.

Le timbre du téléphone la fit sursauter.

— Bonsoir, Caramel.

Elle répondit d'une voix anxieuse :

— Bonsoir.

Dans ce simple mot, Joseph décela facilement l'affolement de sa femme.

— Je t'appelle pour te dire que je ne rentrerai pas ce soir et de ne pas t'inquiéter.

Il fit une pause, lui laissant le temps de digérer cette nouvelle avant d'ajouter :

— Comment vas-tu ?

Elle avait l'impression de parler avec un pur étranger.

Il reprit :

— Tu t'organises bien avec Sophie ?

Carmel tenta de maîtriser sa colère.

— Sophie, justement, n'est pas venue aujourd'hui, puisque tu devais rentrer ce soir.

Ce fut la seule phrase qu'elle arriva à articuler d'une voix qu'elle maîtrisait difficilement.

— Je suis désolé, rappelle-la si tu ne te sens pas en sécurité.

Prostrée, elle explosa de colère :

— Sais-tu l'heure qu'il est, Jos ? Il est passé dix heures du soir ! Sophie et ses parents sont sûrement couchés. Tu devais arriver en début de soirée, alors…

Elle craqua, s'effondra en larmes.

Joseph répéta :

— Je sais, je suis navré. C'est une situation hors de mon contrôle. Si j'arrive à rencontrer mon dernier client potentiel demain avant midi, je serai à la maison demain soir.

Il avait beau tenter d'amadouer Carmel, rien ne réussit à la rasséréner. Évidemment, il aurait pu la prévenir avant, car il savait qu'il ne rentrerait pas ce soir, mais… À l'autre bout du fil, Joseph n'entendait que des sanglots, elle ne lui répondait plus. Il raccrocha, tourmenté. Il ne voulait pas minimiser la portée des craintes de son épouse, mais elle aurait pu se contrôler. Il la rappellerait plus tard, peut-être pour s'excuser, tout au moins pour tenter de la consoler.

***

Pour la première fois de sa vie, Carmel allait passer la nuit seule. Le silence de son appartement l'oppressait. Elle se sentait délaissée et perdue, situation qu'elle ne croyait jamais devoir vivre. À mesure que la journée tirait à sa fin, elle était effrayée par le souvenir de cet homme à sa fenêtre. S'il l'espionnait et surveillait ses allées et venues, il savait qu'elle était toute seule dans le logement et en profiterait peut-être pour venir l'attaquer. Elle n'arrivait pas à se convaincre que c'était sans contredit son malfaiteur qui avait été arrêté. Elle paniquait aux moindres craquements du plancher et aux bruits qui lui semblaient suspects. Les traits plissés par la peur, elle se rendit dans la cuisine, mue par son instinct, ouvrit le premier tiroir et en tira un grand couteau.

« Je vais me défendre, se dit-elle. Il peut venir, je l'attends ! »

Elle fixa la lame et la fit tourner devant ses yeux. Elle passa son pouce le long du tranchant parfaitement affûté.

« Je lui transpercerai la gorge, j'en suis capable. »

Un vent de folie tournoya autour de sa tête et s'empara de son esprit. Elle se sentit légère.

« Viens si tu es brave, montre-toi ! Tu as peur, hein ? »

Tétanisée puis emportée par une force décuplée, elle leva le couteau à bout de bras.

À l'étage du dessous, Rita, qui venait à peine de se mettre au lit, fut surprise d'entendre un bruit venant de chez sa voisine d'en haut. Elle secoua énergiquement Jacques qui dormait profondément.

— Réveille-toi, Jacques, j'ai entendu un son étrange chez Joseph et Carmel.

Jacques émergea des limbes.

— Joseph est rentré de New York aujourd'hui, j'imagine que les tourtereaux font la fête, c'est normal, ils ne se sont pas vus depuis quelques jours. Rendors-toi donc, Rita.

— Es-tu certain que Joseph est arrivé ? Je ne suis pas une écornifleuse, mais je ne l'ai pas entendu entrer.

— Voyons, Rita…

Son cerveau était maintenant en plein éveil, il commençait à s'inquiéter à son tour.

— Tu as peut-être raison, je suis surpris que Joseph ne se soit pas arrêté pour nous dire un petit bonsoir en revenant de New York, ça ne lui ressemble pas. Qu'est-ce qu'on fait ? On l'appelle ?

— Non, nous n'avons guère le choix, je m'habille et je vais voir.

Rita sauta du lit. En deux temps trois mouvements, elle avait enfilé ses bottes, pieds nus, et endossé son manteau par-dessus ses vêtements de nuit. Juste avant de déverrouiller la porte, elle eut un moment d'hésitation. Elle revint vers la chambre à coucher.

— Viens avec moi, Jacques, j'ai peur de sortir seule, on ne sait jamais.

Jacques ne se fit pas prier, mit son paletot sur son pyjama et glissa ses pieds dans ses bottes.

— Suis-moi.

Il prit sa femme par la main et ils sortirent de l'appartement. Il regarda à gauche et à droite, puis monta en premier. Tous deux tentèrent de distinguer quelque chose par la fenêtre de la cuisine et par celle de la porte d'où un rai de lumière filtrait. Jacques se tourna vers son épouse.

— Ils ne sont pas couchés, redescendons chez nous, tu vois bien qu'ils sont là puisqu'il y a de la lumière dans la cuisine.

Rita hésita.

— Justement, s'ils sont là, comme tu connais Joseph, en aucun temps il ne va au lit sans éteindre.

— Voyons, Rita, déranger nos amis pour un simple bruit venu de leur appartement à cette heure-ci, c'est ridicule !

— Fais-moi plaisir, frappons à la porte ; s'ils ne sont pas couchés, le pire qui puisse arriver, c'est qu'ils vont venir nous ouvrir et nous nous excuserons alors de les avoir dérangés pour rien.

Elle n'attendit pas l'approbation de son mari et cogna. Aucun mouvement. Elle regarda Jacques et frappa de nouveau. Toujours rien. Jacques la poussa avec ardeur et se mit à tambouriner sur la porte ; l'affolement venait de s'emparer de lui. Ils avaient l'oreille collée contre la fenêtre lorsqu'ils entendirent un timbre lointain résonner dans l'appartement.

— C'est la sonnerie de leur téléphone, pourquoi ne répondent-ils pas ?

— Chut, écoute.

— Cela fait au moins six coups que le téléphone sonne, il se passe quelque chose, c'est impossible qu'ils n'entendent pas la sonnerie.

Jacques se mit à secouer la porte et à frapper avec force dans la vitre. Il était impatient et énervé.

***

*New York*

Joseph attendait au bout du fil. La téléphoniste lui dit qu'il n'y avait pas de réponse et lui demanda si elle devait tenter de recomposer plus tard. Il s'impatienta. Il l'enjoignit de le faire tout de suite parce qu'elle s'était peut-être trompée. La standardiste le rassura en lui répétant le numéro qu'elle venait de faire. Joseph la pria de réessayer. Après avoir poussé un grand soupir d'exaspération, elle composa à nouveau. Joseph comptait les coups de sonnerie ; une angoisse s'introduisit dans sa poitrine. Soit que Carmel ne voulait pas lui parler, soit qu'elle était descendue chez Jacques et Rita. Il haussa le ton et donna un autre numéro à la téléphoniste, celui des Desmeules. Sophie, exaspérée, se leva et répondit après plusieurs coups de sonnerie en se demandant pourquoi ses parents ne répondaient pas.

— Allô !

— Vous êtes en communication, monsieur.

— Bonsoir, Sophie, c'est Joseph, est-ce que Caramel est chez vous ?

Il ne perdit pas de temps en excuses ni en préambule.

— Joseph, excusez-moi, j'étais couchée. Votre femme n'est pas ici.

Elle se frotta les yeux et remarqua que la double porte de la cuisine était ouverte.

— Un instant, Joseph.

Elle laissa tomber le combiné et se rendit à la porte. Elle fit rapidement le tour de l'appartement et appela ses parents. Personne ne répondit.

Joseph, au comble de la panique, entendait les appels de Sophie.

— Mon Dieu, que se passe-t-il ?

Un frisson le parcourut. Sophie revint et saisit le combiné.

— Il y a un truc bizarre, Joseph, mes parents ne sont pas ici et la porte intérieure est ouverte.

— Bon, bon ! Réfléchissons, Sophie.

Il y eut un silence entrecoupé de « peut-être… non, ils m'auraient avertie, ils sortent rarement sans m'aviser ».

Joseph eut tout à coup une intuition.

— Peux-tu aller voir chez moi ? Ils y sont peut-être.

Sophie hésita.

— S'il te plaît, Sophie, je suis inquiet. Cette situation n'est pas normale, j'ai parlé à Caramel il y a quelques minutes à peine.

— J'y vais tout de suite et je vous reviens. Ne raccrochez pas.

Elle ne voulait pas lui dire qu'elle aussi avait un peu peur. Elle enfila ses bottes, attrapa un châle sur le crochet et le passa sur ses épaules. Elle ne mit pas de temps avant de voir ses parents frapper à la porte du logement de Carmel. Tous deux crièrent en même temps.

— Sophie, que fais-tu dehors ?

Elle répondit rapidement :

— C'est Joseph qui appelle de New York. Il est inquiet, il est encore au téléphone.

Jacques dévala les marches et fila droit vers l'appareil.

— Joseph ?

— Jacques, que se passe-t-il ? Je suis mort d'inquiétude, j'appelle chez moi, Caramel ne répond pas.

Jacques essayait d'évaluer la situation.

— Tu es encore à New York ?

— Oui, mais où est Caramel ?

Jacques ne savait pas de quelle manière lui apprendre ce qui se passait ; en fait, il ne le savait pas lui-même. Il y alla franchement :

— Je l'ignore, Joseph, Rita a entendu du bruit venant de ton appartement, nous sommes montés, nous avons frappé mais personne ne répond. Il y a de la lumière dans la cuisine.

Le cerveau de Joseph réagit à la vitesse de l'éclair.

— Utilise la clé que je vous ai laissée et entre voir ce qui se passe, je t'en prie, Jacques, fais vite.

Jacques pestait en se frappant le front. Pourquoi n'y avait-il pas pensé ? Il farfouilla dans son logement, trop nerveux pour se rappeler où il l'avait placée. Il se souvint que Rita lui avait dit de ne pas la laisser sur le petit crochet près de la porte, au cas où quelqu'un la prendrait et s'en serve à leur insu. Oui, il se souvint qu'elle l'avait rangée dans le petit panier, dans le premier tiroir du vaisselier. Il mit enfin la main dessus. Il revint vers le combiné.

— J'ai la clé, Joseph, j'y vais tout de suite, garde la ligne, je reviens.

Tout comme Sophie, il laissa tomber le combiné qui produisit un bruit sourd. Étourdi, Joseph sursauta ; il trépignait d'impatience.

Jacques montra la clé à sa femme et lui fit signe de le laisser passer. Il y avait deux clés accrochées à un cordon. Il introduisit la première dans le loquet de sécurité, laissa échapper un juron ; ce n'était pas la bonne. Il prit l'autre, le loquet cliqua enfin, puis il déverrouilla la poignée.

Une fois la porte ouverte, Jacques entra et s'immobilisa tout en balayant la cuisine du regard. Rien. Il s'avança et contourna la table, ses yeux se posèrent sur un tableau affolant.

— Non, non, non !

Rita accourut, suivie de Sophie, qui se mit à hurler. Tous trois, effarés, demeurèrent immobiles, frappés de stupeur. Carmel était étendue sur le sol, il y avait du sang sous elle. Rita se pencha vers son amie et la secoua. Elle pensa immédiatement qu'elle avait perdu son bébé. En présence du sang, elle tenta de rester calme.

— Jacques, il faut faire quelque chose !

Sophie se précipita vers le robinet, attrapa un linge de vaisselle suspendu à la poignée de l'armoire et l'imbiba d'eau froide pendant que sa mère tentait de ranimer Carmel. L'adolescente lui humecta le visage lentement puis plus fermement, tandis que Rita lui giflait les joues l'une après l'autre. Carmel ouvrit finalement les yeux.

***

*New York*

Joseph tomba à la renverse dans sa chambre du New Yorker Hotel. L'attente était insupportable.

***

*Montréal*

Dans l'appartement du haut, Rita tentait d'évaluer calmement la situation. Carmel était blanche comme un drap et clignait des yeux.

— Carmel, regarde-moi. Carmel, parle-moi.

Elle lui tapotait les mains avec rudesse alors que Sophie, affolée, continuait de lui asperger le visage, tentant de ne pas s'approcher du sang. Elle eut un petit haut-le-cœur. Sa mère s'en aperçut et lui dit :

— Va t'asseoir, Sophie ! Jacques, aide-moi à porter Carmel dans son lit. Il faut appeler les secours.

— Avec ce sang sur elle ?

Carmel tenta de garder les yeux ouverts, elle en fut incapable, ses forces l'abandonnèrent, elle avait perdu beaucoup de sang.

— Jacques, il faut absolument la tenir éveillée.

Rita lui présenta un verre d'eau qu'elle avala à petites gorgées.

— Essaie de te lever, Carmel. Jacques et moi allons te soutenir.

Carmel fut soulevée et installée sur la chaise la plus proche. Ce ne fut qu'après l'avoir assise que Jaques aperçut le couteau sur le sol. Il en eut le souffle coupé.

— Elle a été poignardée, c'est effroyable ! J'appelle la police.

Rita se mit à trembler.

— Qui a fait ça, Carmel ?

Carmel réussit à articuler faiblement :

— C'était un accident.

Jacques fit le tour de l'appartement et revint près de sa voisine.

— As-tu vu ton assaillant ? Sa description aiderait la police à le capturer.

Carmel comprit qu'il y avait méprise. Elle trouva la force d'expliquer ce qui s'était réellement passé :

— J'ai laissé tomber le couteau dont la pointe, dans mon énervement, a abouti sur mon pied. Je n'ai presque rien senti. Lorsque je me suis penchée pour le ramasser, j'ai constaté qu'il avait transpercé profondément mon pied… Le sang giclait sur le plancher. À la vue du sang, j'ai eu un vertige, j'ai dû m'effondrer.

Rita l'examina de plus près et vit que le sang venait bien du pied droit. Elle en fut momentanément apaisée. Elle avait cru que Carmel était en train de perdre son bébé ; Jacques avait pensé à une agression.

— Ce n'est pas la police qu'il faut appeler, mais un médecin, tu as perdu beaucoup de sang, Carmel.

Cette dernière tressaillit et secoua la tête en signe de négation ; en voyant le couteau et le sang, elle prit panique. Il fallait calmer l'affolement de ses voisins.

— Je me sens un peu mieux, je n'ai pas besoin de médecin.

— Nous devons désinfecter la plaie avant tout et faire un pansement.

Rita ne savait où donner de la tête.

— Jacques, va me chercher notre trousse de premiers soins.

Elle se tourna vers sa fille.

— Comment te sens-tu, Sophie ?

L'adolescente s'habituait peu à peu à la scène et reprenait graduellement son aplomb.

— Je vais mettre des serviettes sur les taches de sang pour le moment. Nous allons nettoyer Carmel et la porter dans son lit. Je dors ici, il n'est pas question de la laisser seule.

Sa mère précisa :

— C'est moi qui vais rester auprès d'elle, ma fille, nous allons panser sa plaie, puis ton père et toi retournerez vous coucher.

Carmel prit conscience qu'elle ne faisait pas partie de la conversation. Elle avait la sensation d'être un esprit qui planait dans l'appartement. Elle se sentait tellement faible qu'elle avait de la difficulté à garder ses yeux ouverts.

Jacques revint avec la petite trousse orange portant une croix blanche sur le couvercle. Il l'ouvrit et tendit un rouleau de bandage et du désinfectant à Rita, qui nettoya du mieux qu'elle put le sang qui commençait à coaguler. Elle enroula le bandage autour du pied.

— Mettons-la au lit.

Jacques l'aida puis revint dans la cuisine. Machinalement, il ramassa le couteau, le passa sous l'eau et rinça les serviettes imbibées de sang sous le regard intrigué de sa fille. Il se dirigea vers elle et lui caressa la joue.

— Viens, Sophie, rentrons, ta mère a raison, c'est elle qui doit veiller sur Carmel.

Ils allèrent tous les deux saluer leur voisine et Jacques signifia à sa femme qu'il voulait lui parler en particulier.

Rita saisit la main de Carmel dans la sienne et lui dit de ne pas s'affoler, qu'elle reviendrait passer la nuit avec elle.

— Ne prends aucun risque, Rita, la supplia son mari, si tu crains quoi que ce soit, appelle-moi. Es-tu sûre que nous ne devrions pas téléphoner à un médecin ? Carmel semble avoir perdu beaucoup de sang.

En fait, Rita n'était certaine de rien, elle agissait selon son instinct, tout simplement.

— Elle me dit se sentir mieux. Je crois que nous devrions respecter sa décision.

Jacques embrassa tendrement sa femme et lui répéta d'être prudente, puis il regagna son appartement en tenant sa fille par la main. En pénétrant chez lui et en voyant le combiné suspendu au bout du fil, il se souvint qu'il n'avait pas reparlé à Joseph.

— Ouf ! J'ai oublié Joseph au téléphone. Va te coucher, Sophie, je vais lui raconter.

Sophie embrassa son père et lui souhaita une bonne nuit. Jacques prit le combiné.

Joseph était sur le point d'exploser, le son qu'il émit fit trembler Jacques, qui expliqua toute la situation à son ami en concluant :

— Elle est couchée maintenant, elle semble avoir repris assez de forces.

Jacques parlait et parlait, puis se tut, en entendant des sanglots au bout du fil. Joseph finit par demander :

— Tu ne crois pas qu'il faille appeler le médecin, Jacques, je peux me fier à toi ? Je veux lui parler.

Jacques ressentit de la peine pour son ami.

— Carmel est confortablement installée dans son lit.

Il ne lui répéta pas les paroles de sa femme. Il raccrocha, laissant un homme en détresse.

— Je rentre à Montréal par le premier avion demain.

Joseph était tellement abattu et inquiet qu'il fit ses bagages prestement. Il appela la compagnie d'aviation et devança son retour. Puis il joignit la réception de l'hôtel afin qu'on lui réserve un taxi pour le lendemain à la première heure. Il ne ferma presque pas l'œil de la nuit.

Il s'en voulait à mort de s'être laissé emporter par ses souvenirs, par cette jeunesse retrouvée.

Avait-il failli perdre son âme dans cette ville démesurément grande, la ville qui avait vu naître son premier grand amour ? Mary ! Ce besoin d'un peu de liberté l'avait pris à la gorge lorsqu'il avait décidé de passer à New York une journée de plus à ses frais. Ses rendez-vous d'affaires avaient tous été réglés, néanmoins, il avait des plans.

Son cœur devait reprendre son rythme pour le ramener vers sa femme. Il devait oublier l'endroit même où il s'était arrêté de battre, au neuvième étage de Macy's, plusieurs années auparavant. Le sourire de Caramel se superposait à celui de Mary et il resta là à flotter.

* * *

Joseph rentra chez lui un peu après midi. Carmel tremblait d'émotion lorsque les premiers pas de son mari retentirent dans l'appartement. Il posa son Stetson sur un crochet.

Rita le salua brièvement et regagna son logis sans traîner.

Carmel feignit d'être absorbée dans sa lecture, elle avait le teint blafard, les yeux cernés, son pied lui faisait mal. Elle avait tenté d'atténuer les petites poches qui s'étaient formées sous ses yeux en y appliquant des sachets de thé, geste qu'elle avait vu tante Élise faire tant de fois, mais ce fut sans succès. Ce remède de grand-mère ne fonctionnait pas pour elle. Le visage qu'elle offrit à Joseph ne pouvait dissimuler le grand chagrin et la peur qu'elle avait vécus durant son absence.

Joseph, en s'avançant, ne put que s'étonner du changement qui s'était effectué chez sa femme en si peu de temps. Elle était allongée sur le canapé, enroulée dans sa couverture de laine, le pied droit enveloppé dans un gros pansement. Sa tête reposait sur un oreiller. Le cœur de Joseph se crispa, il ressentit une vive émotion et un éclair de remords le frappa de plein fouet. Jamais il n'aurait pu imaginer que son absence serait si marquante pour Carmel. Il ne savait pas comment l'aborder, elle avait l'air d'une poupée de porcelaine un peu ébréchée. Elle avait appliqué du fard sur ses joues. Il n'osait pas la toucher de peur de la casser. Ils demeurèrent chacun dans leur position, loin l'un de l'autre, ne sachant qui allait faire le premier pas.

Joseph avait l'étoffe de ceux qui se tirent habituellement d'affaire, mais cette fois-ci il se sentait totalement impuissant. Il se retint de se ruer sur Carmel, de la prendre dans ses bras, de la bercer tout doucement, il avait peur d'être repoussé, et cela, il ne le supporterait pas.

Carmel, de son côté, avait du mal à tenir son livre, ses mains tremblaient tellement.

Tout à coup, une vive étincelle les projeta l'un vers l'autre. Ils ne savaient pas comment s'étreindre, ils étaient maladroits.

Joseph se pencha vers elle et déposa un doux baiser sur ses lèvres.

Délicatement, Carmel enferma ses mains dans les siennes et les porta à ses lèvres. Puis elle les tint étroitement contre elle. Elle se découvrit, spontanément, elle les dirigea vers son ventre, pour lui demander de dire bonjour, ou de demander pardon, à ce petit être vivant en elle.

Joseph en fut ému aux larmes. Ils avaient tous les deux perdu la faculté de parler. Ils exprimèrent chacun à leur façon, par la douceur de leurs regards et leurs touchers délicats, un amour et un rapprochement inespérés. Mais que de gestes révélateurs et apaisants ! Joseph ne parvint pas à refouler le sanglot qui remontait dans sa gorge, il éclata. Il s'agenouilla près du canapé et promit à Carmel entre deux baisers de ne plus jamais la laisser seule.

# Chapitre 10

Le printemps annonciateur de la belle saison avait pointé timidement son nez. Sortis d'une hibernation trop longue à leur goût, les Montréalais étaient impatients d'enlever quelques pelures. Carmel et Joseph étaient plus sereins. Joseph faisait un effort pour rentrer tôt à la maison, quitte à écourter son heure de lunch.

Ce samedi après-midi, alors que rien ne semblait assombrir leur vie de couple, sans préambule, Joseph fixa Carmel de ses beaux yeux aux reflets irisés d'un coin de ciel bleu :

— Tu n'iras pas seule à Québec donner naissance à notre enfant. C'est insensé. J'ai changé d'idée, dit-il.

Carmel ouvrit la bouche, mais, étranglée par l'émotion, resta muette.

— Tu n'iras pas toute seule à Québec, il n'en est nullement question, j'y ai longuement et sérieusement réfléchi. Je ne laisserai pas partir seule ma femme enceinte, je ne suis pas un mari irresponsable.

Elle faillit s'effondrer en entendant ces paroles de la bouche de celui qui le lui avait pourtant promis. Elle se retint de crier. Elle était soudée sur place, ne sachant comment réagir. Après s'être heurté au mutisme de sa femme, Joseph poursuivit son envolée.

— J'en ai parlé à Arthur Sicard, il m'a donné raison.

Carmel avait soutenu son regard sans ciller.

— Qu'est-ce qu'il a, celui-là, à se mêler de nos affaires ?

Un sourire narquois apparut à la commissure des lèvres de Joseph.

— Voici ce qu'il m'a dit…

Carmel était tellement déçue qu'elle mit les mains sur ses oreilles.

— Écoute attentivement la décision qu'il a prise.

Elle n'en avait cure, du grand patron, celui qui retenait Joseph si tard le soir, et qui, selon elle, le faisait travailler beaucoup trop.

— Tu reconnais que c'est un homme d'expérience, il est d'une grande sagesse.

Carmel, en détachant nerveusement son tablier, pensa qu'il n'était pas si sage que cela pour lui avoir imposé ce comité alors qu'il n'avait aucune expérience dans ce domaine.

— Il en a discuté avec Mme Sicard et elle partage son avis. Ils sont unanimes, une femme ne devrait en aucun cas aller seule accoucher dans une ville lointaine sans son époux. Ce couple est marié depuis longtemps et fonctionne à merveille. Je vais donc suivre sa recommandation.

Carmel prit la parole sur un timbre geignard, la moutarde lui montait au nez.

— Les Sicard, toujours les Sicard ! Nous vivons même dans la rue Sicard, dans l'appartement des Sicard ! Si ça continue, ce sera eux qui guideront nos vies.

Joseph trouvait que Carmel exagérait.

— N'oublie surtout pas que c'est eux qui nous font vivre. Bon, tant pis, si tu le prends comme ça, je vais dire à mon patron que tu refuses sa proposition.

— De quoi me parles-tu au juste ? De quoi peut-il être question outre le fait que tu rompes ta promesse ?

Son discours déclencha un rire chez Joseph. Carmel s'égosilla.

— Tu te moques de moi et, en plus, tu ne comprends pas toute l'importance que ce projet avait pour moi.

Elle avait envie de continuer d'argumenter jusqu'à ce que son désespoir s'atténue.

Il la fit taire. Ses prunelles étaient si débordantes d'amour qu'elle en fut désarmée. Elle s'étonna qu'il lui annonce une si désolante décision avec tant de désinvolture.

— Vas-y, dis-le ! Tu me mets au supplice. Que me propose-t-il, le grand patron ? Je vais m'asseoir, j'ai peur de ne pas tenir debout.

Joseph s'amusait de sa grande naïveté un peu juvénile pour son âge, mais c'était là un de ses traits de caractère qui l'avait conquis. Il l'aimait tellement, il l'aimait de plus en plus. Il aurait tout fait pour lui faire oublier son voyage à New York. Ce ventre arrondi lui conférait une grâce naturelle qui l'envoûtait.

— Hélas, tu as raison, j'ai peur que cette nouvelle te fasse vaciller.

Le regard accroché à son visage rieur, tourmentée, elle se tira une chaise en le suppliant de cesser de faire le malin.

— J'ai passé une bonne partie de la semaine à discuter avec M. Sicard de l'avenir de l'entreprise, des plans d'expansion, maintenant que la preuve est faite concernant la fiabilité des souffleuses à neige. Il peut envisager l'avenir avec optimisme et, par ricochet, nous aussi.

Carmel en avait assez de se triturer les méninges.

— Jos, je t'en prie, cesse de me faire languir, va donc droit au but, je n'en peux plus.

— D'accord, d'accord, comme je te le disais…

Il allait continuer à la turlupiner et à en rajouter, mais le supplice avait assez duré. Il prit un ton guilleret pour calmer son angoisse. Il était temps de mettre fin à son petit jeu.

— Le grand patron a décidé de m'envoyer passer un mois à Québec pour faire la promotion des souffleuses.

Carmel n'en croyait pas ses oreilles, elle était dans un état de jubilation incontrôlable. Elle se mit à ricaner sous l'effet de la surprise.

— Passer un mois à Québec ! C'est inespéré, mais quand cela ?

— Voilà la bonne nouvelle, j'irai à Québec avec toi. En fait, nous irons tous les deux à Québec pour ton accouchement, nous avons convenu que je partirai au début du mois de juin étant donné qu'ici, à Montréal, ce sera la saison creuse.

Il eut à peine le temps de terminer sa phrase. Carmel venait de comprendre et n'en pouvait plus. Elle se jeta dans ses bras. Elle avait oublié le mal qui irradiait encore un peu son pied lorsqu'elle se levait rapidement. Le moment de brouillard s'était dissipé.

— Enfin, je te retrouve, mon amour, tu me fais aimer la vie, toute cette joie qui nous inonde, c'est à toi que je la dois. Ainsi qu'à M. Sicard, bien sûr.

Joseph la maintint longuement captive contre lui. Leur bonheur atteignit son apogée.

— Ah ! Je n'arrive pas à y croire. Que j'ai de la chance ! Arthur Sicard te mandate pour faire la promotion des souffleuses à neige auprès des autorités de la Ville de Québec. Tu m'accompagneras lorsque je donnerai naissance à notre enfant. Chapeau bas, M. Sicard… Je ne remercierai jamais assez cet homme. Mieux vaut tard que jamais. Tu avais raison d'affirmer qu'il était un être généreux. Je me demande si le terrible accident qui a coûté la vie au pauvre petit Masson l'a rendu aussi humain et compréhensif, ou si ces qualités sont innées chez lui.

Un ange passa.

— Tu as entendu ce que je viens de dire, Jos ?

Joseph s'était installé à la table de la cuisine devant des papiers épars, il feuilletait le rapport du comité d'enquête sur la mort du jeune Pierre Masson. Il s'attarda aux recommandations en découlant. C'est vrai qu'il avait dû sacrifier quelques soirées pour participer à des réunions, mais il était satisfait du dénouement de l'enquête. Son rôle de président avait été de courte durée, mais, peu lui importait, se disait-il, ils n'auraient pas travaillé en vain. Les efforts de tous les intervenants avaient porté leurs fruits et sauveraient sûrement des vies. Il espérait que jamais plus une famille n'aurait à pleurer la perte d'un enfant de façon si cruelle. Il souhaitait que le destin funeste qui avait fauché la vie du fils unique de Pauline et Gustave Masson ne soit celui d'aucun autre enfant.

— Oui, ma douce, j'ai entendu. J'aime te savoir reconnaissante envers Arthur Sicard pour cette généreuse offre. Il me suggère de reprendre la chambre que j'occupais à la Pension Donovan lorsque je t'ai rencontrée. Tu te rappelles ce moment magique qui a changé nos vies ?

Elle s'en souvenait parfaitement. Les circonstances de cette rencontre étaient aussi vives dans sa mémoire que si elle l'avait vécue la veille. Elle n'oublierait jamais ce regard bleu acier qui s'était posé sur elle et qui l'avait envoûtée une certaine fin de journée à sa sortie de la manufacture où elle travaillait.

Elle enlaça Joseph amoureusement.

— Je lui pardonne de t'avoir tenu éloigné de moi de si longues soirées. Je lui pardonne aussi de t'avoir fait prendre part à ce comité. Je lui pardonne tout, tout, tout. Il s'est grandement racheté à mes yeux avec ce qu'il vient de nous accorder. Je regrette d'avoir eu de mauvais mots à son égard, il ne les mérite pas.

Son esprit s'évada un instant.

— Peux-tu me décrire la chambre qui sera à notre disposition ? À l'époque, ma pudeur m'en interdisait l'accès.

Ses yeux s'illuminèrent d'une étincelle sensuelle lorsqu'elle ajouta :

— Ce n'est pas parce que je n'en avais pas envie !

Carmel s'égara dans le souvenir de leur première rencontre. Cela ne dura pas plus longtemps qu'un battement de cœur, car Joseph la ramena sur terre.

— Hum ! C'est un peu à l'étroit pour deux personnes, si amoureuses soient-elles !

Carmel s'en doutait.

— Tu es l'homme le plus merveilleux du monde ! dit-elle en minaudant.

Une vague d'enthousiasme la fit frémir. Son cœur débordait de joie.

— Puisque tu seras absent la journée entière, je pourrais passer mes matinées chez mes parents, nous nous retrouverions en fin d'après-midi. Je suis certaine que ma mère se fera une joie de nous recevoir pour le souper.

L'idée de passer toutes ses soirées avec la belle-famille n'enchantait guère Joseph. Il devait trouver une solution de rechange et en discuter avec Carmel sans toutefois l'offusquer. Pourquoi était-il si prudent et attentionné avec sa femme depuis son retour en catastrophe de New York ? Il avait toujours le désagréable sentiment d'avoir quelque chose à se faire pardonner.

— Laisse-moi le temps d'y penser, je me renseignerai pour savoir si une chambre plus grande est libre à cette période. Je vais voir ce qui serait le plus convenable pour nous deux. Nous avons encore du temps pour organiser notre séjour.

Carmel, très heureuse de cette décision, s'en remettait entièrement à son mari pour l'hébergement. Il trouverait une solution. Elle avait eu gain de cause, peu lui importait de vivre à l'étroit dans une chambre de pension. Ils attendraient ensemble à Québec la venue de leur premier enfant. Voilà qui comblait son désir le plus cher.

— Le printemps est enfin arrivé, laissant un sol gorgé d'eau, cette eau dont la nature a tant besoin pour renaître. La nature sera à son comble lorsque notre enfant va voir le jour.

Carmel avait la tête assaillie de questions, mais en resta là.

— J'ai envie d'aller me promener. Marcher ne peut que m'être bénéfique. Un peu d'exercice facilitera certainement le travail. Le tricot, la couture et la popote, tu sais, ne font pas suffisamment fortifier mes muscles, c'est ce que m'a dit le médecin. J'ai l'intention de suivre ses conseils.

Joseph n'en revenait tout simplement pas. Il l'encouragea en ce sens, puis sélectionna quelques feuilles parmi celles qui étaient éparpillées sur la table.

— J'aimerais t'entretenir de mes recherches à la suite des conclusions du comité d'enquête, je vais t'épargner le jargon mécanique. Tu seras intéressée, je crois, par certaines décisions qui seront mises à l'essai.

Joseph savait que sa femme était indifférente à la machinerie lourde et à la mécanique, mais les conditions ayant entraîné la mort du petit Pierre l'avaient tellement secouée qu'il la savait disposée à écouter ce qu'il avait à dire.

— J'abrège afin de ne pas t'ennuyer. Le conducteur est exonéré de tout blâme. Excuse-moi de commencer par la conclusion, voici : comme il neigeait à plein ciel, le pauvre homme n'a pas vu l'enfant qui, selon toute vraisemblance, aurait glissé et serait tombé. Aucun témoin ne vient confirmer cette hypothèse. Bref, selon les résultats des enquêtes, la mécanique de la souffleuse n'est nullement en cause.

Joseph soupira longuement. Un vrai soupir de soulagement.

— Cela, nous le savions déjà.

Puis il continua au bénéfice de Carmel.

— Le coroner s'est longuement penché sur cet accident.

Il ajouta avec un petit air de satisfaction :

— J'ai été le premier à faire une recommandation qui, j'espère, sera retenue. J'ai été chaudement félicité pour mon idée.

Il venait de susciter la curiosité chez Carmel, qui le dévisageait avec admiration.

— Je ne suis nullement surprise de toi !

Joseph avait le goût de la faire languir un peu.

— Comment peux-tu dire cela ? Tu ne sais même pas de quoi il s'agit.

Carmel triturait ses doigts.

— Venant de toi, ce ne peut être qu'une bonne idée. Une idée géniale, sans doute !

— Tu as un parti pris, mais bon, tout de même, voici l'exposé de mon idée. Selon moi, la sécurité de la circulation routière devrait être renforcée puisque ni l'humain ni la machinerie n'étaient en cause. Écoute attentivement.

Joseph haussa le ton sans lever les yeux.

— J'ai suggéré de placer un signaleur qui précéderait les souffleuses.

Carmel l'interrompit.

— Que veux-tu dire exactement ? Qu'est-ce qu'un signaleur ?

Joseph était assez fier de sa trouvaille qui, espérait-il, serait recommandée au conseil municipal et ensuite adoptée.

— Les municipalités engageront un signaleur, c'est-à-dire une personne qui marchera devant la souffleuse, un éclaireur en quelque sorte. C'est facile à organiser et à mettre en place.

— Quel sera son rôle précisément ?

— Cette personne pourrait avertir le conducteur si des gens s'attardent devant la souffleuse et inciter les imprudents à s'éloigner en cas de trop grande proximité.

— Ah ! dit Carmel en ricanant, il s'agit d'un homme ! Je croyais qu'il était question d'un clignotant mécanique quelconque.

Il poursuivit son explication.

— Oui, un homme, qui sera muni d'une lumière ou d'un autre objet, cet aspect reste à élaborer, mais c'est un bon début.

— Génial ! Ce mot dérive des racines du mot « génie » ! Génial, ingénieur. Je t'aime, mon amour d'ingénieur génial.

Joseph reçut cette effusion d'amour avec une certaine modestie.

— C'est quand même inouï qu'il ait fallu la mort de cet enfant pour que nous nous penchions sur la sécurité routière. M. Sicard et nous-mêmes, les ingénieurs, insistions pour que la mécanique soit à la fine pointe et reçoive l'entretien nécessaire. Les souffleuses sont très performantes, en aucune façon ce fait n'a été contesté.

Joseph rassembla ses feuilles et les remit en ordre. Carmel crut percevoir une grande satisfaction au fond de ses prunelles.

— Mission accomplie ! dit-il avec un soulagement indicible.

Carmel étira son pied vers lui. Il le saisit avec empressement dans sa main.

— Il ne reste presque plus de traces de ton accident. À peine une petite cicatrice, juste un filet gracieux.

Joseph allongea la caresse le long de la fine cheville, faisant presque trébucher Carmel.

— Allons dans la chambre. Je suis de plus en plus instable, mon ventre me gêne dans mes mouvements.

Joseph était toujours bridé d'amour pour sa femme. Agenouillé devant elle, le visage rayonnant d'orgueil, il caressa passionnément l'arrondi de son ventre puis y posa son oreille. Carmel insista pour profiter du confort du lit afin de savourer pleinement les étreintes de son mari. Joseph la suivit au pas. Depuis que sa femme était enceinte, il avait la sensation de faire l'amour avec la vie, cette vie qui battait en elle. Il avait toujours été respectueux envers sa compagne. Il l'était maintenant davantage, il la questionnait sur ses sensations. Il n'insistait jamais pour la prendre contre son désir, ce qui était assez rare. Carmel adorait ses caresses, la chaleur de son corps. Le contact de ses mains brûlantes la faisait toujours frissonner. Elle vivait pleinement ces moments d'extase. À aucun moment elle ne lui reparla de son voyage à New York. Elle ne lui avoua pas non plus qu'elle était toujours inquiète lorsqu'il la quittait.

Le lendemain après-midi, dans le clair-obscur, après avoir accompli avec minutie ses tâches ménagères, Carmel s'installa pour écrire à Mathilde. Son repas était prêt. Le menu ne fut pas difficile à établir. C'était vendredi. Chez les catholiques, on respectait l'obligation de manger du poisson ce jour-là, la consommation de viande étant interdite. D'autant plus qu'à cause de cette guerre qui se poursuivait en Europe le gouvernement avait avisé les citoyens que l'effort de guerre était une nécessité. Les dirigeants incitaient la population à réduire, entre autres, leur consommation de thé et de café. Cela n'avait pas été difficile pour Joseph de s'y conformer. Au contraire, il approuvait une telle décision de restriction. On vivait une grande période de privation et Joseph avait déjà développé le sens de l'économie typique des Écossais.

— Le poisson est tellement bon pour la santé que j'en mangerais plus d'une fois par semaine sans problème. Tu l'apprêtes tellement bien !

Carmel avait remercié son mari pour le compliment en ajoutant qu'elle était d'accord avec lui. Elle planifiait ses menus en fonction de l'allocation que Joseph lui versait. Elle se trouvait chanceuse de pouvoir varier ses repas et de ne pas être contrainte à manger ces viandes Klik et Kam qui avaient trop souvent constitué son dîner lorsqu'elle travaillait comme simple ouvrière chez John Ritchie Co.

***

Carmel était encouragée par le résultat de son dernier examen médical. Peu bavard, son médecin lui avait donné une vague indication concernant la date de son accouchement. Il lui répétait toujours la même chose : « C'est votre premier enfant, madame, il est difficile de prédire une date avec certitude. De toute façon, il faut se méfier et se tenir prête, la nature nous réserve souvent de belles surprises. »

Elle suivait les recommandations de son médecin. Par un après-midi venteux de la fin de mars, elle fit une longue promenade. Elle s'attarda à admirer la marchandise exposée dans les vitrines des magasins. Lorsqu'elle voulut rebrousser chemin après avoir marché tout près d'une heure, elle leva la tête. Elle regarda de droite à gauche, tout à fait désorientée. Comment retourner chez elle alors qu'elle ne savait pas où elle se trouvait ? Elle emprunta la mauvaise direction en sortant d'un magasin de bric-à-brac où elle s'était amusée à examiner des objets de peu de valeur et de provenances diverses présentés dans le plus grand désordre. Elle marcha à tâtons, en proie à une agitation nerveuse. Elle n'était sans doute pas sortie par la porte qu'elle avait empruntée pour entrer. Elle tenta de revenir sur ses pas, obliqua vers la droite pour lire le nom des rues ; à son étonnement, aucun ne lui était familier. La fatigue l'accabla tellement qu'elle s'inquiéta pour l'enfant qu'elle portait. Le soleil qui s'était pointé le nez timidement était pris d'assaut par de gros nuages. La lumière du jour déclinait. Le miaulement d'un chat errant poursuivi par un adolescent débraillé émergeant d'une ruelle la fit tressaillir. Carmel se ressaisit, se demandant comment il était possible de ne rien reconnaître. Le nom des rues et les façades des édifices ne lui disaient rien. Elle tenta de se repérer dans cette ville qu'elle connaissait à peine. À quelques reprises, elle fut tentée de demander son chemin à des passants anonymes pressés qu'elle croisait, mais la gêne l'en empêcha. Personne ne la remarquait. La rue grouillait de piétons et d'automobiles. Il devait se faire tard, car la cohue augmentait, sans doute des ouvriers rentrant chez eux après leur journée de travail. Un coup de klaxon la fit sursauter. Dans la vitrine d'un horloger, même si certaines différaient de quelques secondes, les aiguilles indiquaient cinq heures vingt. Carmel éprouva un sentiment de panique.

* * *

Ce jour-là, Joseph rentra à l'appartement plus tôt que d'habitude. C'était la première fois depuis leur union que sa femme n'était pas là pour l'accueillir. Il avait appelé Carmel à quelques reprises, l'avait cherchée en croyant la trouver dans la salle de bain, mais il n'y avait personne. Un grand vide s'était installé en lui. Surpris et un peu déçu, il tenta d'égrener le temps. Après avoir consulté sa montre et l'horloge de la cuisine plus d'une fois, il avait senti la panique le gagner. S'il était arrivé malheur à Carmel ? Où se trouvait-elle donc en ce moment ? Elle s'était peut-être attardée chez les Desmeules. Il s'apprêtait à descendre chez ses voisins lorsqu'il changea d'idée. Il fallait laisser un peu de liberté à sa femme, pour une fois qu'elle était sortie. Il devait lui faire confiance.

À aucun moment il ne s'était senti aussi seul. Il n'osait rien entreprendre au cas où Carmel arriverait. Il tournait en rond. Depuis leur mariage, il avait eu peu de temps pour réfléchir à la condition de vie de sa femme. Comment faisait-elle pour passer ses journées seule ? Il se dit que cela lui serait tout à fait impossible. La crainte le rongea lorsqu'il consulta l'heure encore une fois. Il chercha un moyen de tromper les minutes qui le narguaient. Où donc pouvait-elle être ? Un sentiment désagréable le titillait. Il prit une revue, puis la replaça. Il ouvrit les armoires, puis la porte du réfrigérateur. Devait-il lui faire la surprise de préparer le souper ? Il se sentait inutile, ne sachant comment procéder. Le temps qui s'étirait devant lui semblait le défier. Au bout d'une bonne quarantaine de minutes de piétinement, il se résolut à aller s'enquérir chez les Desmeules. Rita vint lui ouvrir avec un grand « bienvenue ». Joseph jeta furtivement un regard dans la pièce. À l'évidence, Carmel ne s'y trouvait pas. L'idée lui vint de ne pas mentionner le sujet de son tourment pour ne pas mettre son épouse mal à l'aise au cas où Rita lui poserait des questions. Rita, qui connaissait assez bien Joseph, lut le désarroi sur son visage.

— Qu'est-ce qui t'amène, mon cher ami ? Tu es rentré tôt du boulot, je suis surprise, car Jacques n'est pas encore revenu.

Joseph ne voulut pas déranger sa voisine. De plus, il savait que Carmel n'aimait pas qu'il étale ses préoccupations et sa vie privée à des étrangers, même à des amis. Il chercha une excuse.

— Je suis rentré plus tôt qu'à l'ordinaire, je suis surpris que Caramel ne soit pas à la maison.

Il bafouillait. Rita l'interrogea.

— Où est-elle donc passée ? Je ne l'ai pas vue de la journée.

Joseph ne put se retenir plus longtemps, une appréhension indéfinissable avait pris le dessus sur sa discrétion.

— Je suis inquiet.

Rita demeura stupéfaite, se demandant pourquoi Carmel ne l'avait pas prévenue ou même invitée à partager sa sortie avec elle.

Toutefois, elle ne voulut pas effrayer davantage Joseph. Avec son optimisme caractéristique, elle lui lança amicalement une de ses phrases magiques.

— Ne t'inquiète donc pas, Joseph, pas de nouvelles, bonnes nouvelles.

En prononçant ces mots du bout des lèvres, elle-même ne se sentait pas convaincue. Une nappe de brouillard traversa son esprit. Elle avait en tête le rôdeur que Carmel avait prétendu apercevoir lorsqu'elles étaient sorties dîner chez Schwartz's.

Joseph était mal à l'aise. Tout à coup, il ressentit le besoin d'être seul pour attendre sa femme et ne pas la gêner lorsqu'elle entrerait. Il annonça abruptement :

— Ne t'alarme pas, Rita, je rentre l'attendre à l'appartement.

Sur ces entrefaites, Jacques arriva.

— Salut, voisin, heureux de te voir !

Jacques, qui ne savait rien de ce qui se passait, engagea la conversation en évoquant les derniers développements en Europe.

— Joseph, as-tu suivi les récents reportages ?

Même si Joseph ne semblait pas intéressé, il poursuivit.

— La presse d'aujourd'hui dresse un bon portrait de ce qui se passe depuis le début du conflit. Tout est relaté ici. Regarde-moi ça, une pleine page !

— Le grand titre est pour le moins troublant : *La Seconde Guerre mondiale implique la plupart des nations du monde.*

Après avoir lu le titre à haute voix, constatant la longueur de l'article, Joseph se leva ; son esprit était trop troublé pour poursuivre.

— Je retourne à l'appartement, je lirai ce reportage en attendant Caramel, elle a peut-être tenté de me joindre.

— Tiens-nous au courant, Joseph.

Dès que l'ingénieur eut tourné les talons, Rita s'approcha de son mari.

— Je t'avoue que je suis inquiète. Carmel sort rarement seule.

— Ne le prends pas mal, mais je dois t'avouer que je la trouve assez solitaire, silencieuse et renfermée, notre nouvelle voisine.

Rita prit la défense de celle qu'elle aurait voulue plus près d'elle en tant qu'amie.

— Que vas-tu chercher là ? Laisse-lui du temps, elle n'est à Montréal que depuis septembre. Cela ne fait même pas un an. Elle en a eu, des malchances, depuis son arrivée. Souviens-toi, tout a commencé par le cambriolage de leurs cadeaux de noces. Ils ont ensuite dû revenir de Québec après un séjour écourté dans sa famille, sans compter tout le temps où Joseph a dû s'absenter pour les réunions du comité. Ça fait pas mal de perturbations et d'émotions, tu ne trouves pas ? Sans oublier le fameux rôdeur !

— Vu de cette manière, ça a du sens.

Jacques avait le regard scrutateur tourné vers la rue devant l'appartement.

— Tiens, tiens, la voilà !

Rita le bouscula et écarta les rideaux pour mieux voir. Carmel avait emprunté les escaliers et était maintenant hors de portée de vue.

— Tu es certain que c'était elle ?

— Rassure-toi, il n'y a aucun doute.

— Dieu merci !

***

La porte s'ouvrit enfin, laissant entrer une femme au pas traînant, la mine exténuée. Joseph se précipita vers Carmel.

— Pour l'amour du ciel, que t'est-il donc arrivé ? Pourquoi rentres-tu si tard ?

Carmel reprit son souffle avant de répondre, elle grelottait. Elle ne pleurait pas. Elle s'était juré de vivre cette situation avec calme et retenue. Elle affichait un regard fatigué. Elle expliqua à Joseph avec un filet de voix qu'elle s'était égarée et avait mis du temps à retrouver son chemin.

Joseph l'écoutait non sans inquiétude, mais ne l'interrompit pas. Elle finit par bredouiller :

— Laisse-moi enlever mon manteau.

— Je vais t'aider. Je te prépare un thé chaud ?

Malgré la chaleur du logis, Carmel se mit à trembler convulsivement. Sa réaction se fit sur le tard. Ses nerfs avaient été mis à rude épreuve. Elle avait réussi à se maîtriser jusqu'à cet instant.

— Tu trembles ? Tu ne me caches rien, j'espère ? Tu aurais dû téléphoner, tu aurais dû demander de l'aide, tu aurais dû…

Il avait eu extrêmement peur de la perdre. Carmel se jeta dans ses bras. Joseph la tint emprisonnée contre lui un bon moment. Ses tremblements cessèrent. Il l'éloigna de lui et la fixa droit dans les yeux.

— J'étais tellement inquiet, si tu savais ! C'est la première fois depuis notre mariage que je trouve l'appartement vide en entrant. Tu m'as fait toute une frousse. Et ton pied ? Et le bébé ?

Après que Carmel eut rassuré Joseph, ils mangèrent peu et gagnèrent leur chambre tôt. Carmel, ployant sous le poids de la fatigue, blottie contre son mari, tomba dans un sommeil profond. Joseph se releva sur la pointe des pieds, rangea la cuisine et informa ses voisins du retour de sa femme sans donner d'explications.

# Chapitre 11

Le mois de mars agonisait. Malgré sa mésaventure, Carmel avait toujours en tête les recommandations de son médecin. «Je sors encore, se dit-elle, mais je suis plus prudente.» Elle avait la bougeotte, elle ressentait le besoin de grand air. Puis se pointa majestueusement le mois d'avril qui la ravigota, et la nature l'emporta dans les conversations sur ce damné conflit dont on ne cessait de parler, notamment la déportation des Juifs. À différentes occasions, Rita accompagna Carmel dans des recoins inconnus de la ville. Elle était heureuse de servir de guide à sa voisine. Ce rapprochement ne pouvait qu'affermir leurs liens d'amitié. Carmel se laissait entraîner sans réticence. Ce jour-là, lorsque la jeune femme mit les pieds dans l'appartement du bas, un chandail sur les épaules, Rita lui dit avec son ton jovial habituel:

— En avril, ne te découvre pas d'un fil!

Carmel se mit à rire.

— Entendu, chère voisine. Prends une petite laine, toi aussi. Partons! Profitons de ce bienfaisant soleil qui s'est si longtemps laissé désirer.

À deux mois de son terme, Carmel se sentait lourde, mais bien. Elle n'avait plus ressenti les malaises qui la rendaient irritable. Son humeur était au beau fixe. La présence de cette vie qui germait en elle la rendait optimiste. Joseph et elle égrenaient leurs soirées à passer en revue les activités de la journée. Carmel avait le sentiment d'avoir quelque chose à raconter. Elle lui répétait et commentait ce dont Rita l'informait. Elle lui parlait de leurs promenades et exprimait son appréciation de leurs découvertes.

Un soir où Carmel lui confia qu'elle était à l'aise et qu'elle aimait la compagnie de sa voisine, son mari, du tac au tac, lui lança:

— Te sens-tu assez en confiance avec elle pour accoucher à Montréal?

Carmel soutint son regard sans broncher, puis elle le rabroua avec un «non» sans équivoque qui retentit dans l'appartement.

Joseph ravala ses paroles. Manifestement, pour rien au monde sa femme ne changerait d'idée. Il devrait se résigner. Leur enfant verrait le jour à Québec. Il en était maintenant convaincu. Ce serait peine perdue de ramener le sujet sur le tapis.

***

Le lendemain, avant d'entreprendre sa journée au travail, Joseph se rendit au bureau de son employeur dans le but de discuter avec lui des derniers arrangements concernant son séjour à Québec. Arthur Sicard lui confirma qu'il pourrait partir au moment où cela lui conviendrait. Une poignée de main énergique conclut la discussion.

— Merci, vous avez rendu ma femme heureuse. C'était son désir le plus cher de donner la vie à notre enfant dans sa ville natale, entourée des siens.

Joseph en resta là. Il ne voulait pas lui mentionner que Carmel avait le mal du pays et qu'elle avait de la difficulté à s'acclimater à Montréal.

En rentrant chez lui, dès le souper avalé, sous le regard étonné de sa femme, Joseph téléphona à la Pension Donovan. Il s'enquit des possibilités de louer une chambre pour le mois de juin. Contrariée, Carmel l'écoutait sans broncher. Elle croyait que son mari avait déjà réglé ces détails. Elle pensa immédiatement qu'il avait sans doute retardé cette démarche dans l'espoir de la faire changer d'idée, mais que leur conversation de la veille l'avait convaincu. Elle s'abstint de lui demander pourquoi il avait attendu si longtemps avant de réserver. Joseph raccrocha, le sourire aux lèvres, en lui annonçant qu'il y aurait une chambre à leur disposition pour tout le mois de juin, une chambre assez vaste, pourvue d'un lit à deux places et d'une commode. Moyennant un supplément, ils pourraient prendre leurs repas à la pension. Ce revenu supplémentaire servirait à arrondir les fins de mois de Gisèle, la tenancière de la pension.

— Une grande chambre comme celle que tu viens de me décrire est au-delà de mes espérances. Je suis exaucée. Je pourrai me reposer l'après-midi, rendre visite à ma famille et passer mes nuits auprès de toi.

Joseph était plus que satisfait de cet arrangement, lui qui craignait d'avoir à poireauter des soirées entières avec sa belle-famille dans la promiscuité d'un logement encombré de bouteilles de bière. La compagnie des frères de Carmel l'horripilait.

— Toutefois, à ma sortie de l'hôpital, je tiens à séjourner dans ma famille. Je pense qu'une semaine de relevailles devrait suffire. Si nous comptons le temps que je devrai passer à l'hôpital, tu ne seras pas seul longtemps.

Sur ces entrefaites, le téléphone sonna. Joseph décrocha. Chaque fois qu'il entendait la voix de la téléphoniste annoncer un appel interurbain de Québec, une crainte le gagnait.

— C'est pour toi, un appel de Québec.

La voix altérée de Mathilde s'éleva au bout du fil. Carmel éprouva une appréhension en l'entendant. Que se passait-il encore ? Elle n'eut pas à s'interroger longtemps puisque sa sœur alla directement au but.

— Navrée de te déranger, je tenais à t'aviser que nous déménageons dans deux semaines.

Carmel attendit la suite en tentant de garder son calme.

— Nous sommes chassés du logement !

Carmel ne put se retenir. Elle éclata en apprenant cette nouvelle :

— Que veux-tu dire par « chassés du logement » ?

— Nous devons plier bagage, le propriétaire nous met à la porte parce que le loyer n'a pas été payé !

Carmel était décontenancée. Mathilde ne laissa pas à sa sœur le temps de répliquer.

— Alfred a dépensé l'argent que maman lui avait donné pour payer le loyer. Il ne l'a pas remis au propriétaire.

— Alfred ? Ce n'est pas possible, il est en prison !

Mathilde dit d'une voix à peine audible :

— Je n'ai pas osé t'appeler pour te prévenir de sa libération, il y a une semaine.

Carmel se tourna vers Joseph en baissant le ton.

— Alfred est sorti de prison.

Mathilde ne savait pas comment lui révéler la suite. Elle lui avait annoncé le retour de son frère à la maison sans entrer dans les détails. Elle mesurait ses paroles, car sa mère n'était pas loin. Dès qu'Eugénie s'éloigna, Mathilde expliqua rapidement à voix basse :

— Maman lui a remis l'argent du loyer, malheureusement, comme je viens de te le dire…

Elle dut baisser encore le ton sans utiliser de grandes phrases, car Eugénie s'était rapprochée.

— On a été mis à la porte.

Carmel répéta :

— Mis à la porte ?

Eugénie lança un regard mauvais à Mathilde tout en plaçant ses doigts potelés devant sa bouche.

— Je dois raccrocher, l'appel « longue distance » va coûter cher, j'ai déjà assez parlé.

Lorsqu'elle reposa le combiné, Carmel était choquée de ne pas en avoir appris davantage.

Joseph la questionna calmement.

— Tu veux dire que ta famille est à la rue ?

Carmel hocha la tête en signe d'approbation.

— Comment cela ?

Pourquoi fallait-il que survienne encore un incident déplorable, à quelques semaines seulement de son départ pour Québec ? C'en était trop. Elle allait tout expliquer à Joseph. La crainte qu'il trouve là un prétexte pour rester à Montréal, même s'il venait de confirmer la réservation de la chambre, l'inquiéta. Il n'allait sûrement pas changer d'idée et devoir expliquer à son patron les motifs d'une telle décision. Ce serait trop embarrassant de révéler la situation familiale de sa femme. Étant donné l'état avancé de la grossesse de Carmel, il n'allait pas se mettre en colère contre elle. Il la savait sensible aux disputes. Elle raconta, d'un ton maussade, les agissements répétés et irresponsables de son frère Alfred, et résuma la multitude de problèmes dont sa famille était accablée.

— Quelle indigne fourberie ! Que vont-ils faire ? demanda-t-il, inquiet.

— À la grâce de Dieu ! dit-elle en soupirant.

— Oui, mais plus concrètement ?

Carmel alluma une cigarette dont elle tira une longue bouffée pour se donner une contenance.

— Je n'en sais pas plus pour le moment. Ils sont sans doute à la recherche d'un nouveau logement; les cancans circulent vite dans une petite ville, tout le voisinage va être au courant qu'ils n'ont pas payé leur loyer. Et tu sais qu'ils tirent le diable par la queue… La famille est tellement nombreuse.

Joseph ne se gêna pas pour lui dire sa façon de penser, sans toutefois hausser le ton pour ne pas la blesser.

— Je ne veux pas me faire l'avocat du diable, mais, selon moi, ils devraient mettre Alfred à la porte, cela réglerait pas mal de problèmes, n'es-tu pas de mon avis?

Pour Joseph, c'était clair. Carmel avait une vision pessimiste de l'existence insipide de sa mère et de ce qu'elle devait endurer. Ses frères Alfred, Marcel et Louis ne travaillaient pour ainsi dire pas. Eugénie avait plusieurs bouches à nourrir. Arthur, Élise et Mathilde étaient les seuls pourvoyeurs. Pour quelle raison Eugénie avait-elle pris le petit Gilbert avec eux? Sans compter le coût de son insuline. Où en était-elle avec sa consommation de morphine?

— Pauvre maman, comment va-t-elle s'en sortir avec l'argent de ma pension en moins? Elle fait une vie misérable, une vraie vie de chien!

Carmel n'en dit pas plus. Joseph s'était sans doute fait les mêmes réflexions. L'argent qu'elle envoyait régulièrement à sa mère resterait son secret. Elle s'autorisait le droit de dépenser à sa guise le supplément de ce que Joseph lui donnait chaque semaine pour l'achat de nourriture et ses dépenses personnelles. Elle savait qu'il n'apprécierait pas ce geste, lui si économe.

— Tu dois te souvenir de la conversation que nous avons eue le soir où Gilbert est rentré si tard. Tu te doutes certainement que je m'inquiète pour lui. J'aimerais que tu abordes le sujet de l'adoption avec ta mère lorsque nous serons à Québec, toute cette histoire m'intrigue.

La voix de Joseph s'était perdue dans son esprit. Carmel s'abstint de tout commentaire. Elle était toutefois rassurée, ils iraient à Québec, Joseph venait de le lui confirmer. Bien sûr, un mystère planait sur la venue de Gilbert dans sa famille. En fait, beaucoup de secrets avaient trouvé refuge boulevard Langelier. Elle se promit des tête-à-tête avec Mathilde, qui portait un fardeau excessivement lourd sur ses frêles épaules. Elle questionnerait aussi sa tante Élise, dont elle était devenue la confidente. Elle voulait approfondir le sujet de sa relation amoureuse passablement gênante avec le docteur Béliveau.

Plus aucun mot ne fut prononcé entre Carmel et Joseph pendant plusieurs minutes.

— Sors donc de la lune, ma douce.

— N'empêche que ce n'est pas un sort enviable pour ma mère…

***

*Dimanche 13 avril 1941*

C'était le jour de Pâques, Joseph aurait aimé célébrer dignement avec Carmel ce qu'il appelait l'« anniversaire de leurs fiançailles ».

— C'est à Pâques, l'an dernier, que tu as accepté de devenir ma femme. Et voilà que tu portes notre héritier. Je ne te le répéterai jamais assez : je suis le plus heureux des hommes.

Carmel avait déjà déclaré qu'elle préparait un souper particulier pour le soir de Pâques. Elle s'ingéniait toujours à inventer la moindre surprise pour charmer son homme.

— J'ai trouvé une bonne façon de te faire plaisir, toi qui m'offres une si belle vie. Grâce à toi, je n'ai pas à souffrir des privations que nous impose cette guerre provoquée par la bêtise des Allemands. Ici, nous ne manquons de rien. Nous avons un toit sur la tête et de la nourriture plein nos assiettes, je me sens privilégiée. Merci, mon amour, de me rendre la vie si douce alors que ma mère vit un véritable calvaire. Chaque jour est un présent depuis que tu es dans ma vie.

Elle ne parla pas de Mathilde, qui était malheureuse comme les pierres.

Joseph était au comble de la joie lorsqu'il vit Rita, Jacques et Sophie se pointer pour le souper. Rita tenait une cloche sous laquelle trônait un gâteau au chocolat décoré habilement avec des petits œufs de Pâques aux couleurs du printemps. Elle avait insisté : ce serait sa participation. Une bonne fatigue avait envahi Carmel, mais que de contentement elle ressentit en voyant un sourire de parfait bonheur illuminer le visage de son mari durant tout le déroulement du repas. Ils avaient parlé abondamment du conflit qui frappait l'Europe et du sort affreux qu'on réservait aux Juifs.

Sophie avait exprimé son opinion sur cette guerre injuste qui fauchait tant de jeunes vies.

— On ne devrait jamais vivre la guerre, de jeunes garçons donnent leur vie pour un pays que nous ne connaissons même pas. Et puis les Juifs, qu'est-ce qu'ils ont fait de si grave pour mériter un sort aussi atroce et injuste ?

Personne autour de la table ne trouva de réponse à l'incompréhension et aux interrogations de l'adolescente. La discussion bifurqua sur le choix du prénom du bébé. Chacun émit des suggestions. Rita proposait toujours des prénoms de fille en tapant amicalement sur le bras de Joseph.

— Vous aurez une fille, insista-t-elle.

Joseph se redressa sur sa chaise, la fusilla des yeux.

— C'est le bouquet ! Comment peux-tu prédire une telle chose ? Tu es une sorcière mal informée.

Joseph n'avait pas changé de vêtements après la messe, il avait seulement enlevé son veston. Il portait sa chemise bleue, qui faisait avantageusement ressortir la couleur de ses yeux. Par habitude, il avait roulé ses manches. Carmel le contemplait avec amour. Elle l'observait intensément, l'examinait. Il avait les deux bras allongés sur la table. La légère infirmité de son bras droit passait inaperçue aux yeux de ses invités. Elle seule savait qu'il avait subi un accident qui le dispensait de l'enrôlement. Il dissimulait souvent ce handicap en croisant son bras gauche sur son bras droit, attitude qu'il adoptait lorsqu'il était mal à l'aise.

Dès que leurs convives furent partis, Carmel et Joseph se promirent de récidiver.

Joseph constata que son épouse était en train d'essuyer deux fois la même assiette.

— Tu es distraite, ma douce !

— Excuse-moi !

— Ce fut un souper merveilleux, tout était à point. Tes talents de cuisinière ont sûrement impressionné nos voisins, sans parler de tes qualités d'hôtesse. Tu me fais penser à Emma : la table dressée soigneusement, les couverts alignés méthodiquement aux bons endroits, tu m'épates. Toi qui m'avais dit ne pas savoir cuisiner, tu en as fait, des progrès, tu es devenue une chef émérite !

— Ce n'était pas si difficile de les recevoir.

Carmel était pleinement satisfaite, son beau visage rayonnait de bonheur. Toutes les revues qu'elle avait consultées lui avaient été d'un grand secours. Elle ne se serait jamais doutée, après avoir hésité à se lier d'amitié avec Rita, qu'elle pouvait l'accueillir chez elle avec son mari et leur fille. Un vrai beau souper sans querelles, sans beuveries ni gros mots ; tout le contraire de ce qu'elle avait connu chez ses parents. Elle avait ri follement toute la soirée. De fil en aiguille, la conversation avait bifurqué sur les études de Sophie, le travail des deux hommes et le quotidien des deux femmes. Dès que le sujet de la guerre venait sur le tapis, le ton s'assombrissait. Immanquablement, Rita ou Carmel intervenait. « On ne s'attarde pas sur la guerre, on savoure pleinement cette belle rencontre et cette bonne compagnie. » Sophie avait alors ajouté : « Parlons plutôt de la venue de votre bébé. »

— Justement, en parlant d'Emma, tu devrais appeler ton père pour leur souhaiter de joyeuses Pâques et les informer de la bonne nouvelle.

— Il est neuf heures trente, c'est un peu tard pour téléphoner à Montmorency. De quelle bonne nouvelle veux-tu que je leur parle ?

Carmel éleva un peu le ton tout en réprimant un sourire.

— Tu pourrais les prévenir que nous serons à Québec pour l'accouchement, au moins.

— N'insiste pas ! *Please!*

Carmel s'interrogeait toujours sur le fait que Joseph appelait rarement son père. La cause de son manque de communication portait-elle le prénom Emma ? Il faudrait qu'une fois pour toutes elle parvienne à le faire s'exprimer sur ses sentiments envers sa belle-mère. Mais pas ce soir, la journée avait été trop belle. Elle écarta ce sujet pour laisser place aux noms suggérés pour leur enfant pendant le souper. Tout en rangeant la vaisselle, elle prononça lentement :

— Jacynthe !

Joseph la regardait en se demandant de qui elle voulait parler. Il répéta après elle :

— Jacynthe ?

— Ce prénom sonne bien, ne trouves-tu pas ?

— C'est en effet joli en français, par contre il se prononce mal en anglais ! *Gaacinte... incomprehensible!*

Voilà que la langue anglaise prenait le dessus, mais il y avait autre chose : Joseph cherchait un prénom de garçon.

— James !

Ce fut au tour de Carmel d'être surprise et de répéter après lui :

— James, c'est un beau prénom, James Courtin ! Oui, ça se dit bien. C'est l'un des prénoms de ton père. Pourquoi ne pas choisir un prénom français, toi dont le père est de descendance française ? Un prénom anglais à Montréal, ça peut toujours passer, mais pas à Québec !

— L'anglais est une langue internationale et celle des affaires, ne l'oublie pas. Il faudra donner la chance à nos enfants de s'exprimer dans les deux langues.

Carmel se tut, elle n'avait plus envie d'argumenter, elle tenterait de le convaincre un autre jour. En vérité, cette conversation concernant la langue anglaise la rebutait. Elle mit de l'ordre dans la cuisine avant d'aller rejoindre Joseph, qui dormait déjà du sommeil du juste.

* * *

Les semaines passèrent plus rapidement que Carmel l'aurait cru. Son bébé se faisait de plus en plus présent en son sein. Il se manifestait par des petits coups de coude ou de pied, mouvements difficiles à définir au cours d'une première grossesse. Elle lui parlait tout bas. Sa présence bienfaisante la distrayait des problèmes de sa famille et l'empêchait de sombrer dans la morosité. Carmel se demandait où ses parents allaient s'installer. Elle espérait seulement qu'ils se trouvent un logement convenable et assez grand pour être en mesure de l'accueillir pendant sa semaine de relevailles. Bizarrement, cette idée et cette insistance à aller accoucher à Québec s'estompaient un peu. Son orgueil l'empêchait de partager cette réflexion avec Joseph. Après avoir mûrement réfléchi, elle se rendit compte que, de toute façon, Joseph devait se rendre à Québec pour son travail. C'était justement grâce à ces déplacements professionnels que leurs destins s'étaient croisés un soir au sortir de la manufacture où elle travaillait.

D'un geste de pitié, plus que de générosité, elle s'apprêtait à adresser à sa mère sa deuxième enveloppe du mois en espérant alléger un peu ses tracas. Malheureusement, elle ne connaissait pas encore sa nouvelle adresse.

Carmel descendit chez Rita. Le temps était léger, suave, la petite brise chaude et caressante qui enveloppa son visage la ravit. Le mois de mai s'annonçait beau et radieux. Rita se mit à chanter dès que Carmel franchit le seuil de l'appartement. D'une voix de soprano, elle entonna un beau cantique à la Vierge :

*C'est le mois de Marie*
*C'est le mois le plus beau*
*À la Vierge chérie*
*Disons un chant nouveau.*

— C'est un hymne traditionnel du mois de Marie, j'aime te l'entendre fredonner, Rita. Tu as un diamant dans le gosier. Tu n'as jamais envisagé de faire partie d'une chorale ?

Rita pouffa de rire.

— Je chante faux et je ne connais rien à la musique.

Les deux femmes avaient le cœur gai lorsqu'elles prirent le chemin de l'église, parées de leurs plus beaux atours. Rita soutenait Carmel sous le bras. Ce geste de surprotection la fit rire.

— Je ne suis pas ta mère, tu n'as pas à me tenir de la sorte.

Rita répondit :

— Impossible, avec le ventre que tu as, personne ne le penserait !

Ainsi allaient les plaisanteries. Les amies s'étaient promis de suivre ensemble les célébrations du mois consacré à la Vierge.

— Tu te rends compte que dans moins de deux mois je serai mère ? Jos souhaite tellement avoir un fils, j'espère ne pas le décevoir.

Rita s'immobilisa en lui disant, sérieuse comme un pape :

— Arrête chez moi en revenant, nous saurons si tu portes une fille ou un garçon.

Carmel fronça les sourcils.

— C'est-à-dire ?

— Nous allons faire un test. Tu connaîtras dès aujourd'hui le sexe de ton rejeton.

Carmel, intriguée et un peu inquiète, ne put s'empêcher de questionner davantage sa voisine.

— Explique-moi de quoi il s'agit. Ce n'est pas dangereux pour mon bébé, j'espère. Mon petit doigt me dit qu'il y a de la sorcellerie là-dedans.

Rita ricana, amusée par l'intérêt qu'elle venait de susciter chez la future maman.

— Attends notre retour, tu verras. J'espère que j'ai une aiguille qui fera l'affaire.

— Une aiguille ? Tu n'es pas sérieuse ! Tu ne veux tout de même pas me percer le ventre pour faire couler une goutte du liquide dans lequel baigne mon bébé ! C'est dangereux. J'ai trop peur d'essayer.

Rita était morte de rire. Cette jeune femme avait souvent des réparties cocasses et des croyances amusantes qu'elle n'avait jamais entendues auparavant. Elle croyait les femmes de Québec différentes de celles de Montréal, un peu naïves, mais se garda de le lui dire.

— Soyons sérieuses, nous arrivons à l'église, il faut se recueillir, la torture peut attendre. Pour revenir à des considérations plus catholiques, savais-tu qu'on a doté l'église du Très-Saint-Nom-de-Jésus d'immenses fenêtres afin de les orner de vitraux commandés à un fabricant de Limoges, en France ? Au moment où cette maudite guerre a été déclarée, le plomb a été réquisitionné en France pour la défense des citoyens. Mais les magnifiques vitraux ont été fabriqués et livrés à Montréal en secret. À leur arrivée dans le port, quand on les a présentés à la presse, le scandale a éclaté de part et d'autre de l'Atlantique !

— Michel, le demi-frère de Jos, est un artisan verrier, il est sûrement au courant de cela.

— J'ignorais que Joseph avait un artiste dans sa famille ! Autre chose intéressante à savoir : nous, les paroissiens, sommes très fiers que la maison Casavant Frères, de Saint-Hyacinthe, y ait installé un grand orgue en 1915, un des plus importants du Canada, à l'époque.

— Et toi, savais-tu que l'église Notre-Dame-de-Jacques-Cartier où j'ai été baptisée et où Jos et moi nous sommes mariés possède elle aussi un bel orgue Casavant ?

— Je l'ignorais. Quelle coïncidence, chacune des deux paroisses que tu fréquentes en possède un.

Les deux femmes entrèrent dans l'église côte à côte, elles marchèrent d'un pas lent dans l'allée centrale jusqu'au premier banc libre. Elles firent leur génuflexion et prirent place en se signant. Elles s'agenouillèrent en signe de recueillement. L'église était bondée. Une atmosphère de dévotion et de sérénité enveloppa Carmel et Rita. Les beaux chants et les dévotions à la Vierge les emplirent de quiétude. Carmel priait avec ferveur, d'un air concentré. Elle égrenait respectueusement entre ses doigts son chapelet en faux cristal. Rita remarqua que le visage de sa voisine était baigné de ferveur. Carmel, d'un geste furtif, essuya une larme d'émotion. Rita capta le geste et se dit que cette femme était non seulement séduisante, mais tout aussi belle de l'intérieur. Avant de quitter l'église, Carmel alluma un lampion en invoquant la mère du Ciel de lui donner un enfant en santé. Toutes deux sortirent de l'église le cœur léger. Elles se promirent d'y revenir le plus souvent possible durant ce mois consacré à la Vierge, cette femme ayant enfanté le Christ.

Sur le chemin du retour, elles fredonnèrent en riant les cantiques qui s'étaient insinués dans leur tête.

Rita ne put s'empêcher de prendre la main de sa compagne pour lui dire combien elle était ravie de la voir si heureuse et que leur rapprochement la comblait de joie.

Carmel lui sourit en lui disant qu'une bonne amie valait mieux que cent parents.

Rita monta l'escalier de métal derrière Carmel pour la préserver en cas de malaise. Devant la porte de l'appartement, elle se tourna vers elle.

— Dans quelques minutes, tu apprendras si tu auras une fille ou un garçon.

— Je t'en prie, Rita, ne fais rien qui pourrait nuire à mon bébé.

Toutes deux entrées dans le logement, Rita lui dit sincèrement :

— Ne t'inquiète pas, enlève ta veste et assois-toi confortablement. Je reviens.

Un peu perplexe, Carmel s'exécuta. Rita revint dans le salon, la mine satisfaite.

— J'ai ce qu'il faut !

Carmel, effrayée, lui demanda sur un ton vif :

— Que fais-tu avec une aiguille et du fil à coudre ? Je t'avertis, je ne me prêterai pas à des trucs de sorcellerie…

Sa phrase resta en suspens. Rita ne l'entendait plus, elle était partie à la cuisine chercher une chaise. Elle revint, la plaça devant Carmel et s'y assit avec son attirail. Elle lui expliqua ce qu'elle allait faire :

— Tu vois ce fil et cette aiguille ? J'attache l'aiguille à un bout du fil. Tu dois te tenir bien droite.

— Facile à dire avec la bedaine que j'ai !

Rita lui redressa délicatement les épaules.

— Ça ira comme ça.

Rita étira le fil et, de sa main droite, laissa tomber l'aiguille au bout du fil tendu devant le ventre de Carmel. Celle-ci la regardait faire, intriguée.

— Ne bouge pas avant que je te le dise.

Carmel avait envie de rire devant le sérieux de sa voisine.

— Si quelqu'un nous voyait, nous passerions pour deux folles, ou plutôt pour des sorcières.

L'aiguille se balança de droite à gauche.

— C'est concluant ! dit Rita le plus sérieusement du monde.

— Qu'est-ce que cela veut dire ? Arrête tes simagrées, tu vas me faire douter de ton intelligence si tu continues.

Rita laissa durer le suspense encore un peu.

— L'avenir dira si ce sont vraiment des simagrées.

Carmel insista.

— Alors, tu peux m'expliquer au moins ?

— Tu vois ! C'est par gravité que l'aiguille fait un mouvement de droite à gauche. C'est dû à l'électricité que ton fœtus dégage et à d'autres raisons que j'ignore. Quand l'aiguille va dans ce sens, tu portes une fille.

Carmel la fixa, incrédule.

— Je n'y comprends rien.

Malgré la méfiance de sa voisine, Rita poursuivit son explication, qui parut complexe à Carmel.

— Si l'aiguille était allée dans l'autre sens, alors on aurait pu conclure que c'est un garçon.

Carmel la repoussa et dit sur un ton de scepticisme :

— Bah ! Tu crois à ces choses, toi ? Tu m'étonnes !

Rita tenta de la convaincre.

— Ça marche la plupart du temps. Une amie m'avait fait ce test, qu'on appelle le test du pendule, qui avait prédit la naissance d'une fille. Sophie en est la preuve.

Carmel était quelque peu déçue. Pas pour elle, car peu lui importait de mettre une fille ou un garçon au monde. Son mari et elle auraient sûrement d'autres enfants, l'espérance d'avoir un garçon ne s'amenuiserait pas. La famille allait à coup sûr s'agrandir. Elle pensait davantage à la réaction de Joseph, qui nourrissait l'espoir d'avoir un fils.

— Tout ce que je souhaite, c'est que mon enfant naisse sans infirmité, avec une bonne tête, dix doigts et dix orteils. Cessons ces sorcelleries, j'ai un homme qui va bientôt réclamer son souper, et toi aussi. Joseph et Jacques vont rentrer sous peu. Occupons-nous donc de choses sérieuses.

Carmel ajouta tout bas, comme si son mari pouvait l'entendre :

— Ne souffle pas un mot à Jos de ce que nous venons de faire ni du résultat, après tout, ce test n'est pas scientifique.

— Rassure-toi, Carmel, si tel est ton désir, je serai muette comme une tombe.

Elles se dirent à demain. Rita défit son attirail, un sourire coquin au coin des lèvres.

# Chapitre 12

Alourdie, Carmel se sentait passablement limitée dans ses mouvements. Par la force des choses, elle avait tendance à demeurer oisive. Elle tuait le temps, avant sa visite chez le médecin, en mettant de l'ordre dans ses tiroirs dans l'intention de faire un tri. Elle choisissait les vêtements dont elle aurait besoin à Québec. Elle avait emporté peu de choses de son enfance, que des vêtements usés qui, de toute façon, ne lui iraient plus après l'accouchement, et quelques babioles qui lui étaient chères. En cours de sélection, sa main palpa une enveloppe.

— Oh!

Cette exclamation doucereuse passa langoureusement sur ses lèvres. Elle avait sous les yeux la seule lettre que Joseph lui avait écrite durant leurs fréquentations. Elle la sortit lentement de l'enveloppe, la déplia avec émotion puis la relut pour la énième fois. Elle n'aurait pas eu besoin d'en parcourir les lignes pour en connaître le contenu, car elle le savait par cœur. Elle aimait voir ces beaux mots danser sur le papier, mots écrits de la main de son amoureux. Elle pressa la lettre lentement contre ses lèvres, la replia avec des gestes lents et la glissa dans l'enveloppe. Elle la plaça entre les vêtements qu'elle venait de sélectionner. La lettre la suivrait partout, jamais elle ne s'en séparerait. Une lettre, une seule, qui faisait ressurgir son passé. Ses sens se réveillèrent, elle avait assez rêvassé, elle avait hâte de partir.

En rentrant chez elle, après sa dernière visite chez son médecin cet après-midi-là, Carmel fut accablée de fatigue. Elle ferma les yeux et s'accorda un long moment de repos. Lorsque Joseph revint du travail, il la trouva allongée sur le canapé. Ses mains se rejoignaient à peine sur le sommet de son ventre. Il s'approcha d'elle sur la pointe des pieds. Elle sursauta tout de même.

— Tu m'as fait peur, je me suis assoupie, quelle heure est-il donc ?

Joseph la contempla avec tendresse.

— L'heure du souper, mais ne te presse pas, j'ai apporté du boulot. J'ai des préparatifs à faire et des rencontres à planifier avant notre départ pour Québec.

— Rassure-toi, il nous reste assez de pâté chinois pour deux, si tu peux te passer de dessert, la préparation du repas ne sera pas compliquée ce soir.

Quelques coups frappés à la porte arrière annoncèrent la visite de Rita. Telle une bonne fée, comme si elle avait deviné l'état de son amie qui l'avait informée de sa visite chez le médecin, elle déposa la moitié d'une tarte à la farlouche sur la table de la cuisine.

— Il m'en restait suffisamment pour deux, si cela peut vous rendre service.

Rita repartit presque aussi vite qu'elle était arrivée. Après l'avoir remerciée, Carmel s'exclama :

— Elle ne finira jamais de m'épater, cette femme.

Joseph lança :

— Je te l'avais dit, c'est une vraie perle.

Cette réplique fit froncer les sourcils de Carmel. Elle allait ouvrir la bouche dans le but de lui révéler le test du pendule, mais se ravisa. Elle lui raconta plutôt sa visite chez son médecin.

— D'après l'examen d'aujourd'hui, et selon ses savants calculs, le médecin prévoit que je devrais mettre notre enfant au monde autour de la fête de la Saint-Jean-Baptiste, patron des Canadiens français. Le 24 juin, réalises-tu, Jos ? C'est magnifique !

Elle fit une légère pause :

— C'est vrai qu'il a aussi mentionné qu'il ne pouvait l'affirmer avec certitude. C'était ma dernière visite à son cabinet puisque nous devons partir au début du mois de juin. Je consulterai un médecin une fois rendue à Québec.

Joseph, pour qui le saint patron des Canadiens français ne suscitait pas autant d'enthousiasme, répondit de façon stoïque :

— Si nous décidions dès maintenant de partir le 1er juin ? Attends donc, laisse-moi vérifier quel jour de la semaine ce sera. Il me semble que c'est un week-end. Je tiens à voyager le samedi ou le dimanche afin de ne pas empiéter sur mes jours de travail. Même si mon employeur est compréhensif, il ne faut pas en abuser.

Carmel fixa son petit agenda à la couverture de cuir brun. Elle constata qu'il n'y avait presque rien d'inscrit concernant leur vie de couple. Elle ne put s'empêcher de penser que leur vie sociale était assez vide. Qu'en était-il des autres couples mariés en temps de guerre ? Son attention fut attirée par la page de l'agenda affichant le mois de juin au complet.

— Quel heureux hasard, le 1er juin tombe justement un dimanche, encore un bon signe, cela nous portera chance.

Joseph passa son bras affectueux autour des épaules de Carmel. Il arborait un sourire de satisfaction.

— J'adore te voir aussi positive. Tu reconnais des signes de bonheur partout depuis quelque temps, si tu savais combien cela me réjouit.

Sans vouloir être rabat-joie, il ne put s'empêcher de lui demander :

— Crois-tu que tes parents auront trouvé un logement ?

Carmel aurait tellement voulu que sa famille soit plus stable, plus équilibrée.

— Puisque nous aurons notre chambre le 1er juin, s'ils ne sont pas encore installés, je pourrai au moins les aider…

Joseph bondit presque de sa chaise avant de la laisser terminer.

— Il est hors de question que tu aides au déménagement dans ton état, je te l'interdis formellement.

Était-il un peu surprotecteur, son Joseph ? Et il en remit :

— Nous sommes à la mi-mai, nous partons dans deux semaines, tu dois te reposer. Justement, les déménagements se font habituellement le 1er mai. Sais-tu pourquoi tes parents ne sont toujours pas partis s'ils ont été expulsés ?

Carmel ne comprenait pas non plus ce qui se passait au juste à Québec ; tout ce qu'elle put répondre fut :

— Mathilde n'a pas été très explicite, elle semblait tellement secouée.

Carmel ne put interpréter le soupir qui fit apparaître un rictus au coin de la bouche de son homme.

— Cesse donc de te faire du sang d'encre, appelle à Québec, tu en auras le cœur net. Par la même occasion, j'aimerais parler à Gilbert…

Joseph n'eut pas le temps de terminer sa phrase que Carmel composait vivement le zéro sur le cadran du téléphone.

Après que la jeune femme eut donné à la téléphoniste le numéro de ses parents, celle-ci déclara :

— Il n'y a plus de service au numéro que vous avez demandé.

Carmel raccrocha d'un air ébahi en répétant mot pour mot ce qu'elle venait d'entendre :

— Il n'y a plus de service au numéro que vous avez demandé.

Joseph avait une réponse toute prête.

— Ils se sont sans doute fait couper la ligne téléphonique.

Pour lui, cela allait de pair avec leur éviction.

— Qu'allons-nous faire ? Comment les joindre alors ?

Joseph tenta de la rassurer et surtout de l'apaiser.

— Le compte à rebours a commencé, ma douce. Dans moins de deux semaines, nous allons nous mettre en route. Le 1er juin, après la messe, tout devrait être prêt, car j'aurai mon samedi pour t'aider. Rendus à Québec, dès le lundi, je me lance à la conquête d'acheteurs potentiels pour nos superbes souffleuses à neige.

Joseph en resta là. Il ne lui avait pas expliqué en détail le mandat que lui avait confié M. Sicard. Celui-ci avait aussi mentionné avec un certain enthousiasme : « Tu en profiteras pour développer l'est de la province. » Il était soulagé des conclusions de l'enquête sur la mort du pauvre garçon, qui avait blanchi l'entreprise. Cela signifiait que Joseph devrait voyager vers les villes de Chicoutimi, de Jonquière et dans la région du Lac-Saint-Jean, à distance raisonnable de Québec. Ces routes étaient tout de même facilement praticables en plein été. Il s'organiserait pour ne pas laisser Carmel seule la nuit. Même s'il devait voyager, il voulait être auprès d'elle au moment du grand événement. « On verra une fois là-bas », se disait-il.

Carmel revint à la charge :

— Même quand nous serons rendus à Québec, comment allons-nous savoir où ils ont déménagé ? Qu'allons-nous faire pour retrouver ma famille ?

Joseph comprit qu'elle était toujours inquiète pour ses parents.

— Ne te fais pas de souci pour cela, nous aurons amplement de temps pour les trouver lorsque nous serons sur place.

Carmel se coucha tôt. Elle ne trouvait pas de position confortable. Lorsque Joseph vint la rejoindre, son corps arrondi était en plein milieu du lit, sa tête reposait sur les deux oreillers. Joseph s'approcha d'elle.

— Vous prenez de la place, ma femme et mon fils ! Suis-je relégué à dormir sur le sofa ? Cet enfant n'est pas encore né et je passe déjà au second rang.

Carmel bougea avec peine de quelques centimètres.

— Allons ! Jamais de la vie ! Ta place sera toujours ici, auprès de moi.

Carmel demeura silencieuse. Ses pensées étaient troublées par la situation de ses parents. Son bébé démontrait avec force sa présence. Joseph allait-il permettre à cet enfant de connaître sa famille, de la fréquenter, d'avoir des rapports avec ses grands-parents ? Elle s'endormit difficilement. Son sommeil fut troublé. Joseph subit les soubresauts de ses mouvements à plusieurs reprises durant la nuit. Il lui offrit de lui apporter un verre d'eau ou de lait pour la calmer. Elle lui répondit qu'elle n'était pas nerveuse, que c'était le bébé qui se manifestait.

— Un vrai petit boxeur. Il est vigoureux, je suis impatiente de le connaître.

— Tu geignais, je voulais te sortir de ton cauchemar.

La poitrine comprimée, Carmel réussit à articuler :

— C'est vrai que tu m'as tirée d'un mauvais rêve. Je vais me lever et tenter de ne pas me rendormir immédiatement afin de ne pas retomber dans les mains de cet horrible personnage.

— Tu peux dormir en paix, je sais à qui tu fais allusion. Rassure-toi, je te le répète, le voyeur est derrière les barreaux. Je crois qu'après avoir goûté à la médecine de la prison il n'aura plus envie de recommencer lorsqu'il sera libéré.

Carmel, pour sa part, était moins certaine de cela, mais n'avait pas l'intention d'entamer de discussion à cette heure tardive.

***

L'excitation était à son comble. Durant les longs mois où l'hiver s'accrochait en refusant de céder sa place au printemps, Carmel, en comptant les jours, avait cousu une layette complète pour son bébé. Elle avait placé le *teddy bear* dans la belle couchette repeinte en un blanc pur. Elle avait tricoté et confectionné les rideaux et les garnitures de lit pour la chambre du bébé. Elle s'y réfugiait souvent durant la journée. Rompue de fatigue, elle se reposait dans la berceuse que Joseph avait achetée d'un collègue. Elle remerciait le ciel d'avoir mis cet homme merveilleux sur sa route, de qui elle portait le fruit. Durant ces moments de pur bonheur, elle écartait les pensées sombres qui tentaient de s'infiltrer en elle, tels les coups de malheur de sa mère et de sa sœur ainsi que leur condition de pauvreté. Elle voulait tout faire pour ne pas se trouver dans la situation d'Eugénie, une femme dépendante de la morphine. Comment cela avait-il pu aller aussi loin ? Elle fermait les yeux sur tant de misère. La vie qui germait en elle, son couple : rien d'autre ne comptait plus désormais. Du moins tentait-elle de s'en convaincre.

***

Les deux dernières semaines de mai filèrent à une vitesse vertigineuse. Joseph mettait les bouchées doubles au travail. Carmel cuisinait avec des restes et calculait les aliments afin de ne rien perdre. Elle avait pour principe de ne jamais jeter de nourriture. Tellement d'enfants mouraient de faim et de misère dans le monde, sans compter les soldats sous-alimentés.

Carmel prépara une valise pour son séjour à l'hôpital. Les vêtements et les petites couvertures pour le nouveau-né y prenaient plus de place que les siens. Finalement, elle se procura une toute petite valise, juste pour l'enfant. Elle avait du mal à imaginer qu'elle pourrait retrouver sa taille d'avant, ses vêtements ne lui iraient sûrement plus. Elle dut se limiter à quelques chemisiers et à des jupes amples. Elle disposait avec amour les petits vêtements, en palpait leur douceur. Elle pouvait difficilement imaginer que le poupon pouvait être aussi menu. À qui ressemblerait-il, physiquement, et de caractère ?

Carmel attendit la veille du départ pour boucler la valise de son mari, hésitante, ne sachant quels vêtements il apporterait. Il lui avait dit qu'il l'aiderait le samedi, elle n'avait donc pas à s'en soucier. Puisqu'il lui restait un peu de temps, elle décida de sélectionner quelques vêtements dont elle savait que Joseph aurait besoin. Elle sortit de la garde-robe un des vestons qu'il portait souvent. Machinalement, elle glissa la main dans la pochette intérieure. Elle y trouva un bout de papier chiffonné plié en quatre. Sans se poser de question, ni par curiosité, mais spontanément, elle le déplia. Sur le moment, elle ne s'interrogea pas sur son contenu. Elle le replia, dans les mêmes plis, et le remit dans la poche. Les plis étaient si bien marqués qu'elle imagina que le papier avait été plié et replié à plusieurs reprises, ce qui la préoccupa durant le reste de la journée. Elle finit par sortir le papier de la poche une autre fois et relut la note troublante. Pourquoi son esprit s'acharnait-il à lui faire relire ces mots ? Son instinct féminin semblait l'avertir, mais de quoi ?

Les préparatifs du départ occupèrent tout le samedi. Carmel était nerveuse, Joseph mit son état sur le compte du voyage. Elle tarda à trouver le sommeil ; inlassablement, les mots dansaient insidieusement dans sa mémoire : un nom et un numéro de téléphone. Pourquoi Joseph gardait-il un papier sur lequel le nom de cette personne et son numéro de téléphone étaient écrits ? C'était un homme rangé et il recopiait le nom de ses relations, des membres de sa famille et de ses amis dans son agenda personnel.

* * *

Enfin dimanche.

— Nous n'oublierons rien, ne t'inquiète donc pas. Les Desmeules ont la clé, ils passeront s'assurer que tout va bien dans l'appartement.

Ils firent leurs adieux à Rita, Jacques et Sophie en leur donnant la nourriture qu'ils n'étaient pas parvenus à consommer. Rita remarqua l'état de nervosité de son amie.

— Votre appartement sera sous haute surveillance, soyez sans crainte. Donnez-moi un coup de fil lorsque ce poupon se pointera le nez. Bonne chance. Vous n'êtes pas encore partis que j'ai déjà hâte à votre retour. Je suis impatiente de connaître ce petit.

Elle avait prononcé ces paroles en fixant Carmel dans les yeux tout en indiquant son ventre. Les Desmeules les regardèrent partir depuis le seuil de la porte.

* * *

Sous un ciel maussade, Carmel et Joseph se dirigèrent vers la route 9, en direction est. Carmel eut du mal à se trouver une position confortable dans la voiture, car son ventre l'encombrait. Elle était nerveuse. Les premiers mots qui lui vinrent en bouche furent défaitistes :

— Le voyage va être long !

Joseph fut surpris du manque d'enthousiasme de sa femme, elle qui était si fébrile avant de partir. Ils étaient sortis de la ville et elle était muette ; elle semblait absente. Il la questionna :

— Tu es étrangement silencieuse, ne te tracasse pas pour ta famille, j'ai un plan. Nous nous installerons d'abord à la Pension Donovan et, si tu te sens en forme, nous nous rendrons ensuite à l'ancienne adresse de tes parents. Il se peut qu'ils y soient toujours, autrement nous nous informerons auprès des nouveaux occupants.

— D'accord.

En effet, le trajet fut long. Joseph n'arrivait pas à faire prononcer une phrase complète à sa femme. Plus ils approchaient de leur destination, plus l'inquiétude de Carmel augmentait.

— Nous sommes presque rendus, tu sauras bientôt pour les tiens.

Elle ne répondit pas. La condition de sa famille n'était pas sa principale préoccupation. Quand connaîtrait-elle la signification de cette note, dont les mots refusaient de s'effacer de sa mémoire? Elle avait imaginé différentes façons de questionner Joseph. Le sachant prompt, elle ne voulait pas le provoquer. Devait-elle lui poser directement la question ou user d'un stratagème féminin pour parvenir à ses fins?

Enfin arrivée à la Pension Donovan, Carmel s'impatienta car elle trouvait que Joseph s'attardait trop longtemps à son goût avec Gisèle, la tenancière. Ils relataient de bons souvenirs et discutaient de la carrière de Joseph. Gisèle s'adressa à Carmel après que Joseph l'eut finalement présentée.

— Je vous souhaite un agréable séjour avec nous, ma p'tite dame, puis un beau poupon en santé. Je sers le souper à six heures dans la salle à manger, installez-vous, n'hésitez pas à demander ce dont vous pourriez avoir besoin.

Carmel caressa son ventre et se dit: «"Ma p'tite dame", pas si petite que cela, elle exagère un peu, la logeuse.»

Carmel monta avec difficulté les étroites marches de l'escalier mal éclairé la menant à leur chambre. Essoufflée, elle se laissa choir sur le lit.

— Tu es fatiguée, je m'occupe de tout, repose-toi avant le souper, tu as l'air épuisée.

Carmel voulut se ressaisir, ils étaient rendus à Québec, sa chère ville natale. Même si sa grossesse avancée la rendait inconfortable, elle était heureuse que le voyage se soit déroulé sans anicroche. « Enlève-toi ces idées sombres de la tête », tentait-elle de se convaincre lorsqu'on frappa à la porte.

— Votre mari m'a avisée de votre intention de souper ici. J'ai préparé une bonne sauce blanche au poulet. Comme je vous l'ai déjà dit, je ferai le service à six heures. J'invite mes pensionnaires à passer à table en faisant sonner une clochette. D'ici là, puis-je vous être utile pour quoi que ce soit, ma p'tite dame ?

Dieu que cette femme lui tapait sur les nerfs avec son « ma p'tite dame ». Carmel lui répondit tout de même avec un sourire, elle allait passer un mois avec cette logeuse, il valait mieux s'adapter tout de suite.

— Hum ! Non, merci, madame, j'attends Jos avec les bagages, puis nous nous présenterons à table à l'heure convenue.

— Joseph parle actuellement avec Roseline, ma plus ancienne locataire, elle était folle de joie de le revoir.

Carmel se raidit. Une lame de jalousie lui égratigna le cœur, déjà aux aguets depuis qu'elle avait lu la note. Elle ne tarda pas à réagir.

— Je descends tout de suite.

Gisèle la précéda dans l'escalier d'un geste protecteur. Elle l'entourait de prévenances. Rendues à mi-chemin, elle s'écria :

— Nous arrivons, attention à la future maman !

Quand Carmel mit le pied sur la dernière marche de l'escalier, la jalousie s'immisça en elle alors que son regard se posa sur le couple, bavardant les yeux dans les yeux, à proximité l'un de l'autre. Roseline était une jeune femme au visage agréable, presque de la même taille que Joseph, grande, très mince. Ses cheveux noirs comme du jais, ses yeux bleus pétillants, quel contraste harmonieux ! Le couple se tut en apercevant Carmel. Gisèle fit les présentations. Joseph capta le regard courroucé de Carmel. Il s'éloigna de Roseline et entoura les épaules de sa femme avec une fierté évidente.

— Notre enfant naîtra d'ici quelques semaines, Caramel tenait à venir accoucher près de sa famille. Nous logerons à la pension jusqu'après l'accouchement.

Carmel avait repris son aplomb. Le fait que Joseph annonce d'entrée de jeu sa paternité prochaine lui permit de mieux respirer et d'amoindrir sa jalousie.

— Félicitations à vous deux, c'est votre premier, n'est-ce pas merveilleux !

Joseph emprisonna les mains de Carmel et les porta à ses lèvres.

Carmel ne pouvait deviner que cette jeune femme était célibataire, non par choix, mais à cause de cette guerre cruelle qui lui avait volé son fiancé. N'eût été cette calamité, elle aurait sans doute le ventre arrondi elle aussi. Carmel ne décela rien dans l'attitude de Roseline pour justifier ce déplaisant sentiment de jalousie qu'elle avait ressenti en la voyant. Roseline s'avéra une jeune femme pleine de ressources et de gentillesse. Joseph et elle devaient être assez intimes puisqu'elle savait que c'était leur premier enfant. Carmel réfléchit : c'était normal qu'elle le sache étant donné que Joseph n'avait quitté la pension qu'en septembre dernier. Elle se sentait tellement idiote. Elle devrait cesser de se troubler chaque fois qu'elle voyait une femme près de son mari. C'était plus fort qu'elle, dès qu'elle se trouvait en présence d'une femme plus cultivée et plus instruite, la réalité la frappait de plein fouet. Elle imaginait qu'elle portait l'étiquette « née de famille pauvre » collée au visage. Ses origines modestes la rattrapaient.

Le souper fut extrêmement agréable, la sauce blanche manquait de poulet et les haricots verts étaient trop cuits, toutefois la compagnie était plaisante. Carmel parla peu et soigna sa diction. Elle expliqua brièvement la déformation de son prénom. Les femmes s'accordèrent pour l'appeler Carmel et de laisser le Caramel fondre dans la bouche de Joseph.

La logeuse aimait Roseline comme la fille qu'elle n'avait jamais eue. Ken, son mari, était décédé d'un accident de travail la semaine suivant leur mariage. L'amour de sa vie n'avait pas encore été remplacé dans son cœur. Ken avait été menuisier. Il lui avait laissé en héritage la maison qu'il avait construite de ses propres mains, fin prête, juste à temps pour leur mariage. Gisèle ne possédait aucune formation. Elle avait rapidement décidé de tirer profit des quatre belles chambres que leurs enfants n'occuperaient jamais. En effet, la location des chambres lui assurait un revenu modeste et suffisant pour subvenir à ses besoins. Lorsque Joseph l'avait appelée pour lui demander une chambre pour deux, elle n'avait pas hésité à déménager ses effets personnels dans une petite chambre pour céder au couple, à un prix plus avantageux, sa propre chambre, beaucoup plus grande.

Les heures filèrent tellement rapidement que Carmel se surprit elle-même à ne pas avoir pensé à joindre sa famille. Huit coups sonnèrent à la pendule du salon.

— Oh ! Déjà huit heures, que le temps passe vite en agréable compagnie !

Joseph était comblé. Carmel se plaisait avec ces deux femmes aussi intéressantes l'une que l'autre. Les semaines à venir allaient être agréables.

Gisèle leur annonça avec joie :

— Demain, nous aurons deux personnes de plus autour de la table avec qui placoter : un étudiant en génie et un autre en droit. Ils vous plairont, j'en suis certaine.

Roseline leur raconta qu'elle avait suivi une formation d'infirmière et qu'elle exerçait sa profession à l'hôpital de l'Enfant-Jésus depuis qu'elle avait obtenu son diplôme. Elle vivait en pension chez Mme Gisèle temporairement. Elle s'installerait avec Claude, son futur mari, dès son retour de la guerre, car il devait revenir, il le fallait, il était trop jeune pour mourir et ils avaient une vie à bâtir ensemble.

Carmel ne put cacher son étonnement.

— Il est parti volontairement à la guerre, ton fiancé ? Tu veux dire qu'il s'est enrôlé de son plein gré ?

Avec son charmant accent du Lac-Saint-Jean, Roseline répondit sur un ton qui en disait long.

— Allez donc comprendre pourquoi... Nous en avons tellement discuté, Claude et moi, que, à court d'arguments, j'ai fini par céder même si j'avais de la difficulté à accepter sa décision et à concevoir sa motivation lorsqu'il est parti, l'espoir en bandoulière.

— Et toi, en tant qu'infirmière, tu n'as pas eu envie de le suivre ? J'ai entendu dire que les femmes exerçant ta profession étaient très demandées sur les champs de bataille.

— Jamais de la vie, Joseph. Je suis prête à soigner les petits bobos, mais je n'ai pas la carapace assez épaisse pour panser et rafistoler les membres brisés au combat. Je suis assignée à la pouponnière. Imagine, j'accompagne ces petits êtres durant leurs premiers jours sur terre, je les aide à se nourrir, à s'accrocher à la vie, c'est le plus beau métier du monde.

Un grand silence s'installa quelques instants autour de la table. Roseline le rompit :

— Toute l'horreur de cette charcuterie humaine me répugne, ce déluge de souffrance et de terreur m'afflige. De plus, je suis sans cesse inquiète pour mon fiancé. Je préfère consoler un nouveau-né qu'un mourant. Je m'excuse de vous confier cela aussi crûment, mais je n'ai pas la vocation des champs de bataille. Savez-vous ce que Claude m'a dit pour me convaincre de le laisser partir ?

Comme personne ne répondait, Roseline formula la réponse :

— « La première des vertus est le dévouement à la patrie ! Paroles de Napoléon 1^er^. » Foutaises !

Et elle ajouta :

— Sans commentaires !

Plusieurs questions prirent forme dans l'esprit de Carmel. Certes, elle ne pouvait s'empêcher de repenser à la situation de sa famille et à ce mystérieux papier. Une constatation plus positive illumina son visage. La logeuse le remarqua :

— Qu'est-ce qui vous fait sourire de la sorte, Carmel ?

— Le destin, madame Gisèle. Le destin !

Carmel avait de la difficulté à exprimer devant ces inconnus ce qu'elle ressentait, mais il était temps qu'elle s'ouvre au monde. Curieusement, elle se sentait prête à communiquer avec cette jeune femme si humaine même si elle n'éprouvait pas le besoin d'aller sur les champs de bataille. Elle non plus, dans les mêmes circonstances, n'y serait pas allée par choix.

— Je crois que la Providence a mis Roseline sur mon chemin. Ce n'est pas seulement le hasard qui a fait que je me retrouve dans la même pension qu'elle, à un mois de ma délivrance.

Débordante de ravissement et d'optimisme, Carmel s'adressa directement à l'infirmière :

— Je vais bientôt donner le jour à un enfant pour la première fois et tu vis dans la même maison que moi, je n'en reviens tout simplement pas. Je me sens tellement en sécurité, te sachant ici, je te le répète, c'est plus qu'un « adon », c'est la Providence qui t'a placée sur mon chemin, j'en suis certaine. Une infirmière spécialiste des bébés pour me conseiller, c'est un rêve !

Elle acheva sa réflexion sous le regard attendri de Joseph.

Après avoir exprimé le fond de sa pensée, Carmel se demandait si elle n'avait pas été démesurément envahissante envers Roseline. Elle s'était laissée emporter par l'élan de son cœur. Était-elle en train de s'épanouir ? Elle se sentait chez elle dans sa ville qui l'inspirait.

— J'espère ne pas m'imposer en disant cela, Roseline.

Spontanément, Roseline se leva de table et se dirigea vers Carmel. Elle lui passa le bras autour des épaules et la rassura. Les deux femmes avaient des atomes crochus.

— Pas du tout, je suis fille unique. Si tu savais le plaisir que tu me fais en me manifestant une si grande confiance. Je vais t'avoir à l'œil durant les semaines qui viennent, ne t'inquiète pas. Je vais être un vrai pot de colle !

Elle regagna sa place avec un air complice. Cette heureuse rencontre donnait des ailes à Carmel. Gisèle aussi était satisfaite. L'harmonie, l'amitié et peut-être autre chose de beau venaient de naître sous son toit. Elle était comblée.

— Toute ma maisonnée est en parfaite harmonie ! Du dessert pour chacun ? J'ai fait un bon pouding chômeur.

Même si Gisèle avait la langue bien affûtée, les pensionnaires passaient outre ce petit défaut, car il était compensé par le fait qu'elle se fendait en quatre pour eux.

Carmel refusa le dessert, prétextant qu'elle avait trop mangé, tout en remerciant et en félicitant la logeuse pour l'excellent repas. Elle n'était pas habituée à se gaver à ce point. La nourriture était abondante à la pension, contrairement à ce qu'elle avait vécu chez ses parents. Gisèle n'était nullement mesquine.

Gisèle apporta une boisson à chacun en leur souhaitant encore une fois la plus cordiale des bienvenues sous son toit.

Joseph se leva.

— J'accompagne Caramel. Merci, Gisèle, de nous avoir cédé votre grande chambre, j'apprécie ce geste de générosité.

Les femmes se donnèrent affectueusement l'accolade et se dirent à demain.

Carmel s'assit sur la chaise d'appoint près de la fenêtre, un sourire resplendissant sur le visage. Joseph, après avoir déposé la plus grosse valise sur un banc au pied du lit et l'avoir ouverte, se pencha vers sa femme pour lui chuchoter à l'oreille :

— Tu es contente, ma douce ? Tu as retrouvé ton beau sourire. Tu vas te plaire ici, ces deux femmes ne te lâcheront pas d'une semelle, j'en suis certain. Ah ! tes parents, je gage que tu n'y as même pas pensé.

Carmel avait traversé le présent avec détachement.

— Je me suis laissé distraire, comment ai-je pu les oublier ? Il est un peu tard, pourrions-nous reporter nos recherches à demain matin ?

— Malheureusement, j'ai déjà planifié un rendez-vous à huit heures. Tu n'auras pas à te lever pour me préparer mon déjeuner, laisse-toi gâter par Gisèle, elle adore prendre soin de ses pensionnaires.

— À quelle heure crois-tu revenir ?

— Au milieu de l'après-midi, je crois.

— Nous pourrions partir à leur recherche à ton retour ?

— Bien sûr. Je t'aide à défaire les bagages ?

— Prends ce que tu porteras demain, j'aurai du temps à tuer, je rangerai alors nos vêtements dans les tiroirs de cette grosse commode. Nous occupons la chambre de Gisèle, elle est gentille de nous l'avoir cédée pour un mois, ne trouves-tu pas, Jos ?

Joseph ne put qu'approuver.

# Chapitre 13

Le lendemain matin, ceinte d'un grand tablier blanc immaculé recouvrant une robe aux motifs sombres qui avantageait sa lourde taille, les cheveux convenablement ramassés sur la nuque en un gros chignon, Gisèle accueillit Carmel, une tasse de thé fumant en main, avec son sempiternel « ma p'tite dame » :

— Bien dormi ?

Carmel eut envie d'en rire.

— Oui, la p'tite dame a passé une bonne nuit. Merci. J'ai presque fait le tour du cadran, lui répondit-elle sur un ton blagueur, nullement déplaisant.

— Bravo, je n'en doutais pas, le lit est confortable.

Elle enchaîna tout naturellement :

— Joseph est parti tôt.

— En effet. Je vous aide à servir ?

— Il n'en est pas question. Tu peux me tutoyer, tu pourrais être ma fille. Alors, je te verse du thé ?

Carmel se dit que, justement, elle vouvoyait ses parents. Au bout d'un moment, Gisèle lui demanda :

— Des projets pour aujourd'hui ?

Carmel, qui se réveillait à peine et prenait place à la table avec une inconnue, ne se sentait tout de même pas inconfortable. La rondouillarde Gisèle aurait en effet pu être sa mère, elle avait plus de classe et de raffinement qu'Eugénie, mais, physiquement, elle était aussi bien enveloppée. C'était sans doute en raison de ce physique familier que Carmel se sentit suffisamment à l'aise et en confiance pour lui faire part de ses plans. Une voix intérieure l'encouragea à lui parler des problèmes de ses parents sans toutefois entrer dans les détails. Elles étaient seules dans la salle à manger. Roseline était sans doute déjà partie pour prendre son quart de huit heures.

— Je vais ranger nos vêtements. Je pars à la recherche de mes parents dès que Jos reviendra, au milieu de l'après-midi.

À ces révélations, Gisèle se sentit investie d'une mission. Curieuse, elle s'empressa de bombarder sa nouvelle pensionnaire de questions afin d'en savoir davantage sur sa situation.

— Que veux-tu dire par là? Tu ne trouves plus tes parents? D'où viennent-ils? Ce sont ton père et ta mère?

Carmel, amusée par tant de familiarité et de spontanéité, ne put s'empêcher de lui raconter une partie de la mésaventure de ses parents. Elle s'en tiendrait à peu. Sa vie privée n'avait pas besoin de faire le tour de la pension ni du canton. Gisèle était certes fort sympathique et protectrice, cependant elle avait de toute évidence les tendances d'une commère.

La logeuse offrit à Carmel de l'accompagner et l'invita, avec une certaine trépidation:

— Pourquoi attendre cet après-midi? Allez, termine ton déjeuner, range tes affaires, je t'accompagne. On se déguise en Sherlock Holmes.

Carmel n'en revenait tout simplement pas; hier encore, elle ne connaissait cette femme ni d'Ève ni d'Adam. Elle habitait depuis peu cette Pension Donovan, nommée ainsi en mémoire de son défunt mari irlandais, et voilà qu'elle était prête à courir les rues de Québec avec sa logeuse à la recherche de ses parents évincés de leur logement. Elle trouvait curieux que des liens se tissent aussi rapidement! Elle avait envie d'accepter.

— Je ne veux pas vous déranger, vous avez tellement à faire.

— Tut, tut, tut, je connais ce quartier comme le fond de ma poche. L'adresse que tu m'as donnée n'est qu'à quelques coins de rue d'ici.

Carmel aussi connaissait parfaitement le quartier, celui de son enfance. Nul doute qu'elle pouvait se rendre à son ancien domicile facilement, mais, pour effectuer les recherches, il était plus sage d'être accompagnée de Gisèle. Une demi-heure plus tard, elles passèrent la porte.

Le soleil pur et radieux de juin enveloppa les deux femmes dès qu'elles eurent mis les pieds sur le trottoir. Gisèle tenait Carmel par le bras ; on aurait dit qu'elles se connaissaient depuis toujours tellement elles étaient intimes.

— Ça va, Carmel ?

Gisèle marchait pesamment tout en tentant de respecter le rythme de sa compagne. Elle ne comptait pas son temps pour l'aider dans ses démarches.

— Oui, encore deux coins de rue et nous y serons.

— Hum ! Ça sent bon, on se croirait en pleine forêt.

La pluie bienfaisante de la veille avait humidifié le temps. Les deux femmes avaient l'impression de respirer des odeurs champêtres. Les arbres du parc du boulevard Langelier offraient un contraste salutaire avec le bitume de la ville. La nature condensée en un petit espace de verdure était luxuriante et attirait de nombreuses espèces d'oiseaux. L'un d'eux vola à tire-d'aile au-dessus de leurs têtes. Carmel espérait qu'aucun n'était un oiseau de mauvais augure. À mesure qu'elle se rapprochait de son ancienne adresse, l'appréhension se cristallisait dans l'esprit de Carmel. Un sentiment amer se ranima lorsqu'elle reconnut son frère Alfred déambulant nonchalamment sur le trottoir opposé. Elle ferma les yeux et réprima son émotion ; c'était lui, elle n'avait aucun doute là-dessus. Elle tourna instinctivement la tête du côté opposé en faisant semblant de ne pas le reconnaître. Elle était persuadée qu'il ne l'avait pas vue. Fatalement, il n'était pas surprenant qu'elle tombe sur lui. Gisèle ne détecta pas la panique qui avait surgi dans ses yeux. « Heureusement ! » se dit Carmel, les tempes battantes, constatant que ses recherches, avec Gisèle, l'inciteraient à lui présenter sa famille une fois cette dernière retrouvée. Elle gardait de cette époque de tristes souvenirs qu'elle peinait à évoquer. Elle craignait maintenant d'être allée trop loin avec cette inconnue. Elle ne pouvait plus faire marche arrière. « Oui, je peux, se dit-elle, lorsque j'obtiendrai leur adresse, je m'y rendrai avec Jos et non pas avec Gisèle. Je n'ai aucune obligation de lui présenter les membres de ma famille. »

Carmel s'immobilisa devant la façade de l'immeuble de son enfance.

— C'est ici, madame Gisèle, c'était leur dernière adresse.

Gisèle actionna la sonnerie sans hésiter. Carmel recula un peu. Son ancienne vie refit subitement surface. Qu'allait-elle retrouver derrière cette porte qu'elle avait franchie il n'y avait pas si longtemps ?

Une femme, proprement vêtue, les cheveux relevés en chignon, vint leur répondre. Carmel regarda cette inconnue. Elle brûlait d'envie de jeter un coup d'œil dans l'appartement, question de savoir ce qui y était resté et si on avait changé les rideaux usés à la corde et repeint les murs.

Gisèle s'adressa à la dame sans hésiter :

— Bonjour, madame, excusez-nous de vous déranger, nous sommes à la recherche de la famille Moisan.

— Ils ont déménagé, ma famille et moi sommes arrivés ici le 1er mai.

Carmel fit une moue dubitative. La dame semblait au courant de leur histoire ou était-ce l'effet de son imagination ? Sans hésiter, elle l'informa :

— J'ai entendu dire qu'ils s'étaient trouvé un autre logement dans le secteur, mais je ne sais pas où.

Voilà tout ce qu'avait à dire la nouvelle locataire. Tout à coup, même si elle avait devant elle deux femmes qui semblaient respectables, dont une enceinte, elle devint plus craintive. Qui étaient-elles pour s'enquérir de la sorte de cette famille qui avait été évincée pour faute de paiement de loyer ? Le propriétaire les avait formellement avertis du retard dans leurs paiements : « Je vous fiche à la porte, vous subirez le même sort que vos prédécesseurs. » Le court entretien prit fin abruptement.

Carmel et Gisèle saluèrent aimablement la dame et s'excusèrent de l'avoir dérangée, elles ne pouvaient rien dire d'autre. Carmel avait sa petite idée, elle reviendrait en soirée avec Joseph. Ils rencontreraient l'homme de la maison et Joseph réussirait à le faire parler.

— Nous devrions retourner à la pension, madame Gisèle, je crois qu'il n'y a rien à tirer de cette femme. Elle nous a sans doute dit la vérité.

Gisèle tenta de se donner une contenance, puis elle posa sur Carmel un regard rempli de compassion et la prit par le bras. Lorsqu'elles s'engagèrent sur le chemin du retour, Carmel craignait de ne pas avoir été assez perspicace lorsqu'elle avait croisé Alfred. Au lieu de détourner la tête, elle aurait dû dire à la logeuse qu'elle avait vu son frère, et elles auraient alors pu le suivre ; l'idée ne lui était pas venue. Mais à bien y penser, le prendre en filature, dans son état, n'était pas ce qu'il y avait de mieux ; Joseph n'aurait sûrement pas approuvé cette démarche. Carmel avait accéléré le pas, c'était plus fort qu'elle, elle voulait s'éloigner rapidement de cet endroit imprégné de mauvais souvenirs. Elle marchait trop vite, Gisèle peinait à suivre son rythme, ses cors aux pieds la ralentissaient.

— Ne te presse pas, Carmel, tu vas arriver à la pension tout essoufflée. Tu auras amplement le temps de dîner et de te reposer avant l'arrivée de Joseph. Mais au fait, que comptes-tu faire pour retracer tes proches?

Gisèle tutoyait Carmel alors que celle-ci, peut-être en raison de leur différence d'âge ou intuitivement, la vouvoyait ou l'appelait «madame Gisèle», comme le faisaient Joseph et Roseline.

Carmel avait son plan en tête, mais le garda pour elle. Elle tenta de mettre un terme à ses recherches avec la logeuse en choisissant minutieusement ses mots pour ne pas la vexer.

— Je vais attendre Joseph et j'y retournerai avec lui, il est habile pour glaner des renseignements. Pour le moment, je tiens à rentrer me reposer à la pension.

Gisèle opina, sans faire de commentaires. Elle se mit à soliloquer en marchant. «Intrigante, cette belle femme», pensa-t-elle.

Elles revinrent de leur excursion, beaucoup plus silencieuses qu'à leur départ. Bien que Gisèle ne connaisse pas Carmel, son changement d'attitude la laissait songeuse. Quoi qu'il en soit, elle la tenait toujours par le bras, et la protégea lorsqu'elles croisèrent une bande de jeunes se bousculant et criant. Carmel s'impatienta:

— Que font dans la rue ces polissons, ne sont-ils pas à l'école à cette heure-ci?

Gisèle consulta sa montre.

— C'est l'heure du dîner, ils s'émoustillent avant de retourner en classe. Ces élèves en sont à leur dernier mois d'école, ils ont un débordement d'énergie.

Carmel trouvait que Gisèle était très compréhensive à l'égard de la jeunesse, elle qui n'avait pas eu d'enfants. Une belle qualité chez cette femme.

Carmel pensa à Gilbert. Était-il lui aussi en train de s'amuser dans les rues des environs ? Les deux femmes échangèrent quelques banalités pour meubler le temps.

En entrant à la pension, Carmel se servit dans le plat de bonbons à portée de la main, puis elle s'excusa auprès de Gisèle.

— Je me sens un peu lasse. J'ai le dos en compote, le bébé est de plus en plus lourd. Je vais monter m'allonger en attendant le retour de Jos.

— Tu vas d'abord prendre un bon bol de soupe au poulet et au riz, c'est très nourrissant pour une femme enceinte.

Carmel s'attabla. Gisèle revint de la cuisine avec une grande soupière qu'elle posa au centre de la table. Elle ajouta quelques biscuits soda à côté du bol de Carmel. Elle voulait lui tirer les vers du nez. Elle savait comment s'y prendre pour délier les langues. Elle en avait développé l'habitude avec les chambreurs peu loquaces. Elle se risqua en lui posant une question ouverte.

— De quelle façon as-tu l'intention de procéder pour retrouver ta famille ?

Carmel avait le visage penché sur son bol de soupe, elle se donna du temps pour répondre.

— Je me fie entièrement à mon mari, c'est un homme d'affaires, si vous saviez avec quelle main de maître il a dirigé un comité d'enquête sur la mort atroce d'un jeune garçon à Montréal avant les fêtes. Figurez-vous que le pauvre a été happé par une souffleuse à neige.

Du tac au tac, Gisèle avança :

— Le petit Pierre Masson.

Carmel fut surprise de constater que Gisèle connaissait cette nouvelle, même si l'accident était survenu à Montréal. Du temps où elle habitait à Québec, elle croyait que peu de gens se tenaient informés de ce qui se passait dans la métropole.

— Comment le savez-vous ?

— Ah, le monde est petit ! Des nouvelles de cette importance traversent immanquablement les frontières, ma p'tite dame. Je veux dire par là qu'elles me parviennent avec la diversité de mes pensionnaires, il y en a toujours un qui vient d'un village et l'autre d'une ville. Les cancans s'échangent entre logeurs, et cela fait de moi une femme bien renseignée.

— Je n'en doute pas, madame Gisèle.

Carmel prit son bol vide pour l'apporter à la cuisine. Gisèle la retint par la manche.

— Ne touche à rien, je m'en charge.

Silence.

— Une tragédie, que la mort de Pierre !

Carmel avait remarqué que le ton de la voix de la propriétaire était devenu mélancolique, elle s'enquit :

— Vous connaissiez ce jeune garçon, madame Gisèle ?

Gisèle posa sur la table le bol qu'elle s'apprêtait à rapporter dans la cuisine. Elle tira une chaise en face de Carmel et s'assit cérémonieusement, comme si elle avait une grande révélation à faire. Elle sortit un mouchoir de sa poche, le tripota en boule et s'épongea le coin de l'œil droit. Carmel avait les yeux ronds d'impatience et de curiosité.

— Une triste histoire…

La logeuse se signa avant de poursuivre :

— J'ai appris la tragédie avant qu'elle soit publiée dans les journaux et rapportée par mes pensionnaires. En fait, c'est une des histoires les plus tristes que j'ai entendues. Peux-tu croire que Pauline, la mère de Pierre, est la cousine germaine de Ken, mon défunt mari ?

Carmel s'exclama :

— Quelle étrange coïncidence ! Comme vous le dites : le monde est petit !

Elle ne croyait pas au hasard, mais voyait encore des signes du destin dans cette histoire.

Gisèle continua :

— Les Masson, Pauline et Gustave, quel bon couple, des parents tellement attentionnés ! Pierre était leur vie, ou plutôt leur raison de vivre. Sans divulguer des secrets de famille, je dois dire que le couple a eu Pierre sur le tard. Ils ont attendu huit années, puis Pierre leur est tombé du Ciel, comme ils se plaisaient à le dire. Cet enfant était ardemment désiré. Pauline affirmait qu'il était impossible que la privation de la maternité, qui s'acharnait sur deux des femmes de la même famille, ait forcément prise sur elle. La naissance de ce garçon lui donna raison. Gustave aimait les enfants autant qu'elle.

Gisèle prit un temps d'arrêt.

— Je t'embête avec cette histoire, je constate que tu tombes de sommeil. Va te reposer, je te raconterai la suite à ton lever.

Carmel acquiesça. Même si l'histoire l'intéressait au plus haut point, le sommeil embrouillait ses pensées, elle n'était pas une auditrice attentive.

— À quelle heure veux-tu que je te réveille ?

Carmel fut étonnée. Elle ne s'attendait pas à ce que Gisèle s'immisce dans sa vie à ce point. Toutefois, sachant qu'elle aurait un bon moment à passer à la pension, elle répondit de façon polie, mais déterminée.

— Ce ne sera pas nécessaire, j'ai mon radio-réveil. Je vais essayer de dormir jusqu'au retour de Jos. Je veux être en forme lorsqu'il arrivera, il doit rentrer tôt cet après-midi.

Carmel monta à sa chambre à pas pesants en se tenant à la rampe. Elle se sentait de plus en plus lourde. Elle tira les rideaux et s'allongea tout habillée, sans même retirer le couvre-lit. Le sommeil l'envahit rapidement.

Un toc-toc persistant résonna dans les oreilles de Carmel. Il faisait noir dans la chambre. Elle chercha son radio-réveil, en vain. Elle dut se secouer pour se réveiller. Elle réalisa qu'on frappait avec insistance à sa porte. Elle s'assit sur le bord du lit, tentant de s'orienter, de repérer la porte.

— Carmel, ma p'tite dame, réveille-toi, c'est moi, Gisèle.

Carmel comprit tout à coup où elle était. Incapable de retrouver l'interrupteur, elle se rendit à tâtons vers la provenance du bruit. Une Gisèle énervée se trouvait derrière la porte.

— Il est cinq heures trente, je sers le souper dans une demi-heure. Tu as dormi d'une traite, c'est que tu en avais besoin ! Comme on dit : tu as dormi du sommeil du juste !

Carmel se frotta les yeux. Son esprit se mit à fonctionner en accéléré. « Jos, où est-il ? Il devait revenir tôt afin que nous allions à la recherche de mes parents. Mais que fait-il ? » Elle passa à la salle de bain, se refit un visage présentable et descendit à la salle à manger. Les trois autres pensionnaires étaient attablés. Elle fut accueillie par Roseline, qui se leva en la voyant et lui fit l'accolade. Deux nouveaux visages souriants étaient tournés vers elle. Roseline, en l'absence de Gisèle occupée dans la cuisine, s'empressa de faire les présentations. Carmel ne se sentait pas à l'aise. Elle se demandait toujours pourquoi Joseph n'était pas rentré. C'était en sa compagnie qu'elle aurait aimé être présentée, au bras de son mari. Il la décevait. Elle prit un air détaché. Dieu merci, Roseline mentionna que l'époux de Carmel passait sa première journée de rendez-vous professionnels à Québec. Gisèle arriva sur ces entrefaites avec une assiette de *hot chicken* dans chaque main. Elle encensa Joseph de compliments au profit des nouveaux pensionnaires, qui ne le connaissaient pas. Carmel les écoutait d'une oreille distraite. Au moment où Gisèle posa son assiette devant elle et s'apprêtait à retourner à la cuisine pour apporter les assiettes des autres chambreurs, elle entendit la porte d'entrée claquer. Elle se leva d'un coup, elle était devenue légère.

— Bonsoir, tout le monde !

Joseph, fier comme un Écossais, salua d'une petite courbette les trois pensionnaires. Carmel se retint de se jeter dans ses bras et de l'assaillir de questions devant les autres. Joseph se dirigea vers sa femme et déposa un baiser affectueux sur son front. Son visage s'empourpra. Il se pencha pour lui chuchoter à l'oreille :

— Excuse-moi, je suis un peu en retard. Je monte me débarrasser de mon porte-documents, je me lave les mains et je reviens.

Il y eut un silence.

Il réapparut au moment où Gisèle faisait son entrée avec son assiette.

— Bonsoir, Joseph, j'ai commencé à servir sans t'attendre, j'espère que tu vas m'excuser.

Lorsque son homme prit place à côté d'elle, Carmel eut envie de l'étriper. De toute évidence, il avait passé une excellente journée, son visage était radieux. Ce petit sourire de fierté qu'il affichait lorsqu'il était satisfait ne mentait pas. Carmel en fut presque jalouse. C'était la première fois qu'elle le voyait évoluer au milieu d'étrangers. Sa personnalité se démarquait nettement de celle des autres. Elle constatait qu'il prenait toute la place, et de la bonne manière. Ni vantard ni arrogant, il ne parlait pas de lui ; il discutait tout bonnement, mais chaque fois qu'il ouvrait la bouche les autres l'écoutaient. Il avait le verbe facile. Il pouvait capter toute l'attention. Il s'enquérait auprès des étudiants de leurs cours qui venaient de prendre fin. Tous deux étaient satisfaits de s'être trouvé un emploi pour l'été dans la ville de Québec. De fil en aiguille, Carmel et Joseph apprirent que Charles était inscrit en droit, il visait une spécialité en droit criminel. Philippe, lui, était en deuxième année de génie civil. Gisèle, tout en déposant les plats sur la table, mit son grain de sel en vantant leur honnêteté puisqu'ils payaient leur pension rubis sur l'ongle.

Carmel picorait dans son assiette d'un air pensif. Elle avait hâte que le souper s'achève pour se retrouver seule avec Joseph. À quelques reprises durant le repas, il lui prit la main et lui dit tout bas qu'il avait passé une excellente journée. « Grand bien lui fasse, se disait-elle, mais pourquoi n'est-il pas revenu tel qu'il l'avait promis afin d'aller à la recherche de sa famille ? » Elle était impatiente d'avoir une explication de sa part.

Joseph se leva de table, fit un petit salut et souhaita une bonne soirée à tout le monde. Carmel ne tarda pas à le suivre. Elle attrapa un bonbon dans le petit plat et prit son mari par le bras. Ils montèrent à leur chambre.

Aussitôt la porte fermée, Joseph enlaça voluptueusement Carmel. Elle tenta de se défaire de son étreinte. Il la retint sans effort contre sa poitrine, déposant des petits baisers le long de son cou gracile. Carmel se mit à rire, un rire de nervosité. Elle avait besoin de lui parler, il la distrayait avec ses baisers provocateurs. Elle le repoussa.

— Non, non, éloigne-toi de moi, mon cher mari, tu ne mérites aucun traitement de faveur.

— Madame fait sa difficile, madame n'aime plus mes chauds baisers. Madame me repousse depuis que nous sommes dans sa chère ville natale !

La mine boudeuse, Carmel s'indigna devant ses propos facétieux.

— J'ai besoin d'une explication. N'essaie pas de m'amadouer, tu sais que tu as manqué à ta parole. Je suis désappointée et profondément déçue de toi.

Joseph avait le sourire fendu jusqu'aux oreilles. Une étincelle de gaminerie luisait dans ses yeux, ce qui agaça davantage Carmel.

— Tu es belle, ma douce !

Elle faillit céder à ses avances persistantes, mais elle le repoussa à nouveau. Il en remit :

— Ta beauté est un ravissement qui mérite d'être célébré, mon amour, viens près de moi !

Carmel ne se laissa pas approcher.

— Tu m'exaspères, Joseph Courtin, en jouant aux poètes.

Le séducteur ne se laissa pas décourager et continua sur le même ton.

— Tu as passé une bonne journée ?

Cette question la fit rager. Elle n'en croyait pas ses oreilles. Non seulement il avait cet air de conquérant et lui chantait la pomme, mais il faisait encore une fois diversion. Au lieu de lui dire pourquoi il n'était pas revenu plus tôt comme promis, il détourna la conversation. Elle avança vers lui, assez près pour prendre son visage dans ses deux mains, l'approcha du sien et le fusilla du regard.

— Écoute-moi, Joseph Courtin, tu vas me donner des explications sur ta promesse trahie sinon je ne t'adresserai plus la parole. Tu as entendu? Je ne te parlerai pas tant que tu ne te seras pas expliqué. Est-ce assez clair?

Elle avait tenté d'employer un ton fâché, mais n'y était pas parvenue. Joseph lui cloua le bec d'un baiser brusque, puis il lui dit:

— J'ai des révélations intéressantes à te faire. Enlève tes chaussures et assois-toi, ça risque d'être long.

Carmel lui obéit, sa colère s'amenuisait. Après avoir placé des oreillers dans son dos, elle fronça les sourcils et croisa les bras en lui disant d'un ton sec:

— Vas-y, je t'écoute.

Joseph alluma une deuxième cigarette à même son mégot qu'il écrasa dans le cendrier avant de se révéler.

— Avant tout, cesse de m'accuser de ne pas tenir ma promesse.

Carmel ouvrit la bouche, prête à protester, mais Joseph lui imposa une œillade réprobatrice.

— Je t'épargne les détails de ma journée, qui en passant fut très fructueuse, mais ce n'est pas ce qui t'intéresse pour le moment, je t'en reparlerai.

Carmel poussa un soupir d'exaspération.

— Malgré le fait que mes rendez-vous étaient organisés à la seconde près, je n'arrêtais pas de penser à une façon de retrouver tes parents. Plus le temps passait, plus je me disais qu'il y avait un moyen à portée de la main, mais je n'arrivais pas à le trouver. Sans doute parce que les clients que j'ai rencontrés accaparaient toute mon énergie. Quoi qu'il en soit, ce n'est que vers l'heure du dîner que la solution a jailli. Je pensais à toi. Je te revoyais à la porte de la manufacture Ritchie, c'est là que tu avais capté mon regard, ensorcelé mon âme. Tu étais tellement séduisante !

Le cœur de Carmel s'emballa à l'évocation de leur première rencontre. Joseph la faisait toujours vibrer. Il poursuivit :

— Cette image de toi à la sortie de la manufacture me revenait sans cesse. C'est là que j'ai compris, c'est grâce à toi que l'idée géniale m'est venue.

— Arrête de faire le charmeur, Jos, je t'en prie, arrive donc au but.

— Tu ne vois pas où je veux en venir ?

Carmel réfléchit un court instant.

— Franchement, pas du tout.

— *Come on*, la manufacture, Ritchie, ta sœur…

Carmel fit signe qu'elle ne comprenait pas.

— C'est pourtant simple. Je suis allé à la manufacture, j'ai attendu la sortie des ouvriers. Tu te rappelles ? Je l'avais fait pour toi. Mais cette fois-ci, j'espérais voir apparaître Mathilde.

Carmel se redressa :

— Je me souviens parfaitement de ce soir où tu errais pour reluquer les filles devant la manufacture.

Carmel n'eut qu'à fermer les yeux pour revivre cette scène. Lorsque le regard de Joseph avait croisé le sien, ce soir-là, elle s'était sentie faiblir. Elle avait soutenu la caresse de ses yeux bleu acier et, le temps de reprendre ses esprits, elle avait vu ses lèvres bouger et entendu sa voix chaude : « Bonjour, mesdemoiselles. » Aucune des deux n'avait répondu. Bras dessus, bras dessous, Mathilde et elle étaient rentrées à la maison. Lorsqu'elles l'avaient croisé à nouveau, il avait osé lui faire un salut de la main. Carmel l'avait entrevu, elle le trouvait élégant, différent des gars qu'elle côtoyait dans le quartier, des amis de ses frères. Il ne lui était pas facile de réfréner de si beaux souvenirs tant elle était envoûtée, mais elle y parvint. Elle sortit de ses rêveries et se frappa le front du revers de la main.

— Je vois, je vois, tu as suivi Mathilde, c'est cela ! Pourquoi n'y ai-je pas pensé avant ? Tu es un génie. Je t'aime ! Je t'adore !

— Ouste là ! pas tant de familiarité, il y a quelques minutes à peine tu me repoussais. *Oh my Lord*, vous, les femmes, je ne vous comprendrai jamais !

— Alors, où habitent mes parents, quelle est leur adresse ?

Son débit était rapide, son impatience, palpable.

— Je ne sais pas ! *Sorry!*

Carmel lança :

— Explique-toi !

Joseph se ménagea une pause.

— J'ai attendu ta sœur jusqu'à six heures, mais elle n'est pas sortie. Afin de ne pas t'inquiéter, je suis rentré à la pension.

Joseph la jaugeait. Elle ne tarda pas à s'exprimer.

— C'est quand même une bonne nouvelle. Merci, mon amour. Nous y retournerons ensemble demain. Nous l'attendrons jusqu'à ce qu'elle sorte et alors… Crois-tu que nous devrions lui parler ou peut-être la suivre discrètement ?

— J'ai eu amplement le temps de réfléchir à la question. À mon avis, nous devrions nous montrer. Je ne vois pas pourquoi elle refuserait de nous dire où ils habitent. Partages-tu mon opinion ?

Carmel s'extasia :

— Oui, tu as raison. J'ai tellement hâte à demain. Je suis impatiente de revoir Mathilde et peut-être ma famille. Tant qu'à y être, nous entrerons les saluer, c'est indiscutable.

— Nous ferons selon ton désir. Je reviendrai te chercher vers cinq heures, nous irons à pied. Te crois-tu capable d'attendre debout si elle tarde ? Mais que je suis bête... dans ton état, nous irons l'attendre dans la voiture, ce sera plus confortable pour toi.

Carmel se lova contre son mari et le couvrit de baisers. Le soir lui apporta beaucoup d'espoir. Elle s'endormit avec une perspective réconfortante. Toutefois, elle se tourna et se retourna dans son lit la majeure partie de la nuit. Demain, enfin demain, elle reverrait sa famille. Elle avait totalement oublié le papier trouvé dans la poche de Joseph qui l'avait tant tracassée.

# Chapitre 14

Carmel, le nez rivé contre la vitre de la fenêtre de la chambre, regardait et écoutait la pluie crépiter sur le toit des voitures. La journée était longue. Si au moins cette pluie diluvienne pouvait cesser de tomber ! Presque cinq heures, Joseph allait bientôt arriver. Elle était prête. Il se pointa enfin. Sans tarder, ils s'engloutirent dans le véhicule et se dirigèrent vers la manufacture John Ritchie Co. La visibilité était presque nulle. La pluie drapait un grand rideau devant le pare-brise de l'automobile. Les essuie-glaces peinaient à chasser toute cette eau.

Carmel s'impatientait.

— On ne voit rien avec cet orage. C'est à peine si je distingue les visages.

Enfin, Mathilde et Élise sortirent de la manufacture, serrées l'une contre l'autre sous le même parapluie. Carmel les reconnut immédiatement même si les autres travailleurs s'entrecroisaient et se bousculaient, pressés de rentrer chez eux. Au même moment, un éclair zébra le ciel.

— Oh ! la voilà, c'est elle avec tante Élise.

Joseph ne broncha pas. Un roulement de tonnerre couvrit la voix de Carmel. Elle s'apprêtait à ouvrir la portière. Joseph la retint.

— Laisse-moi aller à leur rencontre. Avec ce temps de chien, tu vas attraper ton coup de mort.

Carmel hocha la tête en réprimant un geste d'agacement. Elle était contrariée, impatiente de retrouver sa sœur.

L'eau qui débordait des rebords du Stetson de Joseph lui voilait la vue. « Quel temps exécrable ! » se dit-il. Il rejoignit les deux femmes en pataugeant dans des flaques d'eau. Il jura intérieurement. Mathilde et sa tante stoppèrent net leur progression en reconnaissant l'homme qui s'avançait vers elles. Carmel les vit s'approcher tous les trois du véhicule. Joseph ouvrit la portière arrière pour les laisser monter. Carmel se tourna vers elles. Elle tendit la main à sa sœur, qui la saisit aussitôt. Élise y joignit la sienne. Elles demeurèrent un moment les trois mains enlacées. Joseph éteignit le moteur, laissant à Carmel le privilège d'engager la discussion. Mathilde et Élise s'épongèrent le visage avec leur manche de chemisier. Le silence s'étira, inconfortable. Carmel aurait voulu enlacer sa sœur, la tenir dans ses bras. Les deux femmes semblaient se donner du temps pour se remettre de la surprise. Joseph observait la scène dans son rétroviseur.

— Jos et moi sommes arrivés à Québec dimanche. Je ne savais pas où vous retrouver. Le service téléphonique a été coupé dans votre logement. Jos a eu l'idée de venir vous attendre ici. Comment allez-vous ? Où avez-vous déménagé ? Où habite la famille ?

Joseph lui pressa la main tendrement, lui indiquant de se calmer. Elle se tut, laissant à Mathilde et à sa tante le temps de répondre. La gorge serrée, Mathilde réaffirma avec rage qu'ils avaient été évincés de leur logement, faute d'avoir payé le loyer. Élise manifesta, dans une tirade d'injures, sa haine envers son neveu Alfred.

— Un vaurien, votre frère. Il nous a tous mis dans un sale pétrin. Les gens du quartier nous évitent. Des parias, nous sommes devenus des parias ! Aucun propriétaire ne voulait nous avoir sachant ce qui s'était passé. Nous en sommes réduits à vivre plus à l'étroit qu'auparavant à cause de lui.

Joseph, le regard droit devant, l'écoutait vociférer contre Alfred sans intervenir, les dents serrées, les deux mains rivées sur le volant. Sa femme, le cou tordu vers l'arrière, avait le cœur en désarroi. Mathilde poursuivit avec véhémence :

— Nous habitons au troisième étage d'un immeuble bondé. C'est à peine si j'ose descendre le soir de peur de me faire bousculer, les jeunes courent dans les escaliers.

Carmel, accablée par ces propos, guetta la réaction de Joseph, qui ne vint pas. Il n'avait pas prononcé un seul mot. L'inquiétude s'insinuait en elle. Allait-elle avoir une place avec son nouveau-né dans ce logis ? Elle devait attendre de voir les lieux avant d'envisager le pire. Elle remit momentanément en question son acharnement à vouloir venir enfanter à Québec. Son entêtement était-il déraisonnable ? S'était-elle leurrée sur sa famille ? Joseph avait-il raison de vouloir l'en tenir éloignée ? Elle pondérait maintenant son jugement.

Joseph en eut assez. D'un geste brusque, il démarra le moteur, freinant cette conversation décourageante. Les femmes parlaient à tue-tête, devant élever la voix à cause de la pluie tapageuse qui tambourinait sans répit sur l'habitacle. Cette cacophonie martelait les tempes. Joseph prit un air ulcéré et parla d'une voix cassante, sans équivoque.

— Où dois-je vous déposer ?

Les trois femmes se redressèrent sur leur siège. Mathilde bafouilla l'adresse entre ses dents.

— C'est une petite rue transversale pas loin du boulevard Langelier.

Joseph mit le pied sur l'accélérateur et avança dans la direction indiquée.

Carmel tentait de repérer l'endroit. Ils débouchèrent dans la rue en question.

— C'est ici.

Joseph immobilisa la voiture. Carmel tendit la main vers la poignée de la portière, prête à descendre, lorsque Joseph lui dit :

— Nous n'entrons pas ce soir !

Joseph ne sortit pas pour ouvrir la portière aux passagères par négligence, par oubli ou pour une tout autre raison. Embarrassées, Mathilde et Élise descendirent de l'auto sans faire de commentaires.

— Je reviendrai vous voir, je vous appellerai avant. Nous sommes à Québec pour au moins un mois, nous aurons amplement le temps de nous revoir.

Mathilde rétorqua dans un marmonnement :

— C'est inutile d'appeler, Carmel, nous n'avons pas le téléphone.

Et la portière claqua.

Carmel suivit leurs silhouettes pendant qu'elles s'éloignaient. Les deux femmes penchées vers l'avant avaient l'air de deux petites vieilles. Ni l'une ni l'autre ne se retournèrent. Carmel avait envie de pleurer. Joseph était frustré. Comment avait-il pu céder à sa femme ? Il aurait dû être plus ferme, ne pas l'écouter. Quelle idée de passer un mois dans une chambre de pension à attendre la naissance de leur premier enfant ! Ridicule. Insensé. Irresponsable. Indubitablement, Rita aurait été tellement aidante. Il se sentit plein de regrets. Il en ressentit une crispation. Était-il trop tard pour faire marche arrière ? Peut-être pas. Il allait en parler avec sa femme dès ce soir. La réalité et l'absurdité de la situation lui sautaient au visage. Carmel n'aurait pas de place dans cet appartement. Et même si elle en avait une, il ne pouvait se résigner à mettre sa famille en danger. Le retour vers la pension fut pénible pour le couple. Joseph était peiné du mutisme de Carmel. Des trombes d'eau, sinistres, crépitaient sans relâche sur la voiture. Aucune parole ne fut prononcée durant le trajet. Joseph préféra le silence, craignant de provoquer un esclandre, alors que Carmel n'osait penser tout haut.

En les voyant entrer dans le fracas de la tempête, Gisèle se précipita vers eux, une grande serviette dans les mains.

— Holà ! Vous êtes trempés comme des canards. C'est un vrai déluge, entrez vite vous sécher.

Un autre coup de tonnerre déchira le ciel. Le couple s'exécuta de bonne grâce. Carmel était perturbée, cela se voyait.

* * *

La pluie s'était lentement transformée en bruine durant la nuit et ne cessa que le lendemain en début d'après-midi. Joseph s'était levé et habillé sans faire de bruit. Il avait déjeuné en vitesse et avait dit qu'il filait au boulot.

— De si bon matin ! avait rouspété Gisèle en desservant la table, consciente que quelque chose clochait.

Durant toute la journée, les obsessions tourmentèrent Carmel ; elle était aigrie. Elle argua qu'elle était fatiguée pour rester dans sa chambre. Elle ne se sentait pas à l'aise de parler à Gisèle de sa rencontre de la veille. Tôt ou tard, il faudrait bien qu'elle l'en informe. Elle avait une envie folle de se rendre chez ses parents. Elle savait pertinemment que Joseph ne serait pas d'accord. Pas après la description que Mathilde lui avait faite de leur logement. Il n'était pas question qu'elle se fasse accompagner par sa logeuse, ni qu'elle manigance des sorties dans le dos de Joseph. Il ne lui avait pas adressé la parole depuis leur retour à la pension la veille.

Il lui faudrait discuter avec Joseph. Son silence était insupportable. À quoi pensait-il ? Que ruminait-il ? Elle préférait une conversation animée, voire survoltée, à ce mutisme. Était-il préoccupé pour les mêmes raisons ?

Elle s'agrippa au rebord de la fenêtre ; une crampe dans le bas-ventre la fit frémir. « Qu'est-ce que c'est ? J'ignore les signes avant-coureurs de l'accouchement. » Elle s'allongea sur le lit, à l'affût de tout mouvement ou douleur suspect. Son ventre lui parut énorme. Quelques minutes sans sentir la présence de son bébé l'affolèrent. L'accouchement n'était prévu que dans quelques semaines. Elle se souvenait des pronostics réservés du médecin. « C'est votre première grossesse, il est difficile d'avancer une date avec précision. » Elle n'avait pas encore consulté de médecin à Québec. Elle avait jonglé avec l'idée de demander à Élise de la recommander à son cher docteur. Elle réalisait que ce n'était peut-être pas une si bonne idée. Elle risquerait de compromettre sa tante et de la placer dans une situation embarrassante. Un remue-ménage dans son ventre la fit tressaillir. Elle sursauta. « Il bouge, Dieu merci, le bébé bouge ! Elle bouge, il bouge ! » Elle avait eu peur. Très peur. Allongée depuis longtemps, elle ne ressentait plus aucun malaise, seulement des coups de pied ou de coude bienvenus, difficiles à identifier. Elle était prête à se laisser malmener par ce petit être. Qu'il bouge, qu'il la talonne, qu'il lui éreinte le dos, peu importait pourvu qu'il se manifeste. Carmel avait entendu toutes sortes d'histoires d'enfants mort-nés. Le sien était bien vivant, il n'avait dormi que cinq minutes à peine et voilà qu'elle s'inquiétait pour sa vie. Rassurée, elle ferma les yeux. Lorsqu'elle les rouvrit, elle se leva, regarda sa montre. Trois heures trente. La journée s'était étirée en longueur.

Elle descendit à la salle à manger, la pension était silencieuse. Gisèle était sans doute sortie faire des courses. Elle butina d'un œil distrait. Elle marqua un temps d'hésitation. Finalement, elle n'allait pas fureter. Au contraire, elle voulait se faire discrète, qu'on ne la soupçonne pas de fouiner dans les affaires des autres. Elle allait emprunter l'escalier lorsqu'elle croisa Roseline dans le corridor. Elle n'avait pas réalisé que l'infirmière était de retour.

— Bonjour, Carmel, cherches-tu quelque chose ? Puis-je t'être utile ?

— Non, je…

— Ça va ?

— Oui, je sors du lit, j'allais remonter dans ma chambre.

— Prendrais-tu un thé avec moi ?

Carmel accepta sans hésiter.

— Comment se porte le chérubin ?

Carmel sauta sur l'occasion.

— C'est ma première grossesse, inutile de te dire que je ne sais pas à quoi m'attendre. Je m'inquiète au moindre malaise. C'est normal, j'imagine, puisque je suis presque à terme…

Roseline lui palpa chaleureusement le ventre. Quelle belle occasion de questionner cette infirmière !

— J'ai consulté mon médecin avant de partir de Montréal. D'après lui, ma grossesse se déroule normalement. Je me demandais si tu pouvais me recommander un médecin ici.

Carmel eut à peine le temps de terminer sa phrase que Roseline lui fit immédiatement une suggestion.

— Je te conseille fortement de consulter un gynécologue, il y en a d'excellents qui pratiquent à l'hôpital de l'Enfant-Jésus. Attends, je connais une femme qui, sans être gynécologue, se spécialise dans les accouchements. Certaines futures mamans préfèrent être assistées par une femme. Toi, Carmel, as-tu une préférence ?

— Franchement, aucune. C'est un homme qui me suivait à Montréal, euh… je veux dire un homme médecin.

Les deux femmes pouffèrent de rire. Roseline inscrivit un nom et un numéro de téléphone sur un bout de papier qu'elle tendit à Carmel. La présence de l'infirmière prolongea le sentiment de plénitude qu'elle éprouvait dans cette pension.

— Il n'est pas nécessaire de lui dire que c'est moi qui te recommande, elle accepte de nouvelles patientes. Par contre, cela ne peut pas nuire de lui déclarer que tu me connais.

L'atmosphère était agréable, décontractée. Quel plaisir de se retrouver avec une si charmante personne ! Carmel se demandait dans quelle famille cette infirmière avait été élevée, alors qu'elle avait grandi dans la dépravation, l'alcoolisme et la pauvreté. En aucun cas elle n'aurait pu s'entretenir avec Roseline des malheurs qui frappaient sa famille. Une jeune femme si instruite ne la comprendrait pas.

Elle devait trouver un moyen de convaincre Joseph de l'emmener au nouveau logement de ses parents. Elle était, à vrai dire, surprise qu'il n'ait pas mentionné vouloir voir le jeune Gilbert, lui qui semblait tellement concerné par son sort. Devrait-elle faire jouer cette corde sensible pour le persuader ?

— Tu m'écoutes, Carmel ?

Carmel sortit de ses jongleries et lui répondit sur un ton de soulagement.

— Oui, j'étais distraite, je m'excuse. Tu me tires une épine du pied, je l'appelle tout de suite. Tu crois que je peux utiliser le téléphone de la pension ?

— Certainement, si tu fais un appel local. Gisèle accepte que nous nous servions de son téléphone. Fais-le maintenant, l'accoucheuse est sans doute encore à son bureau à cette heure-ci. Et si tu as besoin de quoi que ce soit, je suis là, ne l'oublie pas et ne te gêne surtout pas.

Carmel obtint un rendez-vous pour le lundi suivant. Elle s'empressa de remercier Roseline en lui entourant les épaules. Roseline avait à peine avalé sa dernière gorgée de thé qu'elle se leva de table.

— J'ai envie de me reposer un peu avant le souper, tu m'excuses, Carmel ?

Carmel prit sa main dans la sienne et la remercia de nouveau chaleureusement.

— Je monte, moi aussi. Je vais attendre le retour de Jos dans la chambre.

— Est-ce que tu aimes la lecture ?

— Je consacre mon temps libre au tricot, j'ai toujours un projet en cours. Pourquoi me poses-tu cette question ?

— Ah, je ne sais pas si cela peut t'intéresser, mais moi j'aime beaucoup lire, peut-être par déformation professionnelle. Lorsque je t'ai mentionné qu'il y avait des femmes qui pratiquaient la médecine à l'hôpital, j'aurais pu ajouter que c'est assurément grâce à Irma LeVasseur, une pionnière. Je te garde le suspense. J'ai quelques notes biographiques la concernant, ce n'est pas une brique, seulement quelques pages. Je te les prête, si tu veux.

Carmel acquiesça.

— Suis-moi dans ma chambre.

Roseline tendit un petit document à Carmel, qui lut le titre à voix haute :

— *La première femme médecin franco-canadienne et catholique au Québec.* Merci, Roseline, la lecture de son cheminement m'intéresse.

Carmel regagna ses pénates. Elle se plongea immédiatement dans la lecture.

« Irma LeVasseur est née à Québec le 18 janvier 1878. Il y avait déjà trois autres femmes médecins à l'époque, mais anglophones et protestantes. Irma fait ses études au couvent de Jésus-Marie de Sillery et les continue à l'École normale de Laval. Elle souhaite devenir médecin, mais, au Québec, les filles n'ont pas accès aux études supérieures. Elle décide donc d'aller étudier aux États-Unis pour suivre les cours de l'École de médecine de l'université St. Paul, dans le Minnesota.

«Le 7 juin 1900, elle obtient son doctorat en médecine et amorce sa carrière à New York. Mais Irma veut revenir au Canada. Il lui faut cependant obtenir l'autorisation officielle du Collège des médecins et chirurgiens du Québec pour avoir le droit de pratiquer, car les femmes ne pouvaient exercer cette profession dans la province. Alors Irma fait une demande à l'Assemblée législative pour obtenir une dérogation à cette loi inique.

«Le 25 avril 1903, elle obtient le droit de pratiquer la médecine à la condition de passer l'examen du Collège des médecins et chirurgiens du Québec. Elle réussit et devient la première femme médecin au Québec. Dès ses premiers jours de pratique, elle est impressionnée par l'ampleur du taux de mortalité infantile. Elle essaie de remédier à ce problème. De 1905 à 1907, elle étudie la pédiatrie à Paris, d'une façon plus approfondie, et fait des recherches dans des hôpitaux en Allemagne.

«De retour au Québec, Irma LeVasseur prend la direction d'un comité d'aide aux mères nécessiteuses et aux enfants souffrant de malnutrition. Elle contribue à la Fondation de l'hôpital Sainte-Justine de Montréal. Cet hôpital est devenu le premier à traiter les enfants de moins de deux ans. En avril 1915, la Serbie fait appel à des médecins canadiens pour aller secourir la population, victime d'une grave épidémie de typhus. Parmi les cinq praticiens à avoir répondu à l'appel se trouve le Dr LeVasseur.

«Dès 1918, Irma exerce les fonctions de médecin militaire en France, puis elle se rend à New York pour la Croix-Rouge. Elle revient ensuite à Québec où elle conçoit le projet de fonder un hôpital spécialisé dans les maladies infantiles. Avec ses propres économies, elle met en place un dispensaire avec deux collègues. Ce dispensaire deviendra l'hôpital de l'Enfant-Jésus. En 1927, Irma ouvre sa propre clinique pour enfants handicapés.»

Carmel avait lu presque d'une traite ces quelques pages. Elle était épatée par le cheminement de cette femme extraordinaire. Quel modèle et quel exemple de courage et de détermination!

***

Joseph arriva à la pension sur le coup de six heures. Carmel l'attendait dans leur chambre. Elle n'était pas descendue rejoindre les autres lorsque Gisèle lui avait dit que le souper était servi. Elle lui avait répondu qu'elle préférait lire un peu en attendant le retour de Joseph.

En pénétrant dans la pièce, Joseph croisa le regard pensif de sa femme, assise dans la berceuse. Il avait l'air nerveux. Il arpenta la chambre avant de s'adresser à elle. Il lui raconta sa journée. Bizarrement, contrairement à son habitude, il ne s'était pas informé d'elle.

— J'ai rencontré le maire de la Ville, M. Lucien-Hubert Borne. J'ai beaucoup apprécié notre entretien. Nous avons eu une conversation presque amicale. Il connaît Montréal pour y avoir étudié. Il est tanneur et a commencé à exercer son métier dans la manufacture de son père. Ses parents étaient immigrants. J'ai le sentiment d'avoir beaucoup d'affinités avec lui. J'aimerais le connaître mieux, je veux dire en dehors des affaires. Il m'a appris que son père était français et sa mère, luxembourgeoise. Un homme bien, il me fait un peu penser à Arthur Sicard. Je ne parle pas du côté politique, car je ne crois pas que M. Sicard s'y intéresse autrement que pour se faire des relations dans ce milieu.

Joseph avait parlé durant tout ce temps sans même s'asseoir. Patiente, Carmel ne tentait pas de l'interrompre, cela aurait été vraiment difficile. Il semblait étirer le temps. Faire diversion était sa tactique. Elle ne l'écoutait que d'une oreille.

Joseph s'assit sur le bord du lit, en face de Carmel. Ses beaux yeux bleu acier la pénétrèrent. Elle fondit lorsque leurs regards se mirèrent l'un dans l'autre. Qu'avait-il donc à lui annoncer ? Tout à coup, il déclara :

— Je suis allé à l'appartement de tes parents.

— Ah, c'est donc cela ! Jos, pourquoi ne pas m'avoir attendue ?

Carmel regarda son mari de travers. Elle s'insurgea, elle avait le goût de l'invectiver.

Joseph répliqua :

— J'y suis allé en éclaireur. Je tenais à m'assurer que le secteur était sécuritaire avant que tu t'y rendes seule.

Carmel se rebiffa :

— Voyons, Jos, tu exagères, nous ne sommes pas dans les bas-fonds de New York ou de Chicago (tout ce qu'elle connaissait de cette ville était le gangster Al Capone).

Joseph en fut momentanément amusé. Carmel poursuivit.

— Tu es surprotecteur. Non, je n'appelle plus cela de la protection, mais de la domination. Tu cherches tous les prétextes pour m'éloigner des miens, c'est facile à constater.

Elle ne put continuer, les mots lui manquaient. Elle se radoucit légèrement, tentant d'ignorer la blessure d'amour-propre qu'elle venait de lui infliger, lorsque Joseph s'approcha d'elle et lui dit d'une voix de conspirateur :

— Je voulais voir Gilbert.

Le silence parut s'éterniser.

Carmel était dépitée, mais quoi dire devant un argument aussi humain ? Il avait agi par amour pour Gilbert, il fallait qu'elle l'admette. Sur le coup, elle fut fâchée, déçue et même frustrée. Son regard interrogateur ne laissa pas Joseph indifférent. Sans tarder, il lui raconta sa visite.

— J'ai tout d'abord attendu que Gilbert revienne de l'école. Il est apparu après une bonne vingtaine de minutes. J'étais assis dans ma voiture garée le long de la rue, à proximité de l'appartement de tes parents. C'est lui qui m'a reconnu le premier.

— J'aurais donné cher pour être là !

— Il était seul, vêtu proprement. Son pas était nonchalant. Il a tout de suite insisté pour que je rentre à l'appartement. Je l'ai plutôt invité à monter dans la voiture.

— Qu'a-t-il fait ?

— Il a accepté.

— Est-ce qu'il a été surpris de te voir ?

— Ça, pour une surprise, c'en a été toute une. J'ai l'impression que ni Mathilde ni Élise ne lui avaient parlé de notre rencontre. Il m'a dit que ta mère était seule au logement à cette heure-là. D'après ce que j'ai compris, Marcel ne reste plus avec eux, il se serait trouvé de l'ouvrage dans une compagnie de déménagement. Il partagerait une chambre avec un collègue. Il ne reste donc chez tes parents que deux des trois mousquetaires.

Carmel ne releva pas la dernière remarque. Elle s'inquiétait du sort de son frère.

— Quel genre de chambre ?

— Gilbert dit que son ami et lui habitent ensemble, sans plus de précisions. Il semblait ravi de me rencontrer. Il répondait le plus souvent à mes questions par un oui ou par un non. J'ai essayé de le faire parler de sa fugue au printemps. Il s'est aussitôt refermé sur lui-même. Je n'ai pas été très habile, je crois. N'empêche qu'avant que je le quitte il a dit une phrase qui m'a beaucoup surpris.

— Quoi donc ?

— Il avait le visage renfrogné ; il tentait de retenir ses larmes. En fait, il a dû prendre son courage à deux mains pour m'avouer d'un ton saccadé que, le soir où il était entré tard, il était allé voir sa vraie famille, son père, sa mère ainsi que sa jeune sœur, Solange.

— Ah ! pauvre enfant ! J'aurais tellement aimé être un petit oiseau pour entendre cela.

— Il a ajouté sur un ton de dépit que c'était terminé avec son père.

— Mais qu'a-t-il voulu dire au juste par là ?

— Je ne fais que te répéter ses paroles. Il a affirmé qu'il ne tenterait plus de reprendre contact avec son père, qu'il le rayait définitivement de sa vie. Il a ajouté qu'il essaierait toutefois de revoir Solange. Il avait l'air mystérieux et secoué. Je n'ai pas pu lui en faire dire plus, j'ai été pris au dépourvu.

Silence.

— Il n'a rien dit au sujet de sa mère.

— Non, je l'ai moi aussi remarqué.

— Tout cela est étrange, c'est vrai que nous ne connaissons rien de cet enfant.

— Je l'ai interrogé concernant leur nouveau logement. Il m'a répondu qu'il s'y plaisait même si ça ressemblait à une boîte à sardines, qu'il occupait la même chambre que tante Élise et qu'elle était toujours sur ses talons !

Avant que Carmel puisse intervenir, Gisèle frappa à leur porte en insistant pour qu'ils descendent prendre leur souper. Les autres pensionnaires avaient terminé leur repas. Ils ne la firent pas attendre et descendirent immédiatement. Ils s'attablèrent seuls. Carmel pria Joseph de faire vite, car elle avait un besoin pressant d'en savoir davantage. Ils ne s'attardèrent pas. Ils remontèrent dans leur chambre avec chacun un biscuit aux pépites de chocolat à la main. Carmel ferma derrière eux et bombarda son mari de questions.

— Je crois t'avoir tout raconté. Cesse de t'agiter de la sorte. Assois-toi et raconte-moi maintenant ce que tu as fait aujourd'hui.

Carmel se tracassait pour le jeune Gilbert. Malgré tout, elle profita de cette intimité bienfaisante pour faire part à Joseph de sa discussion avec Roseline :

— Tu sais, il y a des femmes pas mal extraordinaires à Québec.

— À commencer par toi.

— Flatteur, écoute donc ce que j'ai à te dire.

Il se rapprocha d'elle et la bécota dans le cou puis sur le visage.

— Comment pourrai-je te parler si tu me distrais de la sorte ?

— Je t'aime.

— Moi aussi, mais réellement il y a deux femmes extraordinaires. Tu connais la docteure Irma LeVasseur ? Tiens, jette un coup d'œil sur ces notes biographiques, tu seras impressionné.

Joseph fit une lecture en diagonale des feuillets que Carmel lui avait tendus.

— Remarquable ! Cheminement et carrière émérite pour la première femme, qui donc est la seconde ?

— Nulle autre que Roseline.

— Ah bon ! Qu'a-t-elle fait d'exceptionnel pour passer à tes yeux pour une femme si extraordinaire ?

— Elle m'a recommandée à un médecin, c'est-à-dire une femme médecin rattachée à l'hôpital où elle travaille. J'ai obtenu un rendez-vous pour lundi prochain.

— Très bien, je vais organiser mon horaire afin de t'accompagner.

— Merci ! Ce sera la première fois, j'aurais dû choisir une femme médecin dès le départ !

Joseph tenta tant bien que mal de détendre l'atmosphère. Carmel essaya d'imaginer le nouveau logement de sa famille. Elle voyait parfaitement où Joseph voulait en venir en lui rapportant que l'appartement ressemblait à une boîte à sardines. Mais elle ne prendrait aucune décision tant qu'elle n'aurait pas vu les lieux.

# Chapitre 15

Joseph consacra la fin de semaine à sa femme. Cela lui évitait de passer ses deux jours confiné à la pension. Il savait que Carmel adorait Québec et souhaitait lui en faire profiter. Il lui offrit de faire une promenade.

— Nous renouerons avec nos anciennes habitudes. J'aimais tellement marcher sur les plaines d'Abraham. Voilà ce que je te propose : demain, nous irons à la messe à la basilique de Québec, puis nous dînerons dans un restaurant des environs.

En ce dimanche, c'était l'embellie, le soleil brûlait les toits. Après avoir assisté à la messe et avoir pris un copieux repas dans un restaurant touristique, Joseph et Carmel se rendirent sur les plaines et prirent place sur un banc public, habitude qu'ils avaient acquise lorsqu'ils se fréquentaient. Que de bons souvenirs !

— Le fleuve est magnifique aujourd'hui, as-tu remarqué, Jos ?

En effet, le reflet du soleil sur l'eau crénelée de vagues offrait un décor bucolique. Joseph était songeur. Il lui fit part de ce qu'il se rappelait avoir lu dans le *The Montreal Gazette.* La valeur stratégique de l'estuaire était connue des Allemands depuis fort longtemps. Vers la fin des années 1930, plusieurs avaient été envoyés en se faisant passer pour des agents immobiliers pour négocier l'achat de l'île d'Anticosti. Si Hitler avait réussi à conclure une telle transaction, il serait devenu le maître incontesté du fleuve. La une du journal de décembre 1937 témoignait du bruit que cette affaire avait fait à l'époque.

Carmel rêvassait. Les révélations de Joseph la surprirent.

— Veux-tu dire que les Boches pourraient venir ici, sur le territoire canadien, nous faire la guerre? Pour aucune raison notre pays n'entrera en guerre. Nous sommes un peuple pacifique.

Carmel se tut un moment pour ensuite se répandre en insultes à l'égard du IIIe Reich, grand responsable de cette affreuse guerre.

— Ce Hitler, si tu savais combien je le déteste. Je le hais, il n'est pas normal, il est mauvais, il est responsable de tous les…

— Calme-toi, la guerre ne concerne pas les femmes, c'est une histoire d'hommes, quoique je suis inquiet, car ce chancelier s'en va vers une course à l'abîme.

— Justement, si les femmes s'en mêlaient, il y aurait moins de tueries et plus de compréhension. Les femmes qui portent les enfants ne laisseraient pas la chair de leur chair se laisser endoctriner par ce monstre. Je trouve les mères allemandes mortellement généreuses de sacrifier leur progéniture et leur mari pour obtenir plus de territoire, plus de pouvoirs. C'est payer très cher, je trouve!

Carmel frémit d'incompréhension, elle en remit en martelant chaque mot:

— Ce dérangé veut posséder le monde entier, l'ambition tue son maître, n'oublie pas cela, Jos. Quand je pense à toute la cruauté de la guerre, elle ne vient pas des soldats qui se battent en Europe, mais de cet homme qui manipule son peuple dans son propre intérêt.

— Chut, chut, chut. Surveille tes paroles et fais attention de porter un jugement sans connaissance de cause. Je ne veux surtout pas défendre cet homme, mais ce n'est pas aussi simple que cela. *But never mind.*

Au même moment, un homme d'une élégance remarquable passa devant eux sans s'arrêter. Carmel, malgré sa lourdeur, se leva précipitamment. Elle fit quelques pas derrière ce monsieur aux allures de Casanova. Les quelques cheveux gris qui se faufilaient sur ses tempes lui donnaient un air de dignité. Il marchait le dos droit comme un piquet. Arrivée à sa hauteur, elle lui tapa légèrement sur l'épaule. Joseph examinait la scène, le regard perplexe. Les deux personnes se firent face et tombèrent dans les bras l'un de l'autre. Joseph alla les rejoindre, il venait de reconnaître l'oncle de Carmel, ce charmant Bernard Grenier, le frère d'Eugénie et d'Élise. Ce veuf, d'une beauté naturelle, était vêtu comme une carte de mode.

— Hum ! Hum ! fit-il derrière eux.

Joseph se souvint instantanément de l'histoire que Carmel lui avait racontée au sujet de son oncle qui, lorsqu'il était dans la vingtaine, avait épousé Blanche Beaurivage, une jeune femme gravement malade. Atteinte de leucémie, elle était morte deux mois après leur mariage. Bernard l'aimait à la folie. La sachant à l'article de la mort, il l'avait épousée malgré le pronostic des médecins. Il ne s'était pas remarié même si un grand nombre de femmes le courtisaient.

Avec sa galanterie légendaire, après avoir embrassé sa nièce sur les deux joues, il la tint par la main et tendit l'autre à Joseph.

— Mais quelle heureuse surprise ! Vous semblez en excellente forme, tous les deux.

Carmel se balança d'un pied à l'autre. Joseph la prit par le bras.

— Nous filons le parfait bonheur, notre enfant verra bientôt le jour. Et vous ? Toujours au Syndicat de Québec ?

— Tant et aussi longtemps que les dirigeants voudront de moi, j'y resterai, je m'y plais. Faisons quelques pas ensemble, si vous avez le temps, naturellement. T'en sens-tu capable, ma chère nièce ?

Carmel fut tenue par le bras gauche par Joseph et par le bras droit par Bernard. Circulait entre eux un courant d'affection.

— Je suis escortée par les plus beaux hommes de la terre, je vais faire des jalouses.

Les hommes marchaient avec élégance et étaient conscients qu'ils suscitaient l'admiration autour d'eux.

— Flatteuse, va ! Je me rappellerai toujours cette journée où tu es arrivée dans mon rayon. Tu étais à la recherche de tissu afin d'éblouir ce jeune homme dont tu te languissais à l'époque.

Joseph pouffa de rire.

Carmel s'en souvenait parfaitement. Elle avait eu du mal à garder l'attention de son oncle, car il était distrait par les autres jeunes femmes qui l'interpellaient. Elles étaient comme des abeilles autour d'une ruche. « Vous êtes un vrai don Juan, mon oncle. Un bel homme tel que vous, c'est rentable pour le Syndicat de Québec, n'est-ce pas ? » lui avait-elle dit. Elle se souvenait d'être partie enchantée du magasin. Son oncle l'avait conseillée judicieusement. Lorsqu'elle avait accueilli Joseph, elle étrennait sa jupe droite cousue dans le tissu que Bernard lui avait vendu. Elle était passablement satisfaite de sa tenue et espérait plaire à Joseph.

Carmel revint sur terre et montra son ventre avec fierté :

— Et voilà le résultat, mon oncle.

Après le départ de son cher parent, Carmel ne put s'empêcher de commenter :

— Quel charmant personnage, quel homme positif, en aucune circonstance il ne parle en mal des autres. Je suis surprise qu'aucune femme ne lui ait mis le grappin dessus.

Joseph émit un doute :

— Tu n'en sais rien, ma douce !

Ce qu'ignoraient Carmel et Joseph, c'est que Bernard venait chaque année faire son pèlerinage sur les plaines. Il s'assoyait toujours sur le banc du parc placé sous le même chêne majestueux et, pendant qu'il admirait la magnificence des lieux, il rêvassait longuement. Aujourd'hui, un vent léger faisait bruire les feuilles du vieux chêne. Cela faisait vingt ans que Blanche, sa jeune et merveilleuse épouse, était décédée. C'était sous un autre grand chêne qu'il l'avait aperçue pour la première fois. Le temps n'avait pas effacé ce doux souvenir qui lui revenait parfaitement en mémoire. Chaque année, il se racontait cette belle histoire, celle de sa rencontre avec la femme qu'il avait mariée. Il l'avait fait encore aujourd'hui. C'était au début de l'été. Il avait accepté une invitation de Lili, l'une de ses nombreuses amies. Ses parents possédaient une belle demeure secondaire à Château d'Eau où Lili offrait une fête pour la Saint-Jean-Baptiste. Plusieurs jeunes de bonne famille avaient été invités pour ce jour où le pique-nique était offert, suivi du traditionnel feu à la brunante. Bernard aimait la campagne, même s'il n'avait guère eu la chance d'en profiter.

L'invitation de Lili, la gérante du rayon des vêtements intimes du Syndicat, tombait bien. Il n'avait aucun projet pour cette fin de semaine, car la jeune demoiselle qui devait l'accompagner au Cinéma de Paris avait attrapé un bon rhume et avait dû quitter son rayon des parfums tôt le vendredi.

En chantonnant un refrain à la mode, en ce beau samedi matin, il s'était préparé. Il avait choisi de porter son beau costume trois-pièces en lin blanc. Il n'aimait pas se promener sans chapeau. Il en avait d'ailleurs une fort belle collection. Il avait choisi un canotier blanc au rebord orné d'un riche ruban écarlate. C'était la seule touche de couleur qu'il se permettait de porter ce jour-là. Assis au volant de sa belle décapotable noire, il avait l'air princier. Il arriva donc à Château d'Eau, chez son amie Lili, vers les onze heures.

Sur le court de tennis, on voyait déjà des joueurs haletants, qui désiraient à tout prix épater la galerie. Le jeune Maurice remporta le match. Son adversaire, qui n'acceptait pas la défaite, le félicita du bout des lèvres. Il ne lui serra même pas la main. Il était mauvais perdant, c'était un fait connu. Louis et Denis, des amis, refusaient de se mesurer à lui pour cette raison. Ils invitèrent Bernard.

— Non, merci, je laisse le court à d'autres.

Bernard n'était pas très sportif et détestait se montrer, la sueur perlant au visage.

— Bonjour, Bernard, vous avez fait bonne route ? Vous m'avez apporté des fleurs, merci. Lili, viens ici, ma chérie, ton ami Bernard est arrivé les bras chargés de fleurs.

Bernard avait pensé à tout.

— Il y en a aussi pour toi, Lili.

Après avoir disposé harmonieusement le bouquet dans un grand vase, la mère de Lili invita Bernard à se joindre à la brochette d'invités déjà arrivés.

— Venez donc vous asseoir avec nous sur la véranda. Je vous prépare un bon gimlet, c'est très rafraîchissant, vous verrez.

Bernard s'assit dans une chaise de jardin recouverte d'une épaisse cretonne. Il y avait une dizaine de personnes sur la véranda et la discussion allait bon train. Il pouvait saisir des bribes de conversation. Tout à coup, Lili apparut en disant :

— Oui, par ici on l'appelle « la Dame en blanc ». Personne ne lui a encore parlé. Elle habite au bout du chemin… la grosse maison de pierres.

— Denis, vous ne pouvez l'avoir aperçue, elle demeure à au moins un mille d'ici. Vous n'aviez aucune raison de vous rendre là.

— De toute façon, j'ai vu cette dame toute de blanc vêtue, sauf pour sa ceinture, qui était du même rouge que le ruban du canotier de Bernard.

Bernard termina son gin. On lui en offrit un autre, qu'il refusa.

— Vous savez, je bois très peu, et avec cette chaleur ! J'aimerais bien aller me promener dans les alentours, histoire de me dégourdir un peu les jambes.

— Viens jouer au croquet, Bernard, nous organisons une partie et il nous manque un joueur.

— Plus tard, c'est certain. Je vais d'abord me rafraîchir dans la piscine.

Personne ne s'offrit pour l'accompagner. Heureusement qu'il avait pensé à tout. Son maillot de bain noir dernier cri présentait de larges emmanchures et une échancrure au cou ; le pantalon mi-jambe laissait voir un corps bien développé et une belle peau blanche. Il irait le prendre plus tard.

Bernard sortit par l'arrière de la propriété des parents de Lili et s'avança afin de voir où le chemin se terminait, si ce n'était pas trop loin. Il ne disposait que d'une heure pour sa promenade ; on lui avait dit que le pique-nique aurait lieu à une heure.

Il marchait sur le chemin, qui lui paraissait assez étroit. Il se demandait comment deux voitures pourraient bien faire pour se croiser. « Ce n'est pas mon problème, se dit-il, ça fait seulement trois fois en deux ans que je suis invité ici. »

Il pensait à tout et à rien, mais une phrase dite plus tôt par Lili l'intriguait. Était-ce la raison pour laquelle il avait décidé de s'aventurer sur ce chemin ayant plusieurs côtes et détours ?

« La Dame en blanc », que c'est charmant comme surnom ! Et quelle imagination de la part des voisins qui disent la voir se promener dans les champs les nuits de clair de lune !

Il consulta sa montre qui lui indiquait qu'il était parti depuis une demi-heure environ.

« Bon, se dit-il, je vais jusqu'au détour, puis je retourne au chalet. » En relevant la tête, il aperçut tout à coup une jeune femme assise au pied d'un chêne majestueux.

Elle sursauta en le voyant apparaître sur le chemin. Elle n'avait jamais vu cet homme. Elle se leva et eut un léger mouvement de recul. Elle regarda autour et constata qu'elle était bien seule avec cet étranger. Elle s'était beaucoup trop éloignée de la maison.

— Bonjour, mademoiselle, permettez-moi de me présenter, Bernard Grenier, de Québec. Je suis chez la famille Beauchamp, leur fille Lili m'a invité pour la fin de semaine de la Saint-Jean-Baptiste. Je suis arrivé ce matin.

Pendant qu'il parlait, il la détaillait et se répétait : « Quelle élégance pour la campagne ! Une robe de broderie anglaise... ma foi, sa ceinture est de la même couleur que celle du ruban de mon chapeau. Quelle coïncidence ! Comme ses pieds sont menus pour une femme de sa taille ! »

Elle le fit sortir de ses rêveries.

— Monsieur Grenier, merci de me rassurer. On ne sait jamais qui on peut rencontrer au détour d'un chemin. Seriez-vous par hasard parent avec la famille Grenier de Notre-Dame-de-Grâce ? Cette dame Grenier est une grande amie de ma mère. Elle est d'ailleurs en visite chez nous elle aussi.

— Pardonnez-moi, mademoiselle, mais pourrais-je connaître votre nom ?

En lui souriant, elle répondit :

— Blanche Beaurivage. Ma famille vient du bas du fleuve. Nous avons déménagé ici il y a une dizaine d'années.

— Enchanté de faire votre connaissance, mademoiselle Blanche Beaurivage. Dites-moi, connaissez-vous la famille Beauchamp ? Si vous y consentiez, vous pourriez m'accompagner chez eux, je vous les présenterais.

— J'aurais bien aimé, monsieur Bernard Grenier, mais ma mère n'aime pas que je m'éloigne et elle doit déjà se demander où je suis passée. Je ne voudrais pas voir apparaître mes pauvres parents en voiture pour venir me chercher. Ils ont grandement peur que je me fatigue.

Bernard cherchait par tous les moyens à retarder son départ. C'est alors qu'il dit :

— Me permettriez-vous par conséquent de vous raccompagner jusque chez vous ?

Elle répondit :

— Et la famille Beauchamp ? Ce sera à son tour d'être inquiète !

Bernard planta son doux regard dans les yeux de la jeune femme.

— Mais, dites-moi, mademoiselle, vous adonnez-vous à la couture ?

Ses yeux se mirent à briller.

— J'adore cela, d'ailleurs, ce que je porte aujourd'hui, c'est moi qui l'ai confectionné.

Bernard contempla la tenue, débordant d'admiration.

— Je vous demande cela parce que je travaille dans le rayon des tissus au Syndicat de Québec, je me ferai un plaisir de vous y servir. Je remarque que vous aimez le blanc, mademoiselle Beaurivage. Au magasin, l'acheteur qui a fait les commandes pour les tissus estivaux a vraiment fait un bon choix. Il a visité quelques pays européens : la France, l'Italie, l'Allemagne et l'Angleterre. Et vous devriez voir les nouveaux cotons égyptiens ! Des blancs plus blancs que la neige fraîchement tombée. Des coloris auxquels nous ne sommes pas habitués. Les jaunes sont éclatants et il y a un beau gris qui vous irait à ravir. Il me rappelle vos yeux, ils sont aigue-marine, je crois !

— En effet, répondit-elle, en battant des paupières. J'aimerais bien aller voir vos merveilles la prochaine fois que je sortirai. Mais je porte beaucoup de blanc. Je trouve que le blanc peut s'harmoniser avec tout.

— Permettez-moi de vous taquiner un peu. Voulez-vous savoir comment on vous surnomme ?

Il fit une pause.

— La Dame en blanc.

Blanche réagit :

— La Dame en blanc, comme c'est étrange. Je ne pensais pas que mes toilettes faisaient jaser.

— C'est sans méchanceté, j'en suis convaincu.

— Eh bien, monsieur Grenier, me voilà arrivée chez moi. J'espère que nous pourrons prochainement continuer cette conversation. C'était très intéressant.

— Je l'espère aussi et j'attends votre visite à mon rayon de tissus au Syndicat. C'est au deuxième étage, juste à la droite de l'ascenseur.

— Bonjour, monsieur Grenier. Amusez-vous bien au feu de joie ce soir.

— Bonjour. Vous permettez que je vous appelle Blanche ?

— Bien sûr, et moi, je vous appellerai Bernard. C'est bien cela, n'est-ce pas ?

— Oui, c'est bien cela. Bonjour, Blanche.

Il en profita pour lui serrer la main. Ne la retirant pas immédiatement, elle lui dit :

— Bonne journée, Bernard.

Aucun des deux ne faisait une tentative pour se libérer.

— Je dois rentrer, maman doit m'attendre.

— Au revoir.

— À bientôt, j'espère.

Il regarda sa montre, elle marquait midi quarante-cinq. Où le temps était-il passé ? Il hâta le pas et atteignit la maison à une heure. Dieu merci, il n'était pas en retard, mais pour se faire pardonner sa longue absence, il demanda à Lili :

— Puis-je vous prêter main-forte pour installer le pique-nique ?

* * *

Bernard constata qu'il était revenu au temps présent, toujours assis sur le banc de parc des plaines d'Abraham. Cette scène qui traînait toujours dans sa mémoire prit fin lorsqu'il sortit de ses rêveries. Un long frisson le parcourut. Bernard se dit pour la énième fois qu'un jour il écrirait son histoire. Il avait le goût de la partager. À sa retraite, peut-être. Il était tellement absorbé par ses réminiscences qu'il ne s'était même pas rendu compte qu'une très belle femme était venue s'asseoir près de lui. Lorsqu'il tourna la tête vers elle, elle le fixait de ses beaux yeux noirs. Elle avait une chevelure abondante noire comme du jais flottant sur ses épaules. Elle se présenta avec une voix suave bien posée, son petit nez retroussé un peu mutin. « Tiens, tiens, tiens…, se dit-il, cette ravissante personne est tout l'opposée de ma chère Blanche. » Lorsqu'elle lui tendit la main en se présentant, il la retint dans la sienne un peu trop longtemps et il lui baisa le bout des doigts. Bernard ne quitta les plaines d'Abraham que très tard cette journée-là.

# Chapitre 16

Joseph avait trouvé que la semaine était passée vite. Il avait fait des rencontres intéressantes et fructueuses. Il aimait son travail et y excellait. Quelquefois, il était revenu tôt afin de faire part à son employeur de ses rencontres et lui mentionner des clients potentiels, ses *prospects*. Il avait poussé son professionnalisme jusqu'à coter le degré d'intérêt que ses acheteurs éventuels manifestaient pour l'achat d'équipement lourd. Il n'avait jamais quitté un client sans la promesse que son patron, ou lui-même, effectuerait un suivi de leur rencontre. Il s'accordait du temps pour discuter avec les acheteurs de différents sujets, allant de leurs familles aux sports, afin de créer une certaine complicité, et cela lui réussissait à merveille. Joseph n'était pas toujours reparti avec un contrat d'achat en poche, mais immanquablement avec une poignée de main amicale. Pendant les comptes rendus, son patron le félicitait et l'encourageait, puis lui exposait sa planification pour les jours suivants.

— Je t'ai obtenu des rendez-vous importants au Lac-Saint-Jean ainsi qu'à Chicoutimi. L'idéal serait que tu couvres les deux villes dans la même semaine.

Le cerveau de Joseph fonctionnait en accéléré. Il lui faudrait laisser Carmel seule à la pension; il n'aurait pas le choix. Il ne partirait que le mardi, car il voulait tenir sa promesse de l'accompagner chez le médecin. Cela rendrait l'acceptation de son départ plus facile. Ce qu'il fit.

Pour une rare fois dans sa vie, Joseph fut mal à l'aise, assis dans la salle d'attente de ce cabinet de médecin, entouré de femmes enceintes. Certaines semblaient sur le point d'enfanter. L'attente lui parut longue. Il ne savait pas où poser les yeux. Il était le seul homme. Mais il ne regretta nullement d'être venu avec sa femme. Le médecin lui parut fort sympathique. Le couple quitta le cabinet le sourire aux lèvres. Madeleine Laflamme avait avancé une date pour la délivrance après avoir affirmé que la grossesse progressait normalement.

— Dans moins d'un mois, nous serrerons dans nos bras un joli poupon. Je suis impatiente de sentir la chaleur de ce petit être pressé contre moi. Elle a dit que j'accoucherai probablement dans un mois. C'est tout de même curieux ! J'espère qu'elle ne se trompe pas, car mon médecin à Montréal avait parlé de la fin de juin. Tu t'en souviens ? Il avait dit vers le 24 juin. Le Dre Laflamme parle plutôt du début de juillet.

— C'est une bonne nouvelle, notre enfant naîtra peut-être au *Canada Day*, le jour de la Confédération, la fête nationale du Canada, pas mal, *no* ?

— J'aurais préféré le 24 juin ! C'est la Saint-Jean-Baptiste.

— Le médecin a bien dit que cela pourrait arriver avant ou même après. « Difficile à prévoir, a-t-elle précisé, puisqu'il s'agit de ta première grossesse. »

Ils retournèrent souper à la pension. Carmel parla de sa visite avec enchantement et remercia Roseline de ses bons conseils. Joseph passa quelques coups de fil. Quand il eut terminé, il troqua sa chemise blanche pour une chemise bleu roi dont il roula les manches jusqu'aux coudes ; cela faisait plus décontracté. Il dit à Carmel :

— Prépare-toi, je t'emmène faire une promenade.

Carmel et Joseph s'éclipsèrent dès la dernière bouchée de leur carré aux dattes avalée. Ils avaient partagé leur souper avec les autres pensionnaires dans une conversation ponctuée de toutes les exclamations possibles. Charles et Philippe n'avaient pas forcément les mêmes opinions, mais chacun savait débattre son point de vue de façon amicale et respectueuse. Les jeunes hommes s'entendaient comme larrons en foire. Ils furent tous surpris lorsqu'ils apprirent de la bouche de Charles qui semblait très bien renseigné sur Hitler que celui-ci menait une vie de pacha alors que son peuple mourait de faim. Qu'il diffusait de la propagande mensongère à son sujet, le décrivant comme un homme du peuple ayant souffert autant que les autres, alors que ce n'était que de purs mensonges ! Le futur avocat avait ajouté pour clore la discussion que bien peu de gens savaient que l'homme d'État avait écrit un manifeste antisémite en 1924 alors qu'il était en détention, *Mein Kampf* ou *Mon combat*, et que les ventes lui avaient rapporté une petite fortune. Carmel se hissa lourdement jusqu'à l'étage après avoir manifesté sa haine pour cet homme démoniaque, à son avis.

— Où allons-nous ?

— Faire un tour en auto.

Ravie, Carmel suivit Joseph. Une bouffée d'enthousiasme l'envahit, elle n'en pouvait plus d'entendre parler de ce Hitler de malheur.

Joseph s'installa derrière le volant. Il se dirigea sans détour vers la nouvelle adresse des Moisan. Contrairement à ce qu'il aurait cru, Carmel ne se précipita pas lorsque la voiture s'immobilisa devant l'immeuble. Elle scruta les alentours, puis leva les yeux, sans doute dans le but d'apercevoir quelqu'un à la fenêtre. Joseph la laissa captive dans ses réflexions. C'était pourtant le même quartier, celui où elle avait grandi. Elle n'avait pas de critères de comparaison à l'époque. Lorsqu'elle fut prête, il la devança dans l'escalier.

— Reprends ton souffle, encore un étage à monter.

Carmel s'appuya sur la rampe, qui lui sembla chambranlante.

— Allons-y.

Arrivée devant la porte, Carmel se demanda si elle devait entrer sans frapper. C'était chez elle, après tout. Non, plus maintenant. Elle cogna trois fois.

Mathilde vint leur ouvrir. Dans un geste de réconfort, Carmel enlaça sa sœur.

Quand les visiteurs franchirent le seuil de la porte, Manouche les accueillit en mendiant des caresses.

— Tasse-toi, Manouche, laisse passer Carmel et Joseph.

En entendant ces noms, pesamment, Eugénie se leva de sa berceuse. Sa sœur encore dans ses bras, Carmel ressentit un sentiment étrange. Elle n'appartenait plus à ce milieu. D'un seul coup d'œil, elle remarqua le papier peint qui s'effilochait. Il y eut un moment de flottement. Personne n'osait engager la conversation. Joseph tentait de se faire le plus discret possible. Vraisemblablement, Gilbert n'était pas là, ni tante Élise. Quoi dire ? Demander à Mathilde de lui montrer sa chambre pour s'isoler et parler entre sœurs ? Carmel crut percevoir des larmes mouiller les yeux de sa mère. Il ne fallait pas se méprendre, car l'appartement était mal éclairé. Carmel, dans un élan de tendresse, se dirigea vers Eugénie. Elle la prit dans ses bras. Celle-ci posa sa tête sur l'épaule de sa fille. Mathilde prit un peu de recul, car, devant sa mère, il lui serait impossible de brosser un portrait de la situation. Tant de questions ne franchiraient pas les lèvres de Carmel ce soir. La seule qu'elle arriva à articuler fut :

— Comment allez-vous, maman ?

Elle reçut une brève réponse sur un ton résigné :

— Ça va. Assois-toi donc, ma fille.

Carmel allait déplacer les draps pliés sur le sofa lorsque sa mère intervint rapidement.

— Laisse-les là, assois-toi dessus. As-tu déjà oublié ma façon de faire le repassage ?

Immédiatement, Carmel revint des années en arrière. La semaine de sa mère était organisée à l'avance, toujours semblable :

lundi, lavage ; mardi, repassage. Elle parcourait la pièce des yeux, revoyait les draps défraîchis empilés sur les mêmes fauteuils usés à la corde. Son frère Alfred, le grand flanc mou, était étendu sur un sofa, une bière à la main. La même table bancale, le cendrier sur pied débordant de mégots. Et cette même odeur de houblon, qui lui faisait maintenant lever le cœur.

Joseph, la mine consternée, l'observait sans qu'elle s'en rende compte. Mathilde se manifesta. La conversation allait cahin-caha.

L'appartement était petit, mais rangé soigneusement. Sans en souffler mot, Carmel tentait d'imaginer comment elle pourrait faire ses relevailles entre ces murs. Une ombre de sourire étira ses lèvres. Mathilde offrit une boisson, que Carmel et Joseph refusèrent à l'unisson. Joseph allait et venait dans la pièce, mal à l'aise, cela faisait à peine une demi-heure qu'ils étaient arrivés. Carmel s'en rendit vite compte.

— Nous devons partir, Jos a des rendez-vous tôt demain matin.

Eugénie les gratifia d'un regard froid appuyé par un silence hostile, pas de « bonsoir » ni de « à la revoyure », comme elle avait l'habitude de dire. Rien.

Ainsi prit fin leur visite éclair et décevante aux Moisan.

***

Quelques jours plus tard, à la Pension Donovan, la radio résonnait à tue-tête. Carmel descendit pour voir ce qui se passait. Roseline était nerveuse.

La voix grave de l'annonceur donnait des détails alarmants :

« Cela fait un an aujourd'hui que la Wehrmacht est entrée dans Paris, et il y a un défilé, après une série de bombardements ciblés sur des sites industriels de la banlieue. Paris est déclarée ville ouverte depuis le 14 juin 1940 et est occupée par les troupes allemandes.

Depuis, au sommet de la tour Eiffel, y flotte un drapeau à croix gammée. Des stations de radio parisiennes émettent en langue allemande. »

— Paris est toujours occupée par les Boches, c'est terrible !

Gisèle gardait son poste de radio allumé presque en permanence. Carmel descendait souvent pour écouter les nouvelles d'Europe. Cette guerre était un important sujet de discussion autour de la table de la pension. Roseline se rongeait les sangs pour Claude, son fiancé. Elle n'avait pas eu de nouvelles de lui depuis plusieurs semaines. Charles tentait de la rassurer en lui disant qu'en temps de guerre il ne fallait pas s'étonner que le courrier soit perturbé.

* * *

Carmel s'inquiétait à mesure que la date présumée de son accouchement approchait. Elle ne décelait aucun signe annonciateur d'une naissance imminente. Joseph et elle étaient à Québec depuis un mois maintenant, mais rien ne laissait présager l'arrivée du bébé.

Arthur Sicard avait accordé un mois à Joseph. Allait-il accepter de prolonger leur séjour ? Quand Joseph avait dû s'absenter pour son travail, Carmel ne s'en était pas fait outre mesure, sachant Roseline et Gisèle prêtes à lui venir en aide. Elle avait elle-même créé cette situation, elle n'allait pas s'en plaindre. Ses journées étaient longues. La pension était déserte ; seule Gisèle y préparait ses repas tout en écoutant les reportages à la radio. La situation en Europe ne s'arrangeait pas, bien au contraire.

La première fois que Joseph dut se rendre au Lac-Saint-Jean, Carmel passa tout l'après-midi avec sa mère. Eugénie insista pour la garder à souper. Elle lui donna sa version de leur renvoi du logement. Selon elle, Alfred avait eu la ferme intention de payer le propriétaire, mais il avait oublié. Carmel, constatant que sa mère se berçait toujours d'illusions, en eut marre des mensonges de son frère. Elle trouva le courage de lui faire face.

— Pourquoi n'y est-il pas allé plus tard s'il s'agissait d'un oubli ? Pourquoi ne vous a-t-il pas remis l'argent ?

Eugénie ne voulait pas que Carmel prenne Alfred pour un vaurien, son passage en prison avait suffisamment entaché sa réputation. Tout de go, elle lui dit qu'il avait perdu l'argent.

— Les trois mois précédents n'avaient pas été payés, le propriétaire n'a pas voulu nous donner de chance. Marcel nous a donc quittés, faute de place, lui qui ne disait jamais un mot plus haut que l'autre et qui versait sa pension sans rechigner lorsqu'il avait du travail. Comment voulais-tu que nous trouvions un logement plus grand avec ta pension et celle de ton frère en moins ?

Carmel n'aimait pas se le faire reprocher chaque fois que l'occasion se présentait. Elle répliqua :

— Avec l'argent que je vous envoie, ça devrait aider, non ?

— Je t'en remercie. Tu es généreuse, mais ce n'est pas beaucoup à comparer à ce que tu versais, toi qui ne manquais jamais d'ouvrage.

— Louis et Alfred travaillent-ils ? Ils ne sont pas ici aujourd'hui, que font-ils de leur temps ?

— Louis ne peut accepter n'importe quel emploi, il est si fragile. Il lui a été impossible d'obtenir un poste chez l'ami de Marcel dans le déménagement. Il est maigre comme un casseau.

— Et Alfred, que fait-il ?

Eugénie se répandit en invectives, sur un ton sirupeux, contre les dirigeants de la brasserie.

— Il travaille de temps en temps avec ton père chez Boswell, mais il est sans cesse renvoyé. D'autres fils de dirigeants obtiennent plus de temps que lui. Pourtant, il est le fils d'un *foreman*, cela devrait compter. Mais non. Ils sont intraitables, les *boss*. Ils prétendent subir un ralentissement de production pour le congédier. Foutaises ! Je ne les crois pas du tout. Avec la quantité de bière qui se boit ici, multipliée par toutes les familles de la ville, ils ont des commandes pour des années à venir !

Elle avait livré sa tirade d'un trait.

« C'est toujours la même ritournelle, se dit Carmel, Alfred est paresseux comme un âne et possède une âme si noire ! » Elle aurait été capable de réparties cinglantes et de sermonner vertement sa mère, mais elle s'en abstint. Elle fit le tour de l'appartement. Elle constata qu'il n'y avait que trois chambres.

— Comment vous organisez-vous ici ?

— Céline, ton père et moi prenons une chambre. Ta tante Élise partage la sienne avec Gilbert. Les deux gars ont la leur.

— Et Mathilde, où couche-t-elle ?

— Dans un lit pliant que nous pouvons ranger si nous avons de la visite. En fait, nous avons divisé le salon pour lui aménager une chambre dans la pièce du fond. J'ai installé un grand rideau qui sert de séparation. Un petit salon suffit amplement et, pour ce qui est de la visite, nous en recevons très rarement.

— Ce ne doit pas être facile pour elle de dormir parmi tout le monde. Elle n'a pas beaucoup d'intimité.

Sa mère avait une réponse toute prête.

— Elle ne s'en plaint pas. D'ailleurs, elle est rarement à la maison. Elle vient manger et elle passe ses soirées dehors, allez donc savoir où et avec qui !

Carmel se disait : « Elle ne se plaint pas, pas surprenant, Mathilde ne se plaint de rien. Mais où va-t-elle, elle qui ne sortait jamais ? »

— Est-ce qu'elle a rencontré un garçon ? A-t-elle enfin un amoureux ? Si tel est le cas, tant mieux pour elle.

— Tu lui poseras toi-même la question, à moi, elle ne dit plus rien, elle a bien changé depuis que nous avons déménagé.

Silence.

— Ta grossesse s'éternise, ma fille, j'ai pour mon dire que les médecins de Montréal ne sont pas vraiment compétents. Visiblement, ton médecin s'est trompé.

— C'est une première grossesse. Selon la femme médecin que j'ai consultée ici, à Québec, la date de l'accouchement est difficile à prévoir. Elle partage l'opinion de mon médecin de Montréal.

— Une femme médecin ?

— Oui, et extrêmement compétente.

— Selon moi, personne ne peut remplacer une sage-femme. Je vous ai tous mis au monde de cette manière et je m'en porte parfaitement bien. Je parle souvent avec Antoinette, ma voisine d'en bas, elle est sage-femme et, depuis qu'elle exerce ce métier, elle n'a perdu aucun bébé, pas un seul. C'est une bonne moyenne, non ?

— Attention, une sage-femme n'a pas fait d'études en médecine.

***

*Mercredi 2 juillet 1941*

Sous un soleil radieux, Joseph prit la route de bon matin pour se rendre à Chicoutimi. Il se sentait frais et bien disposé pour entreprendre ce voyage, ayant profité d'un congé la veille. En quittant Carmel, il tenta de la rassurer en lui disant qu'il reviendrait le soir si nécessaire, mais qu'autrement il dormirait sur place afin de rencontrer un client tôt le lendemain. Carmel lui avait dit devant Gisèle et Roseline de ne pas s'inquiéter, car Roseline était là au cas où… Il pouvait ne revenir que le lendemain, à moins que… !

Carmel n'avait pas protesté la première fois que Joseph lui avait annoncé qu'il devrait faire des déplacements, non loin de Québec, mais qu'il découcherait une nuit. Il rentrerait le lendemain. Elle n'avait pas osé argumenter devant Gisèle et Roseline de crainte que ces femmes si évoluées et débrouillardes ne la jugent mal. Mais ce matin-là, lorsque Joseph avait quitté la pension, elle lui avait manifesté en privé son appréhension.

— S'il fallait que mon travail se déclenche alors que tu es loin de moi ?

Joseph lui avait pris la main et l'avait regardée calmement en lui demandant :

— Comment te sens-tu ce matin ?

Elle lui avait répondu qu'elle allait assez bien, à part le fait qu'elle se sentait grosse comme un éléphant. Ils avaient ri tous les deux. Joseph lui avait dit avec un air un peu prétentieux :

— Un enfant, ça n'arrive pas comme un cheveu sur la soupe. Je vais t'appeler de là-bas vers l'heure du souper, est-ce que cela te rassure ? C'est un rendez-vous important et, en plein été, la route se fait quand même bien. D'autres personnes se sont aussi déplacées pour cette rencontre, ce sont des ingénieurs et des maires des villages environnants. Si je n'y vais pas, M. Sicard risque de rater une belle commande. Il a prolongé notre séjour à Québec à la condition que je rencontre ces gens.

— On est le 2 juillet, j'ai la sensation d'être enceinte depuis un siècle. Si je n'ai pas accouché d'ici une semaine, mon médecin dit qu'elle devra déclencher le processus. Promets-moi au moins de ne rien prévoir ce jour-là, que c'est ton dernier voyage.

Joseph sentait la nervosité de sa femme, mais en toute conscience il n'était pas inquiet. Il n'avait nullement l'impression de l'abandonner. Il voulut la rassurer en lui faisant la promesse que c'était effectivement son dernier voyage. Carmel se sentit quelque peu tranquillisée. Elle se disait que jamais elle ne l'aurait laissé partir s'ils avaient été à Montréal. D'ailleurs, depuis son voyage à New York, Joseph lui avait promis de ne plus la laisser seule. Mais cette promesse ne valait qu'à Montréal. À Québec, c'était une autre histoire, elle était tellement bien entourée.

Carmel se sentait lourde. Tellement lourde, énorme. Ses mouvements étaient gênés. Elle n'arrivait pas à trouver de position confortable, ni assise, ni couchée, ni debout. Rien, aucun signe avant-coureur du déclenchement des contractions. Roseline lui avait suggéré de marcher, ce qu'elle fit, puis elle revint s'allonger après une brève promenade, car elle se sentait fatiguée et ses jambes peinaient à la porter. Après s'être reposée une bonne partie de l'après-midi, Carmel descendit à la salle à manger, mais n'y trouva personne. Elle laissa une note à Gisèle précisant qu'elle allait se promener. Elle attrapa une pomme dans le panier à fruits et se dirigea gaiement vers l'appartement de ses parents, à moins d'un quart d'heure de marche. Le temps était magnifique, aucun nuage n'assombrissait le ciel. Il y aurait un merveilleux coucher de soleil. Pas pour les gens de la ville, mais pour ceux qui vivaient le long du fleuve Saint-Laurent ou sur l'île d'Orléans. Elle rêvait de ce beau coin de pays qu'elle connaissait à peine. Joseph l'y avait emmenée lorsqu'il l'avait présentée à sa famille, à Montmorency. Carmel aimerait faire le tour de l'île d'Orléans avec ses enfants, les laisser courir dans ces grands espaces verts et respirer l'air pur du fleuve. Élever sa famille à Québec plutôt qu'à Montréal était peut-être irréaliste, mais quel mal y avait-il à rêver ?

Elle allait rendre visite à sa famille. Elle avait l'habitude de s'y rendre les jours où Joseph voyageait et prévoyait rentrer tard.

Elle avait tellement rêvassé qu'en un rien de temps elle se retrouva au pied des marches menant à l'appartement. « Courage, se dit-elle, trois étages à grimper. » Elle mit sa main sous son gros ventre. « Accroche-toi solidement, mon petit, on va y arriver. » Elle ne frappait plus à la porte maintenant, elle entrait directement. Elle faillit trébucher sur Manouche, étendue de tout son long en travers du corridor. Sa mère était assise dans sa berceuse, mais ne semblait pas comateuse. En voyant sa fille, Eugénie émit un « oh » de surprise.

Carmel se dirigea vers elle en disant :

— J'ai le ventre tellement gros que je ne vois pas où je mets les pieds. J'ai accroché Manouche, j'ai failli tomber, je manque un peu d'équilibre.

Elle eut du mal à se pencher pour passer son bras autour du cou de sa mère pour l'embrasser. Eugénie la regarda, ahurie.

— Ce n'est pas prudent de marcher comme tu le fais, ma fille, tu as l'air épuisée.

Carmel ne l'écoutait pas, sa mère était contre toutes les recommandations de son médecin et de Roseline. L'exercice physique n'était pas valable, à son point de vue. Selon elle, les femmes devaient rester allongées en attendant la délivrance, « surtout sur les derniers milles », ne cessait-elle de répéter à sa fille.

— Assois-toi au moins.

Bizarrement, depuis son arrivée à Québec, Carmel avait constaté que sa mère était plus éveillée. Elle ne l'avait jamais trouvée somnolente. Elle s'en passa la remarque, car elle se posait la question chaque fois qu'elle mettait les pieds dans l'appartement. Eugénie se méfiait peut-être et était prudente dans sa consommation, connaissant l'heure habituelle de ses visites.

— Tu es enceinte jusqu'aux dents, tu es à la veille d'éclater, ma fille.

Carmel ne releva pas cette remarque acerbe. Sa mère, toujours aussi cassante, n'avait pas gagné en diplomatie.

— Je t'attendais avant de partir. J'ai quelques commissions à faire. Mathilde est de moins en moins disponible, je dois donc sortir plus souvent. Est-ce que tu m'accompagnes ?

Carmel poussa un grand soupir.

— Si cela ne vous embête pas, je vais rester ici à vous attendre. Je garde mes forces pour retourner à la pension.

Carmel se sentait fourbue après plusieurs nuits passées sans beaucoup dormir.

— Comme tu voudras. Tu ne resteras pas seule longtemps. Élise rentre plus tôt aujourd'hui, elle a pris une journée de congé. Elle est partie depuis ce matin, Dieu sait où. Bon, j'y vais.

# Chapitre 17

Élise rentra un peu avant le souper, pimpante. Elle prit les mains de sa nièce dans les siennes.

— J'ai peine à t'embrasser, ma chérie.

Carmel baissa la tête.

— Je ne savais pas que je pouvais devenir aussi grosse.

— Tu n'es pas grosse, Carmel, tu es ventrue. Je suis certaine qu'après l'accouchement tu vas retrouver rapidement ta taille de guêpe.

Les deux femmes bavardaient en sirotant un thé lorsque Gilbert entra en trombe dans l'appartement. Il était nerveux, voire surexcité. Il allait de la chambre à la cuisine et semblait ne pas savoir où s'arrêter. Après avoir échangé à la volée quelques mots, il quitta le logement en claquant la porte. Il avait beaucoup changé. L'agitation et le comportement étrange de Gilbert sautèrent aux yeux de Carmel. Il était perturbé. Elle fit part de son inquiétude à tante Élise. Le garçon était méconnaissable. Il paraissait troublé. Des sentiments tempétueux semblaient l'habiter. Élise et Carmel étaient seules. Carmel crut le moment propice à la confidence.

— Nous avons eu tellement peur pour Gilbert, Jos et moi. Vous rappelez-vous, ma tante, lorsqu'il est rentré exceptionnellement tard ? Il n'était pas revenu à la maison après l'école.

Élise, les yeux embrumés, se prépara à lui répondre :

— Assois-toi près de moi, j'ai beaucoup de choses à te confier.

Carmel ne trouva aucune position confortable ; elle gigotait sur le sofa.

— Tu te souviens sans doute du secret que je t'ai partagé concernant Gilbert.

Carmel répéta :

— « Gilbert », vous voulez parler du docteur Gilbert ?

— Effectivement, appelons les choses par leur nom, je parle de mon amant de toujours. Mon seul et véritable amour. Laisse-moi t'en apprendre davantage sur notre relation.

Carmel n'osait pas l'interrompre. Sa tante semblait partie, loin d'elle, les yeux dans le vague. Carmel allongea ses jambes et appuya sa tête sur le dossier du canapé. L'instant était important. Après avoir constaté que sa nièce était réceptive, Élise se lança :

— Cela faisait longtemps que Gilbert me promettait de nous trouver un petit coin juste pour nous deux. Il m'avait demandé d'être patiente, d'avoir confiance en lui. Nous nous voyions aussi souvent que possible, presque toujours à son cabinet. Je me satisfaisais d'un après-midi volé au moins une fois par semaine. Te souviens-tu de la question que tu m'as posée lorsque je t'ai parlé de ma vie secrète ? T'en souviens-tu, Carmel ?

— Euh, oui et non, je vous ai posé plusieurs questions.

— Je vais te rafraîchir la mémoire. Tu m'as demandé à peu près en ces termes : « Comment faites-vous, ma tante, pour ne pas devenir enceinte ? », et tu as ajouté : « Peut-être que votre amoureux a des trucs vu qu'il est médecin ? »

Carmel réagit immédiatement :

— Certain que je m'en souviens, vous m'aviez alors paru un peu évasive.

— Gilbert est un homme bon. Il faisait tout pour se rapprocher de sa femme, mais celle-ci se montrait exigeante. Elle lui répétait qu'il travaillait démesurément, qu'il était trop nerveux et stressé, alors qu'elle avait abandonné sa profession d'infirmière pour se consacrer à lui afin de fonder une famille. Elle prétendait que c'était sa faute s'ils ne parvenaient pas à avoir d'enfant.

Élise respira un bon coup.

— Malheureusement pour elle, elle se trompait, la pauvre.

Carmel ne comprit pas cette allusion, mais ne la releva pas afin de laisser libre cours aux confidences intimes de sa tante.

— Gilbert adorait être en pleine nature et espérait partager ce goût avec son épouse. Il souhaitait que le fait d'être seul avec elle, loin de sa vie mondaine accaparante, facilite sa fécondation. Dans ce but, il avait acheté une belle grande résidence secondaire au lac Sergent où l'air pur lui serait salutaire. Il croyait plaire à sa femme, qui n'a pas aimé la vie de chalet. Elle se plaignait du manque de commodités, elle s'ennuyait des grands magasins et de sa belle demeure de la Haute-Ville, entre autres.

Élise prit un air pincé.

— C'est une vraie bourgeoise. Au début, pour faire plaisir à son mari, elle acceptait d'y passer les fins de semaine, mais l'année suivant l'achat du chalet elle trouva mille prétextes pour ne pas y aller. Elle pestait contre les moustiques insupportables. Elle disait qu'ils la faisaient damner. «À quoi bon perdre notre temps sur le bord d'un lac si on ne peut mettre le nez dehors sans être assaillis par des nuées de moustiques? disait-elle. Je déteste ces bestioles.» Gilbert envisagea alors, à contrecœur, de vendre le chalet.

Élise fit une pause.

— C'est un endroit magnifique.

Carmel réagit:

— Comment le savez-vous, vous y êtes déjà allée?

Sur ces entrefaites, la porte de l'appartement claqua de nouveau. Gilbert entra en trombe. Élise lui fit signe de ne pas courir.

— Il y a des voisins en bas, Gilbert, attention, tu fais trop de bruit.

L'enfant lui jeta un regard plein de méfiance. Carmel tenta de lui parler, mais il se dirigea vers la chambre et en revint avec quelque chose dans ses mains qui attira l'attention de sa tante.

— Que fais-tu, Gilbert ? Que caches-tu donc dans ton dos ?

Le garçon prit une attitude railleuse et ouvrit les mains devant les deux femmes.

— Ce n'est qu'un sac de billes, dit-il avec une moue boudeuse, j'ai le droit de jouer aux billes au moins !

Manouche se trémoussait devant lui. Gilbert prit tout de même le temps de la caresser derrière l'oreille.

— Bon chien, bon chien, couché, couché.

Carmel constata qu'il n'y avait que Manouche pour parvenir à faire sourire Gilbert. L'enfant semblait plus heureux et plus à l'aise avec les animaux qu'avec les humains.

Gilbert claqua encore une fois la porte.

— Mon Dieu que Gilbert a l'air susceptible, je me demande quelle mouche l'a piqué, ne put s'empêcher de déclarer Carmel.

Tante Élise fit la sourde oreille.

Carmel se souvint soudain que Joseph lui avait demandé d'essayer d'en savoir plus concernant l'adoption de Gilbert. Elle crut l'occasion idéale pour s'enquérir de cela, interrompant ainsi le récit de sa tante.

— Jos me demandait l'autre jour si Gilbert avait été adopté légalement par papa et maman. On ne sait pas grand-chose à ce sujet. Êtes-vous au courant? Savez-vous pourquoi et dans quelles circonstances Gilbert a été retiré de sa famille, ma tante?

— Laisse-moi finir mon histoire, Carmel. Sois patiente, ce sera long.

— Nous avons tout notre temps.

Carmel se leva et alla se servir un verre d'eau. Avant de se rasseoir, elle en offrit un à sa tante, qui accepta, car elle avait la bouche sèche.

— Nous parlions de la femme du Dr Gilbert, continuez, je vous écoute.

Élise avala une gorgée et poursuivit sur un ton que ne put définir Carmel.

— Mme Docteur est passée un jour au cabinet alors que j'attendais dans la salle d'attente pour notre rendez-vous habituel. Je l'ai tout de suite reconnue. J'étais allée l'espionner dans son beau quartier de la Haute-Ville. Mais même si je n'y étais pas allée, c'était facile de savoir qu'elle était la femme du médecin. La réceptionniste s'était levée en la voyant, puis lui avait dit poliment que son mari était occupé avec une patiente. Mme Docteur l'avait rabrouée en lui disant sèchement de faire savoir au docteur que sa femme était là!

— Soupçonnait-elle quelque chose à votre sujet?

— Va donc savoir! Pourquoi s'est-elle présentée au cabinet de son mari le jour même où j'étais assise dans la salle d'attente? Si tu l'avais vue! Elle est demeurée debout un instant et ne semblait pas vouloir partager la pièce avec des malades. Finalement, elle est venue s'asseoir sur la chaise juste à côté de moi. Peux-tu imaginer? J'étais tellement mal à l'aise. J'avais peur qu'elle me touche.

— De quoi a-t-elle l'air?

— Pas grande, assez jolie. Ses ongles manucurés sont vernis de rouge. Vêtue à la dernière mode. Elle a beaucoup d'allure.

— Qu'avez-vous fait alors?

— J'aurais voulu fondre sur place, me volatiliser, surtout lorsque Gilbert est sorti de son bureau pour venir à la rencontre de sa femme. Furtivement, ses yeux ont croisé les miens. Dès qu'elle a pénétré dans son bureau, j'ai déguerpi comme une voleuse, sans dire un mot.

Élise marqua une pause pour observer les réactions de sa nièce.

— Ça va, Carmel?

— Oui, je vous écoute, ne craignez rien, votre récit me captive. Et le temps passe si vite en votre compagnie. Continuez, je vous en prie, maman ne tardera sûrement pas!

— Je n'ai aucun secret pour Eugénie, elle aussi est ma confidente. Enfin, par la force des choses, tu vas finir par comprendre.

— Et les gars, où sont-ils?

— Ils traînent dans les rues. Il leur arrive de ne se pointer que tard le soir. Céline est chez son cavalier, nous avons le champ libre. Te sens-tu prête à connaître la suite? Est-ce que je t'ennuie avec mon histoire?

— Non, non, jamais de la vie! Poursuivez, j'ai l'impression d'entendre quelqu'un me lire un roman. C'est passionnant.

— Je disais donc que j'avais quitté le cabinet sans dire un mot. Mon départ précipité a probablement semé un doute, car j'ai su par la suite que la réceptionniste a dit sur un ton évocateur à Gilbert que sa patiente habituelle était partie. Gilbert a commencé à avoir peur que notre relation soit dévoilée, si elle ne l'était pas déjà. Je soupçonne que c'est elle qui a prévenu sa femme. Je ne me suis pas rendue à son bureau la semaine suivante. J'étais folle d'inquiétude pour de nombreuses raisons. Il fallait que je le voie. Je devais lui parler à tout prix.

Devant l'excitation de sa tante, Carmel tapota son bras et lui tendit son verre d'eau.

— Prenez votre temps, ma tante, prenez tout votre temps.

Élise reprit son souffle après s'être à nouveau désaltérée.

— Gilbert était désemparé, il a tenté de me parler à la sortie de la manufacture, mais comme j'étais accompagnée de Mathilde, il n'a pas osé m'aborder. C'est moi qui l'ai appelé à son travail. Il m'a donné rendez-vous dans un petit restaurant discret, près d'ici, loin de sa résidence où il aurait couru le risque d'être reconnu. Nous nous croyions à l'abri des regards indiscrets. C'était en fin d'après-midi, il m'a offert de souper avec lui. J'ai accepté, mais je n'avais pas d'appétit. Il s'est tout de suite aperçu de la détresse que j'avais du mal à lui cacher. C'est à ce moment précis que je lui ai annoncé que nous devions cesser de nous voir. Cette décision, je la prenais pour lui. C'était pour protéger sa réputation, pas pour moi ! L'éventualité d'une séparation me déchirait le cœur.

— De toute évidence, il a refusé puisque vous vous voyez toujours, n'est-ce pas, ma tante ?

Élise eut un petit rire approbatif, elle continua son récit.

— J'ai pourtant tout essayé pour le convaincre en arguant qu'il risquait gros en continuant de me fréquenter. Nous avons parlé longtemps. Puis j'ai craqué. J'ai fondu en larmes devant les autres clients. Gilbert était mal à l'aise, surpris et découragé de mon attitude. J'ai alors prononcé trois mots, seulement trois mots si lourds de conséquences, trois mots qui allaient changer nos vies.

— Vous devenez mystérieuse. Qu'avez-vous dit ?

Une troisième voix fit écho dans l'appartement.

— Gilbert n'a pas vendu son chalet.

Les deux femmes étaient tellement absorbées dans le récit qu'elles n'avaient pas entendu entrer Eugénie, elle dont le pas pesait pourtant si lourd. C'était elle qui venait de dire que Gilbert n'avait pas vendu son chalet.

Élise ne broncha pas. Carmel tenta de se redresser, n'en croyant pas ses oreilles. Sa mère parlait de cet homme en l'appelant par son prénom, on aurait dit qu'elle le connaissait bien. Elle déposa son grand sac de papier brun plein de provisions sur la table et, comme si elle avait assisté à tout l'échange entre Carmel et Élise, enchaîna sur un ton de conspiratrice.

— Élise est allée s'installer au chalet du lac Sergent, trois mois avant la naissance prévue de son bébé !

Carmel était muette de stupéfaction, un voile passa devant ses yeux.

— Oui, Carmel, tu as parfaitement compris ce que vient de dire Eugénie. J'étais enceinte. J'attendais un enfant, celui de Gilbert, mon amant.

Carmel prit le temps de comprendre et de saisir toute l'ampleur de cette révélation. Les trois femmes demeurèrent un bon moment sans rien dire.

— Laissez-moi le temps d'assimiler tout cela, ma tante. Vous avez un enfant. Vous ? Où est-il ?

Eugénie commença à vider son sac de provisions. Elle crut bon de laisser sa sœur continuer son récit.

— Je repense avec nostalgie à ce moment précis. Dieu m'en prenne à témoin ! Ce que je te révèle est la pure vérité : les yeux de Gilbert se sont remplis de larmes au moment où j'ai prononcé ces trois mots : « Je suis enceinte. » Je ne parvenais pas à réprimer les pleurs qui secouaient mon corps tout entier. Gilbert a pris mes mains dans les siennes. Contre toute attente, il m'a aussitôt dit de ne pas me faire de mauvais sang, qu'il trouverait une solution. J'ai laissé libre cours à mon imagination. Nous nous sommes quittés sur ces paroles encourageantes, dans les circonstances.

Carmel prit un air courroucé en s'excusant auprès de sa tante lorsqu'une crampe l'incommoda. Depuis deux semaines, elle avait l'impression que son ventre avait un peu descendu.

— Excusez-moi. Je dois aller aux toilettes et je reviens, je suis impatiente de connaître la suite. C'est un vrai roman, que vous me racontez là ! Un enfant, vous avez un enfant, c'est incroyable.

Eugénie marmonna entre ses dents en voyant sa fille se diriger vers le cabinet :

— Elle se fait suivre par une femme médecin et elle prétend que, parce qu'une sage-femme n'a pas de diplôme, elle n'est pas médecin. La grande ville a beaucoup influencé ma fille. Les Montréalais pensent tout savoir.

Après plusieurs minutes, Eugénie s'inquiéta :

— Que fait-elle si longtemps au petit coin ?

Depuis la cuisine, elle cria :

— Carmel, ça va ?

Aucune réponse.

Eugénie s'essuya les mains sur le grand tablier fleuri qu'elle venait de nouer à sa taille et se dirigea vers la petite pièce située au bout du corridor. Elle attendit un peu.

— Elle en met, du temps !

Elle posa son oreille contre la porte, patienta un autre moment, puis donna trois coups.

— Carmel, ça va, ma fille ?

Eugénie crut entendre une plainte. Elle prit son visage entre ses mains en arpentant le corridor. Elle revint sur ses pas, colla son oreille contre la porte et écouta à nouveau. Plus rien. Elle frappa.

— Carmel ! Que se passe-t-il ?

Carmel avait senti un liquide s'échapper de son corps. Après s'être aspergé le visage d'eau froide, elle sortit de la salle de bain avec une expression de désolation et dit :

— Excusez-moi, je n'ai pas pu me retenir, j'ai sali votre plancher.

Gênée, la future maman longea le corridor en se tenant aux murs. Elle se sentit vaciller. Sa mère ne mit pas longtemps à comprendre ce qui se passait. Son visage s'allongea.

— De toute évidence, tu viens de perdre tes eaux, ma fille.

— Ce n'est pas possible, j'ai à peine senti une douleur. Je retourne à la pension.

Elle ne put terminer sa phrase. Un élancement inconnu et sournois lui barra le dos, la pliant en deux. Sa mère la soutint, le temps que la contraction passe.

— Viens t'asseoir confortablement dans le salon. Je ne suis pas médecin, mais je prédis que ton petit va bientôt voir le jour.

Élise se leva en voyant sa nièce tituber.

Carmel s'agita.

— Ce n'est pas le moment. Jos est en voyage, il doit appeler à la pension pour prendre de mes nouvelles. Je dois m'y rendre immédiatement.

— Je te prie de te calmer, ma fille, il ne sert à rien de t'affoler, tu ne peux rien contre la nature.

Carmel haussa le ton :

— Il est six heures, Jos devait me téléphoner vers cette heure, si je ne suis pas à la pension, il va s'inquiéter. Je dois partir immédiatement.

Carmel entendit claquer la porte de l'appartement. C'était Arthur qui rentrait d'une journée d'ouvrage harassante. Il semblait fourbu. En voyant sa fille assise de travers sur le sofa du salon, Élise lui tenant la main, il ne put cacher son appréhension.

— Qu'est-ce qui se passe ici? Carmel, tu es en douleurs? Eugénie, dis-moi, Carmel est-elle en train d'avoir son bébé? Ici? Élise, dis quelque chose!

— Du calme, son père, le travail vient tout juste de commencer.

Sans dire un mot, d'un pas décidé, Eugénie quitta le logement. Carmel se leva péniblement. Elle tenta de marcher, mais un élancement au creux du ventre la ralentit. Elle essayait d'évaluer le rythme de ses contractions. Tante Élise dut la soutenir. Carmel s'adressa à son père.

— Je veux retourner à la pension ou aller à l'hôpital, j'ai peur, papa, je ne veux pas accoucher ici sans aide.

Comme d'habitude, Arthur ne savait pas quoi faire. Il prit la main de sa fille dans la sienne en déclarant:

— Ne t'inquiète pas, ma fille, maman va s'occuper de toi.

— Justement, papa, où est maman?

Carmel ne put retenir un cri déchirant de douleur. Élise la redirigea vers le sofa.

— Assois-toi ici, Carmel. Respire profondément. Ne t'affole surtout pas.

Carmel fronça les sourcils. Elle allait dire: «D'accord, ma tante, vous savez de quoi vous parlez», mais elle s'abstint. Elle profita d'un moment de répit.

— Je me sens mieux, je retourne à la pension !

Eugénie réapparut, suivie d'une très grande femme, les cheveux grisonnants coiffés en chignon. Celle-ci s'adressa directement à Carmel :

— Je peux vous aider, si vous permettez, mon nom est Antoinette. Je suis sage-femme.

La voix de cette femme était douce, apaisante même. Contre toute attente, Carmel se sentit immédiatement en confiance. Elle lui dit tout bonnement :

— Je crois que j'ai perdu mes eaux. Mon médecin est une femme, j'ai une grande confiance en elle, elle m'a dit que si je n'accouchais pas d'ici…

Une autre contraction lui coupa le souffle et la bâillonna.

— Ne vous fatiguez pas à parler, respirez calmement et gardez vos forces pour plus tard. Je suis au courant de votre cas. Votre mère ne fait que me parler de vous, elle vante sa fille qui vit à Montréal, qui a épousé un ingénieur et qui…

En entendant prononcer le mot « ingénieur », Carmel s'écria :

— Je veux voir Jos. Il est à Chicoutimi. Il devait revenir de voyage si le travail commençait. Il ne pourra pas me joindre ici, vous n'avez même pas le téléphone.

La sage-femme comprit que Carmel commençait à s'énerver. Ce n'était pas bon. Elle tenta de la calmer.

— Ne vous inquiétez pas pour cela, j'ai le téléphone chez moi.

— Cela ne nous mène à rien, mon mari ne connaît pas votre nom ni votre numéro.

Stoïque, la sage-femme prit la situation en main.

— Votre mère m'a dit que vous logiez à la Pension Donovan. Arthur, allez chez moi et téléphonez à la pension. Donnez-leur mon numéro et attendez à l'appartement au cas où Joseph appellerait. Joseph, c'est son nom, n'est-ce pas, Carmel ?

— Oui ! Jos !

— Attendez que Joseph appelle. Surtout, pas de panique, dites-lui que sa femme est en de bonnes mains. Maintenant, Carmel, il faut vous déshabiller et ne porter qu'une robe de nuit.

Carmel, nerveusement, argua.

— Je n'en ai pas.

Eugénie fit un signe de tête à Antoinette, puis revint avec une de ses chemises de nuit. Carmel se changea nerveusement. Le vêtement était impeccable et lui allait parfaitement puisque la grandeur convenait à une femme qui en était à son neuvième mois de grossesse. Sa mère avait beau ne pas rouler sur l'or, le vêtement était propre. L'instant était mal choisi pour faire la difficile. Antoinette et Eugénie échangèrent un sourire entendu. Carmel songea : « Cette femme est un peu prétentieuse, elle qui n'a même pas de diplôme en médecine. » Une complainte sortit de sa bouche.

— Ouiche !

— Allongez-vous, je vais voir où on en est.

— Pas ici dans le salon, tout de même. Je préfère aller dans la chambre de tante Élise.

Celle-ci acquiesça avec enthousiasme. Elle précéda Carmel et la sage-femme.

— Que puis-je faire pour vous aider, Antoinette ?

Carmel se répétait intérieurement : « Antoinette, je suis sur le point de donner le jour à mon premier enfant sous les bons soins d'Antoinette. » Une contraction lui fit faire la grimace.

— Vous sentez-vous prête à vous allonger, Carmel ?

Après tout, cette Antoinette était très gentille et patiente.

— Les contractions se sont grandement rapprochées et sont de plus en plus difficiles à supporter.

— Je vais fermer la porte, vous serez plus à l'aise. Je vais vous examiner.

Carmel céda à contrecœur. Elle laissa libre cours aux larmes qui brouillaient sa vue malgré les gestes lents et délicats de la sage-femme.

— Votre col se dilate bien.

* * *

Arthur obéit au doigt et à l'œil à sa voisine. Dieu qu'il était obéissant, cet Arthur. Toute sa vie, il avait obéi. Obéi à sa femme, toujours, sans se plaindre. Sans lambiner, il se rendit à l'appartement de la sage-femme et composa le numéro de la pension. Une voix inconnue lui fit savoir qu'il avait le bon numéro : « Pension Donovan, bonsoir. » Il expliqua, sur un ton tendu, la situation à la femme à l'autre bout de la ligne. Gisèle nota le numéro qu'Arthur lui dicta en tentant de rassurer son interlocuteur.

— Comptez sur moi, je vais transmettre la nouvelle à Joseph et lui donner votre numéro de téléphone dès qu'il appellera.

Arthur s'assit sur la première chaise en vue. Il se sentait seul. Il n'avait même pas pris le temps d'apporter sa pipe. Sa fille, sa Carmel, allait donner naissance à son premier enfant. Cette fille si douce, si obéissante était sur le point de le faire grand-père pour une deuxième fois. Il la revoyait au temps de son enfance, la répartie facile, sans arrogance. Toujours de connivence avec Mathilde. Ah ! Mathilde. Il ferma les yeux en pensant à son autre fille. « C'est plus compliqué et difficile à comprendre. Mathilde la rétive, la rouspéteuse. » Pourquoi en était-il ainsi ? Au bout d'un moment, son menton tomba sur sa poitrine.

# Chapitre 18

— Respirez ! Poussez !

Cela faisait au moins cinq heures qu'Antoinette répétait inlassablement les mêmes mots. Des mots répétés sans impatience.

— Poussez, respirez, poussez, respirez. On compte : un, deux, trois. Allez-y, poussez, respirez. On y est presque !

Carmel était épuisée. La sueur ruisselait sur son front. Elle se sentait à bout de forces, mais cette Antoinette, qui lui massait le ventre de ses paumes sculpturales, avait trouvé grâce à ses yeux. Les cris de sa patiente ne l'incommodaient nullement. « Elle a une patience d'ange, cette sage-femme », songea Carmel.

La nature combla enfin Carmel, qui reçut avec reconnaissance ce magnifique cadeau de la Providence. Une joie poignante s'empara d'elle. Carmel avait mis son enfant au monde assistée par une sage-femme, qui l'avait guidée habilement dans la tourmente.

L'enfant vit le jour dans le logement de sa grand-mère à Québec et non pas à l'hôpital comme Carmel l'avait planifié. À onze heures neuf minutes, le soir du mercredi 2 juillet 1941, la naissance fut pompeusement accueillie.

Eugénie, en nage et vacillante de fatigue, aida Antoinette à couper le cordon ombilical qui liait sa petite-fille à sa fille. Elle déposa délicatement ce petit être dans les bras de Carmel. Le sang des deux femmes coulait dans les veines de l'enfant. La nouvelle maman s'adressa à sa mère, des trémolos dans la voix :

— J'aimerais tellement que vous soyez sa marraine.

L'inflexion douce de la voix de sa fille émut Eugénie qui, au comble du bonheur, ne put s'empêcher de verser une larme. Cette demande lui alla droit au cœur. Après avoir accepté ce rôle avec fierté, elle retourna laborieusement s'asseoir.

Mathilde était arrivée à la maison alors que sa sœur était en plein travail. Elle marchait maintenant de long en large dans l'appartement en revenant sans cesse contempler sa nièce avec beaucoup d'émotions. Elle était heureuse pour Carmel, quoique la cause profonde de son émoi était facile à cerner. La vie lui apporterait-elle un jour un bonheur si pur ? Elle en doutait. Carmel perçut le profond chagrin de sa sœur. Elle prit sa fille et la mit délicatement dans les bras de Mathilde. Le contact chaud de ce petit être contre son cœur l'émut. Mathilde, qui jugulait ses larmes à grand peine, laissa libre cours à son amertume.

Carmel s'adressa à Antoinette avec respect et reconnaissance.

— Merci du fond du cœur, Antoinette, sans vous je me demande ce qui serait arrivé à ce cher poupon. Merci mille fois.

Antoinette lui jeta un œil attendri puis s'éclipsa discrètement.

***

Dès qu'il apprit que sa femme accouchait, Joseph prit la route. Il ne téléphona même pas. Il fit le trajet de Chicoutimi à Québec dans un temps record. Il traversa le parc des Laurentides, le pied pesant sur l'accélérateur, conduisant au-delà de la vitesse permise. Il ne ralentit qu'après avoir évité un orignal de justesse le long du grand lac Jacques-Cartier, près de L'Étape. Joseph l'avait échappé belle, de nombreux accidents routiers impliquant la grande faune étaient enregistrés chaque année dans ce secteur de la province.

On rapportait que la population de cerfs de Virginie et d'orignaux était en croissance constante au Québec. La plupart des accidents se produisaient durant la période estivale et cela était attribuable au fait que les bêtes sortaient des bois à cause du trop grand nombre de mouches qui les importunaient dans les périodes de fortes chaleurs. Joseph se méfiait des orignaux, surtout actifs au coucher du soleil; leur couleur sombre, de brun foncé à noir, les rendait difficiles à apercevoir en bordure de la route. Le risque de collision était alors élevé, car l'animal pouvait surgir sur la chaussée sans prévenir, laissant à un conducteur peu de temps pour l'éviter. Joseph savait que si on voyait un cervidé sur le côté de la route, on pouvait être presque certain qu'il y en avait d'autres à proximité en raison de leurs déplacements en groupe. Le parc des Laurentides, entre les régions de Québec et du Saguenay-Lac-Saint-Jean, était un immense territoire habité par ces animaux.

Joseph traversait le parc à un moment critique de l'été et à très haut risque d'accident. Il roula plus lentement pour effectuer le reste du parcours en remerciant Dieu de l'avoir protégé. Il passa sous silence cet épisode qui aurait pu lui coûter la vie, comme cela s'est produit pour bien d'autres avant lui. Il arriva à Québec après minuit, car il avait été retardé par un client qui avait insisté pour qu'ils soupent ensemble.

Il gravit les marches deux par deux et se précipita dans l'appartement. Carmel était assise dans le lit d'Élise, le dos appuyé sur deux oreillers, leur enfant dans les bras. Joseph la contempla un bon moment avant de s'approcher d'elle.

Il se pencha vers sa femme et l'embrassa avec passion. Il fit un pas en arrière, puis revint près d'elle. Une petite couverture cachait presque tout le visage du bébé. Carmel l'en dégagea avec un peu d'appréhension.

— Nous avons une superbe fille!

Le manque d'éclairage empêcha Carmel d'évaluer correctement la réaction du nouveau papa, mais elle capta un indice dans le sourire qui se dessinait sur la courbe de ses lèvres.

— Tu désirais un fils, et Dieu en a décidé autrement.

Consolé par la beauté de ce chérubin, Joseph la réconforta.

— *Never mind.* Elle est magnifique ! Nous nous reprendrons !

Carmel tendit révérencieusement sa fille à son père. Joseph ne bougea pas, il était figé sur place. Carmel lui présenta le bébé à nouveau et lui dit :

— Tu peux la prendre dans tes bras.

Joseph semblait effarouché par ce petit être.

— Est-ce que je peux vraiment ? Elle est tellement petite, je risque de lui faire mal.

Carmel lui sourit candidement. Elle avait les yeux remplis d'admiration.

— Regarde comme elle est belle !

Joseph contempla le bébé, leur enfant. Il lui caressa le front du bout des doigts. Une bouffée de tendresse l'envahit.

— Elle a la peau tellement douce. Montre-moi comment la prendre, j'ai peur de la laisser tomber.

Carmel plaça le nouveau-né délicatement dans les bras de son père qui s'enroulèrent autour du petit être qu'elle lui avait tendu. Le spectacle de Joseph tenant leur enfant dans ses bras l'émut aux larmes. Un frisson traversa Joseph au contact de sa fille. Dès le premier regard, touché jusqu'au fond de l'âme, il fut conquis. Curieusement, le bébé eut une mimique qui pouvait être prise pour un sourire. Front contre front, Carmel et Joseph pleurèrent ensemble, le bébé en fit autant, ce qui transforma les vagissements du nouveau-né en fou rire pour les parents. Carmel aimait encore davantage celui qui l'avait fait mère.

Lorsque Joseph remit le poupon dans les bras de Carmel, celle-ci lui dit :

— J'aimerais l'appeler Josiane.

Joseph avait envie de s'amuser et de la taquiner, il était tellement heureux.

— Pourquoi as-tu choisi ce prénom et non pas Joséphine ?

— Ah ! Ah ! Ah ! Joséphine, pensez donc !

Joseph prit un air sérieux.

— Oui, en mon honneur ! Joséphine est le féminin de Joseph. Tu n'es pas d'accord ?

Il pouffa de rire.

— Je plaisante. Je pensais aussi à Joséphine, l'amoureuse de Napoléon, celle qu'il a quittée parce qu'elle ne lui avait pas donné de fils.

Il avait prononcé maladroitement ces mots lourds de sens sans penser à la peine qu'il pourrait faire à Carmel, qui ne releva pas l'allusion.

— Tu peux te compter chanceux, Josiane et Jos, ces deux prénoms vont bien ensemble. Nous l'appellerons Jojo, les deux premières lettres de vos prénoms, c'est mignon, tu ne trouves pas ?

— C'est comme tu voudras. Je te laisse te reposer. Je vais à la pension en faire autant et rassurer tout le monde.

Ils n'abordèrent pas le sujet de leur retour à Montréal.

Eugénie et Antoinette avaient improvisé un lit pour le bébé dans un des tiroirs de la commode. Une grosse serviette pliée en quatre recouverte d'un bout de nappe de plastique tenait lieu de matelas. Josiane y serait temporairement confortable.

* * *

Les douleurs de l'accouchement, les plaintes et les gémissements avaient cédé la place à l'euphorie devant ce cadeau de la nature. Carmel connut le bonheur d'être mère. Elle avait engendré le fruit de leur amour. Quelle existence cette merveilleuse enfant aurait-elle dans ce monde qui s'embrasait ? Si cette affreuse guerre pouvait finir ! Carmel haïssait encore plus ce chancelier Hitler qui avait déjà mis des villes à feu et à sang. Les morts se comptaient par milliers. Selon les informations que tous se partageaient, l'Europe vivait la pire tragédie depuis la Première Guerre mondiale. La nouvelle mère était inquiète pour l'avenir de son enfant.

Carmel tenta d'oublier ses préoccupations pour se concentrer sur son petit ange. Les jubilations étaient inépuisables. Elle savait d'instinct dorloter un bébé. Elle compta ses doigts et ses orteils. Elle ponctua chaque gouzi-gouzi de doux baisers sur le front, dans le cou et sur ses menottes. Elle était enchantée de l'avoir à elle seule. L'odeur si délicieuse de sa peau l'enivrait. Sentir la chaleur de ce corps contre le sien la soûlait. Oui, ils allaient la prénommer Josiane, Jojo. Ce prénom lui conviendrait parfaitement.

* * *

Le lendemain matin, une procession défila chez les Moisan. Roseline était en tête, suivie de Gisèle, de Charles, le futur avocat, et de Philippe, l'ingénieur en devenir.

Eugénie avait pris le temps de se rendre chez sa voisine pour utiliser son téléphone. Elle put parler à son fils Paul-Émile, qui faisait partie de la parade en solitaire, car sa femme, Marguerite, avait trouvé un prétexte pour ne pas l'accompagner. Paul-Émile félicita chaleureusement sa sœur pour cette heureuse naissance, mais il avait le cœur gros, il savait que jamais sa chère Marguerite ne serrerait dans ses bras un si charmant chérubin et il en attribuait la faute à son obésité. D'ailleurs, les trois mousquetaires le lui avaient si souvent répété en se moquant de lui. Il était content qu'aucun d'eux ne se trouvât sur son passage ce jour-là.

Eugénie n'avait même pas tenté de rejoindre Maureen, la femme de son fils aîné, Alexandre. Elle en voulait toujours à sa belle-fille avec qui elle était à couteaux tirés pour des raisons qu'elle gardait pour elle.

Tous s'exclamèrent devant la beauté du chérubin. Ils ne tarirent pas d'éloges pour la mère, qui resplendissait malgré une nuit passablement éreintante.

— Comme elle te ressemble, Carmel !

Fièrement, mais modestement, celle-ci répondit :

— Vous trouvez ?

Roseline, par déformation professionnelle, demanda à Carmel de la laisser examiner le bébé.

— Félicitations, Carmel, ta fille a l'air en parfaite forme. Mais si tu me permets un conseil…

Carmel reçut un choc, craignant que l'infirmière ait décelé chez son bébé quelque malformation qu'elle n'avait pas remarquée. La voyant saisie d'une sombre angoisse, Roseline la rassura immédiatement.

— Ne t'affole pas. Par précaution, je te conseille de consulter le Dre Laflamme.

Carmel se calma.

— Tu as sans doute raison, Roseline, moi qui devais accoucher à l'hôpital, me voici avec mon bébé dans les bras, dans le lit de ma tante. Elle a dû aller coucher chez la voisine d'en bas, la sage-femme. J'ai perdu tous mes préjugés au sujet des sages-femmes, je dois te l'avouer. Je m'inquiétais pour les diplômes. Antoinette est tout à fait professionnelle.

— Je te l'accorde, Carmel, les diplômes ne font pas forcément de bons médecins, mais je ne peux nier que ça peut aller pour un accouchement sans problèmes. Par contre, dès qu'il y a des complications, le risque est grand.

Roseline laissa le temps à Carmel d'évaluer sa suggestion, puis ajouta :

— Nous pourrions y aller dès maintenant si tu te sens assez forte pour marcher, le Dre Laflamme est justement de service aujourd'hui.

Joseph, revenu à l'aube auprès de sa femme, car il était trop excité pour dormir, scruta Carmel pour deviner ses intentions. Elle avait les yeux rivés sur son nourrisson. Tous eurent l'impression que le bébé indiquait à sa mère la marche à suivre. Jojo se mit à émettre des cris perçants. Carmel s'affola. Roseline en profita pour approfondir sa pensée.

— Ton médecin pourrait aussi te conseiller pour l'allaitement, si c'est ton intention de nourrir ton bébé au sein.

La décision fut vite prise.

— Jos, emmène-nous à l'hôpital sans tarder, Roseline a raison.

Le remue-ménage s'enclencha.

Eugénie était fière d'avoir préparé quelques effets pour la naissance de sa petite-fille. Un trousseau sommaire fit l'affaire. La petite valise contenant les vêtements du bébé que Carmel avait préparée avec tant de soins était restée à la pension, Joseph n'avait pas pensé l'apporter.

Le jeune Gilbert, qui avait à peine fermé l'œil de la nuit, couché sur le sofa du salon, était intimidé de se retrouver parmi tant de personnes étrangères.

Carmel trouva pénible de devoir s'habiller et de descendre les trois étages, le poupon dans les bras, elle se sentait faible et avait peur de le laisser tomber. Joseph descendait devant elle et Roseline la suivait. Au deuxième étage, Carmel reprit son souffle et demanda à Roseline si elle accepterait de porter Josiane. Adroitement, la jeune infirmière l'installa confortablement au creux de ses bras. Arthur, Eugénie, tante Élise, Gilbert et Mathilde les suivaient dans l'escalier. Ils en mirent plein la vue à ceux qui les attendaient sur le trottoir. Les regards admiratifs se tournaient vers eux. Charles et Philippe se faufilèrent et ouvrirent grandes les portières de la voiture de Joseph garée juste en face de l'appartement. Roseline tendit le bébé à sa mère. Carmel lui demanda :

— Tu peux nous accompagner ?

— Avec plaisir.

— Monte à l'arrière, Roseline.

Au moment où Charles allait fermer la portière du côté de Carmel après avoir donné une tape affectueuse sur l'épaule de Joseph, Antoinette se pointa. Carmel prit sa main dans la sienne.

— Antoinette, permettez-moi de vous présenter le père de mon enfant.

Joseph sortit de la voiture, fier comme un paon, et tendit la main à cette femme qui avait assisté Carmel. Antoinette lui adressa un sourire amical. Ils se mirent en route. Le trajet vers l'hôpital se fit sans encombre.

En voyant arriver sa patiente, Madeleine Laflamme vint immédiatement à sa rencontre, le sourire aux lèvres.

— Vous me faites toute une surprise, Carmel. J'aurais dû m'en douter, hier c'était soir de pleine lune, la maternité n'a pas dérougi. Nous en avons eu plein les bras, c'est le cas de le dire. On a fait des heures supplémentaires. On aurait dit que toutes nos patientes avaient décidé d'enfanter en même temps.

Carmel n'en revenait tout simplement pas. Voilà que c'était la femme médecin, celle qui possédait les diplômes, qui lui parlait de rapprochement entre la pleine lune et le déclenchement d'un accouchement. Pas une fois la sage-femme n'avait évoqué ce phénomène.

— Je vous avoue que je me sentais pleine, moi aussi, aussi pleine que la lune. Grosse comme la lune.

Joseph la regarda un peu de travers. « Est-ce à la Pension Donovan que ma femme a appris à s'exprimer de cette façon ? La voilà qui fait de l'humour maintenant. »

Joseph effleura le front de Josiane avant qu'on l'amène à la pouponnière. Carmel eut du mal à s'en départir. L'enfant et la mère subirent un examen complet. Elles se portaient bien. On les garderait tout de même quatre ou cinq jours à l'hôpital.

****

Pendant son hospitalisation, Carmel reçut quelques visiteurs. George James et Emma se pâmèrent devant leur petite-fille, ravissante à croquer, et félicitèrent chaudement les nouveaux parents. Joseph eut l'occasion de bavarder avec eux. Au cours de la discussion, Emma lui apprit que sa fille Magella songeait sérieusement à s'enrôler.

Joseph tenta d'estomper le coup de cette révélation. Il était profondément bouleversé. Son père lui résuma la situation en ces termes :

— Nous avons tout tenté pour l'en dissuader, mais elle se dit prête, appelée sous les drapeaux. Une femme à la guerre, cela ne me plaît pas du tout. Je maudis le jour où le ministère de la Défense nationale a officiellement établi que les femmes pouvaient s'enrôler. Le Corps auxiliaire féminin de l'Aviation royale canadienne a été créé par décret. Non seulement les femmes apprennent la discipline et participent aux exercices et aux activités militaires courantes, mais elles peuvent aussi recevoir une formation dans quelques métiers. Magella s'est laissé influencer. Elle prétend qu'elle veut lutter contre le nazisme. Elle est certaine d'y trouver sa place, sa voie, c'est ce qu'elle a dit. Cela ne me plaît pas du tout !

***

Alors qu'elles étaient toutes les deux seules dans la chambre d'hôpital, Élise approcha une chaise du lit de sa nièce. Carmel en profita pour questionner sa tante, impatiente de connaître le dénouement de son récit interrompu par la naissance de Josiane. Élise poursuivit ses confidences.

— Voici la suite de mon histoire, Carmel. Si tu es fatiguée, ne te gêne pas, fais-moi signe et j'arrêterai de parler.

— Allez-y, ma tante, je meurs d'envie de savoir la suite. Je ne fais que me reposer et me faire servir ici. Jojo est à la pouponnière où elle reçoit des soins privilégiés, sans doute grâce à Roseline, son infirmière particulière.

— Ta fille est merveilleuse, je suis passée la voir avant de venir dans ta chambre.

— C'est le plus beau bébé de tous. Roseline a toujours un œil sur elle. Je vous écoute, si je commence à parler des qualités de ma fille, vous n'aurez pas le temps de placer un mot.

La naissance de cette enfant lui insufflait un bonheur insoupçonné.

— Je crois t'avoir parlé du chalet du lac Sergent.

— Oui, oui, vous en étiez là avant que Jojo naisse.

— Je t'ai donc dit que, lorsqu'il a appris que j'étais enceinte, Gilbert a promis de s'occuper de moi, en fait de nous deux. La question de garder le bébé ou de me faire avorter ne se posait même pas. Je désirais cet enfant. Je planifiais l'élever convenablement, même si nous étions en temps de crise. À ce moment-là, Gilbert ne m'a pas contrariée. J'ai donc présumé qu'il était d'accord pour que nous le gardions. L'emplacement du chalet était passablement isolé. Gilbert et sa femme n'y étaient pas très connus.

Carmel l'interrompit :

— Je me souviens en effet que vous aviez mentionné qu'elle ne s'y plaisait pas !

— En effet, je poursuis : par un beau samedi après-midi, alors que mon amant m'avait donné rendez-vous au restaurant où je lui avais avoué, quelques jours auparavant, porter son enfant, il m'attendait, vêtu de façon décontractée. Il m'a invitée à monter dans sa voiture. Nous avons roulé un long moment avant que je comprenne que nous nous dirigions vers le lac Sergent. Je n'oublierai jamais la beauté du paysage, ni l'émotion et l'amour que j'ai ressentis pour lui. Il m'emmenait à son chalet malgré les risques et les circonstances si particulières. Dès que j'ai ouvert la portière, une odeur de fougère m'a envahie. Les oiseaux chantaient. Je t'épargne les détails de ce décor bucolique, car ils étaient très nombreux.

Élise fit une légère pause avant de continuer, elle fouillait dans sa mémoire, des pans de cet épisode de sa vie la submergeaient.

— Il m'a fait signe d'entrer. J'étais secouée. J'étais sous le charme, tombée amoureuse de ce lieu paradisiaque. À peine avions-nous mis les pieds dans le chalet que Gilbert s'est approché de moi. Il m'a demandé d'un air juvénile si j'aimais l'endroit, moi qui rêvais de l'isolement de la forêt et d'un lac. Il m'a regardée droit dans les yeux en me disant qu'il ne vendrait jamais cette résidence, que ce serait notre refuge. « Installe-toi, décore à ta guise, change les rideaux, fais tout ce qui te plaît, c'est dorénavant notre maison, ta maison. »

— Oh ! Vous avez dû être surprise et contente, risqua Carmel en esquissant un sourire.

— J'étais incrédule. Enfin, nous aurions un lieu pour nous deux. Mais il y avait tout de même plusieurs obstacles, dont le premier était l'éloignement. Gilbert m'a répondu, à ce propos, qu'il y avait un train qui faisait la liaison entre Québec et Saint-Raymond. Il y avait une station au lac, à quelques minutes de marche du chalet. Même sans voiture, il me serait facile de m'y rendre. Alors que j'allais lui poser une autre question, il a tiré tous les rideaux, verrouillé la porte et m'a prise dans ses bras. Je te passe encore les détails. J'étais la femme la plus heureuse du monde.

— Vous n'aviez pas peur qu'on vous surprenne, que sa femme se rende au chalet à l'improviste ? Moi je serais morte de peur.

— Gilbert avait dit à son épouse qu'il avait vendu le chalet puisqu'elle n'avait pas l'intention d'y retourner.

— Personne n'a remarqué que vous preniez du poids ? Même moi, qui vivais sous le même toit que vous, je n'ai rien vu !

— Je portais des vêtements amples. J'étais moi-même surprise, personne ne semblait s'en apercevoir, personne sauf Eugénie.

Élise manifestait des signes de nervosité, elle tripotait son sautoir en perles d'une main tremblante.

— Nous avions prévu que j'irais passer mes deux derniers mois de grossesse au chalet.

Carmel l'écoutait raconter son histoire avec une attention soutenue, puis l'interrompit :

— Un souvenir me revient. C'est l'été où vous vous êtes absentée. Vous aviez prétexté vous rendre chez une cousine mourante, je me rappelle maintenant. Vous êtes revenue vers la fin du mois de juillet. Je vous ai fait la remarque que vous aviez maigri. Je comprends pourquoi maintenant.

— J'ai eu beaucoup de chance. C'est un vrai miracle de ne pas avoir perdu mon bébé né prématurément.

— Pardon ?

— Durant ma grossesse, je me rendais au chalet chaque fois que j'avais un congé. Parfois, Gilbert m'accompagnait. Nous nous faisions discrets. Nous sortions à peine. J'en étais à mon huitième mois. Dieu merci, Gilbert était avec moi. Les douleurs ont commencé. Gilbert, d'habitude si calme, s'est affolé. Toujours est-il que l'enfant était prêt, lui. Il s'est présenté après quelques heures de travail assez supportable, je dois l'avouer. Le bébé était petit, prématuré.

— Votre bébé était-il correct, je veux dire normal ?

— Certainement qu'il était normal. Même si c'était l'enfant d'un homme marié à une autre femme, un enfant du péché, il était avant tout l'enfant de l'amour.

Carmel l'écoutait, vibrante de compassion.

— Même s'il est né avant terme et de nos amours interdites, il se portait à merveille. En le voyant, j'ai vite oublié mes douleurs pour le serrer dans mes bras. C'était un petit ange. Il était tellement beau. C'est à cet instant que la délivrance tant souhaitée s'est transformée en véritable cauchemar, que le drame s'est produit.

— Un drame, quel drame ? Parlez vite, vous m'affolez.

Revivant les événements sordides de ce jour de juillet 1931, Élise perdit momentanément la voix et fut troublée jusqu'aux tréfonds de son être.

— Une tragédie que je n'aurais jamais pu prédire, même dans mes pires moments d'angoisse.

Elle se racla la gorge avant de poursuivre, d'une voix brisée :

— Gilbert s'est approché de moi et m'a dit de ne pas garder mon bébé dans mes bras, de le lui tendre. J'ai hésité, car mon enfant semblait si bien accroché à moi, son visage était parfait et sa tête, recouverte d'un joli duvet blond. J'ai cru qu'il désirait le prendre, tenir son fils contre lui. Je me suis trompée.

Tout à coup et contre toute attente, elle fondit en larmes.

— Excuse-moi, Carmel, c'est tellement difficile, je dois m'arrêter.

— Vous me faites peur, ma tante, continuez, profitons-en pendant que nous sommes seules, n'importe qui peut arriver d'un moment à l'autre.

Élise se moucha et parvint avec effort à reprendre son récit.

— Gilbert avait un regard fuyant. Il n'avait pas une seule fois posé les yeux sur le bébé. Je me suis dit qu'il allait s'habituer, encore une fois je me trompais. C'est alors qu'il a prononcé cette phrase assassine.

Carmel sursauta en répétant «assassine». Dans sa tête, un lien terrible s'était fait.

Élise ne put retenir le flot de larmes qui ne cessait de l'envahir.

— Mon Dieu! Il n'a pas tué votre enfant toujours?

— Non, mais c'était tout comme.

— Expliquez-vous, ma tante, je suis tellement anxieuse, j'en ai la chair de poule.

Élise reprit ses sens tant bien que mal et poursuivit:

— Il voulait me forcer à lui remettre l'enfant, car il ne fallait pas que je m'y attache. Il a insisté sur le fait que plus vite je me séparerais de lui, mieux ce serait. Je n'étais pas certaine de bien comprendre. Je l'ai dévisagé, muette de stupéfaction. Il a poursuivi, sans poser un regard sur moi non plus.

Horrifiée, Carmel s'agitait dans son lit.

— Gilbert m'a dit sur un ton indifférent qu'il avait trouvé une bonne famille pour élever le petit. Je ne reconnaissais plus cet homme, mon amant, mon amour. Je lui ai crié qu'il était devenu fou, qu'il n'était nullement question que j'abandonne mon fils. Momentanément, j'ai cru perdre la raison. Je n'avais pas prévu une telle situation.

Carmel voulut en savoir davantage, une question la taraudait.

— Il ne vous a à aucun moment suggéré de placer votre enfant, de l'abandonner, vous n'en aviez jamais discuté? Ça me semble invraisemblable et traître de sa part.

— Il m'a répété qu'il avait trouvé une famille d'adoption pour le poupon. Je me suis écriée comme une enragée qu'il n'en était pas question, qu'en aucune circonstance il ne m'avait consultée sur ce projet inhumain, grotesque, et que même s'il l'avait fait je n'aurais jamais accepté.

Élise observait les expressions courroucées sur le visage de Carmel au fur et à mesure qu'elle lui faisait cette cruelle révélation.

— Qu'a-t-il répondu ?

— Que je n'avais pas les moyens d'élever notre enfant convenablement. Qu'il lui avait été facile, en tant que médecin, de trouver une famille de bonnes gens pour l'accueillir et le traiter comme leur fils. Que tellement de femmes perdaient leur enfant à la naissance, sans compter celles qui ne pouvaient pas en avoir. Je n'avais que l'embarras du choix !

Carmel déclara sans détour à sa tante :

— C'est inhumain !

Ce qu'elle venait d'apprendre dépassait l'entendement. Elle esquissa un geste d'indignation. Elle ne mentionna pas les autres mots dégoûtants qui traversaient son cœur de mère. «Je hais cet homme sans le connaître.» Élise lisait sur le visage de Carmel la lutte intérieure qu'elle se livrait pour ne pas traiter son amant de tous les noms. Une jeune maman venant de donner naissance à son premier enfant ne pouvait que comprendre la déchirure qu'avait dû subir cette femme. Élise tremblait légèrement lorsqu'elle poursuivit :

— Je me suis alors mise à vociférer et à le couvrir d'insultes tout en tenant mon bébé contre moi. Je le tenais tellement emprisonné contre mon cœur meurtri que, tout à coup, j'ai eu peur de l'étouffer. Gilbert était triste, lui aussi. Il s'est mis à chialer comme un enfant, son chagrin m'a un peu calmée. Il m'a annoncé, la gorge serrée : «Je dois remettre le bébé à ses nouveaux parents ce soir afin d'écarter tout doute.»

Élise se tut brusquement, puis reprit :

— Je me suis remise à crier, ce qui a affolé le bébé. Gilbert m'a arraché mon petit ange des bras. J'ai cru qu'il voulait le calmer, mais non, il l'a enveloppé d'une couverture en me disant qu'il devait absolument le conduire à son bureau, que c'était là que le couple viendrait le chercher.

Carmel dit avec indulgence :

— Arrêtez, ma tante, laissez-moi le temps de me ressaisir. Je ne peux imaginer une mère se séparer de son nouveau-né. J'ai le cœur qui flanche juste à y penser. Je n'arrive pas à comprendre comment vous y êtes arrivée. Comment avez-vous pu vous résigner ? Je ne veux pas discuter des motifs qui ont conduit cet homme à vous enlever votre bébé. C'est un monst…

Carmel s'arrêta en plein milieu du mot. Indignée devant le comportement et la froideur de l'amant de sa tante, elle tendit les bras à Élise, qui ne pleurait plus, ses larmes s'étaient taries, elle qui avait été privée des joies de voir grandir son enfant. Carmel était angoissée et soudainement perdue dans ses pensées. Sachant sa mère dans la confidence, elle se demanda si ce n'était pas ce trop lourd secret qui l'avait incitée à consommer de la morphine. Elle se dit qu'elle ne pouvait imaginer comment elle-même réagirait si on lui enlevait sa petite Jojo.

— J'ai le cœur tellement affligé, Carmel, que je ne me sens pas la force de continuer mon histoire.

Élise profita d'un répit lorsqu'une infirmière entra dans la chambre avec un plateau dans les mains. Elle annonça qu'elle devait faire une prise de sang à la patiente, priant sa visiteuse de les laisser seules quelques minutes, au grand dam de Carmel.

Élise sortit dans le corridor. Instinctivement, elle se rendit à la pouponnière. Elle laissa courir son regard derrière la grande vitrine et admira les bébés couchés dans leurs petits lits. Bonnets roses pour les filles, bonnets bleus pour les garçons. Certains pleuraient à crever le cœur, d'autres dormaient comme des anges. Une bénévole berçait un bambin. Les infirmières s'affairaient à donner le biberon à ceux qui ne recevaient pas le lait maternel. Élise avait les yeux rivés sur un lit dans lequel reposait un enfant vêtu de bleu ; ce n'était pas celui de Jojo.

— C'est la plus belle de tous, n'est-ce pas, tante Élise ?

Celle-ci se retourna en sursaut, de sa main droite elle assura son équilibre en s'appuyant sur le rebord de la fenêtre. C'était Joseph, debout derrière elle, en contemplation devant sa fille.

— Oui, en effet, fut tout ce qu'elle put répondre.

Joseph trouvait qu'Élise faisait une drôle de tête. Il ne s'en soucia pas outre mesure.

Carmel fulminait intérieurement, choquée par le geste de ce médecin, ce sans-cœur. Lorsqu'elle vit Joseph entrer dans sa chambre avec sa tante, elle comprit qu'elle devait se ressaisir et qu'elle ne connaîtrait pas la suite de cette horrible histoire aujourd'hui.

— Tu as l'air fatiguée, Carmel, et tu as pleuré. Dis-moi pourquoi. Qu'est-ce qui se passe ? Tu n'es pas souffrante au moins ? C'est notre petite Jojo qui est malade ?

Carmel lui fit signe de ne pas s'inquiéter. Élise rassura immédiatement Joseph.

— C'est normal pour une femme d'être un peu larmoyante après avoir donné naissance à un enfant, c'est l'épuisement progressif en plus des douleurs de l'enfantement sans doute.

Joseph la considéra avec un air incrédule en se disant : « Qu'est-ce qu'elle sait de l'enfantement, la vieille fille, elle qui n'a jamais enfanté ? » Il lui répondit sur un ton narquois.

— Vous avez probablement raison.

Élise voulut partir, car elle se sentait abattue. Ses révélations l'avaient secouée. Elle avait un bon prétexte pour quitter sa nièce.

— Je vous laisse en tête à tête, je dois rentrer. Je tenterai de revenir demain.

Joseph était content d'être seul avec son épouse. Il s'approcha d'elle. Il l'embrassa tendrement, puis lui demanda de fermer les yeux.

Carmel n'obéit pas tout de suite, elle sécha d'abord ses larmes.

— Cela me rappelle un certain soir de Pâques. J'ai toujours en mémoire ce moment magique où tu m'as demandé d'être ta femme. Que mijotes-tu encore avec ton expression espiègle ?

— Plus tu tardes à t'exécuter, plus…

Carmel ferma les yeux.

— Tends les mains.

Joseph tira de sa poche un bel écrin qu'il déposa au creux des mains de Carmel.

— Tu peux regarder maintenant.

— Mon Dieu ! Pas une autre bague de fiançailles ? Oh ! c'est magnifique. Mon amour, je t'adore. Merci. Tu es si généreux. Tu as tellement de goût.

Du tac au tac, Joseph répondit :

— C'est pourquoi je t'ai choisie !

— Flatteur !

— Il te plaît ?

— Oh oui ! Je n'aurais jamais espéré posséder un aussi beau camée. Quel magnifique pendentif, c'est de la pure folie, Jos !

— Je suis ravi que tu l'aimes. Tu es aussi belle, sinon plus que ce profil incisé sur ce médaillon. C'est ton visage qui devrait y être gravé, ma douce.

— Rapporte-le, j'ai peur de me le faire voler, il faut être prudent, un bijou d'une si grande valeur dans un hôpital, un endroit où il y a tant de va-et-vient.

— Tu as raison, mais porte-le avant, j'aimerais voir l'effet dans ton cou.

Roseline entra au moment même où Joseph était penché sur sa femme pour lui passer le bijou autour du cou. Il eut un geste de recul en la voyant.

— Ah ! Roseline, ne va pas croire que je…

Roseline pouffa de rire. Carmel lui montra son beau camée.

— Ce bijou est magnifique, Carmel, il te va à ravir et il est exactement ton genre. Un beau bijou classique sans luxe ostentatoire. Ma mère en a un, elle aussi. Justement, mon père le lui avait offert à ma naissance. Dis donc, Joseph, tu as un goût raffiné, c'est indiscutable.

La discussion bifurqua inévitablement sur le chérubin dormant à poings fermés dans la pouponnière, un peu trop loin de la chambre de Carmel, qui se plaignait de cet éloignement. Roseline prit congé en s'extasiant sur la petite Jojo, qui se créait un monde parmi ses semblables. Après avoir embrassé Carmel, elle laissa les nouveaux parents seuls.

Tous deux se délectèrent de vivre un bonheur sans pareil.

# Chapitre 19

Tout l'avant-midi suivant, Carmel eut l'histoire de sa tante en tête. Elle se rendit souvent à la pouponnière pour admirer sa fille par la vitrine. Elle s'interrogeait : « Tous ces bébés vont-ils se retrouver entre les bras de leur vraie mère ? Comment le Dr Gilbert en est-il arrivé à un geste si inhumain ? Pourquoi, après s'être fait enlever son bébé, tante Élise le fréquente-t-elle encore ? » Tant de questions se bousculaient dans l'esprit de Carmel.

Elle tenterait d'élucider ses interrogations à la prochaine visite d'Élise. Il fallait qu'elle sache par quel miracle cette dernière avait accordé son pardon, malgré ce geste aussi inexcusable et monstrueux.

Carmel attendait avec anxiété la visite de sa tante qui, en la quittant la veille, lui avait promis de revenir le lendemain. Carmel lui avait alors glissé à l'oreille qu'elle espérait connaître la suite de son récit avant de devoir retourner à Montréal. Son vœu fut exaucé lorsqu'Élise se présenta à l'heure des visites.

Dès que sa tante mit les pieds dans sa chambre d'hôpital, Carmel la salua distraitement. Élise en fut peinée. Elle attendit que Carmel engage la conversation afin de se faire une idée de sa réaction après tant de révélations étonnantes et choquantes. Carmel l'aborda ainsi :

— Bonjour, ma tante, comment allez-vous ?

Elle interpréta mal cette banale formule de politesse et voyait là une forme de condamnation. Pourtant, ce n'était pas le cas. Elle s'en rendit compte lorsque Carmel ajouta :

— Approchez-vous que je vous embrasse. Je ne fais que penser à vous et à votre horrible histoire, je sais que je vous bouscule, vous venez à peine d'arriver et me voilà prête à vous assaillir de questions.

Elle prit sa tante dans ses bras et la serra contre elle. Élise se sentit soulagée. Elle l'avoua à sa nièce :

— Je croyais que tu m'en voulais pour ma conduite.

Carmel s'empressa de la rassurer, car ce n'était pas contre sa tante qu'elle éprouvait de la rancœur, mais bien contre le médecin, son amant.

— Jamais de la vie, enlevez-vous cette idée de la tête. Qui suis-je pour vous juger ? Maintenant, vous croyez-vous capable de me raconter la suite ?

— Oui, cela me fait grand bien de partager cet énorme secret avec toi. Ce n'est pas que je n'ai pas confiance, mais je te le demande à nouveau : promets-moi de ne rien révéler de ce que je t'ai appris, pas même à Joseph. Personne ne doit savoir ce qui s'est passé durant l'été 1931 dans le chalet au bord du lac Sergent.

Le visage d'Élise était livide. Carmel n'était nullement offusquée, mais une douleur insupportable lui vrillait la poitrine. Elle lui en fit la promesse sans hésiter.

— Vous avez ma parole, ma tante.

Élise remit ses idées en ordre. Sans se perdre en bavardages, Carmel l'incita à reprendre son récit et fut comblée, car Élise semblait avoir hâte d'en finir avec ses souvenirs douloureux. Elle ne tarda pas à s'exécuter après que sa nièce lui eut remis en mémoire ses propos de la veille.

— Je crains que ce que je vais te révéler te surprenne, mais attends la fin avant de porter un jugement.

— Allez-y, ma tante, je vous écoute attentivement.

— Gilbert a alors lui-même pris l'enfant dans ses bras, son garçon, celui que sa propre femme ne lui avait pas donné et ne lui donnerait jamais. D'ailleurs, il n'était nullement question de lui dévoiler cette naissance. Il s'agissait de tricherie en plus d'un péché de dévergondage, de la part d'un médecin par-dessus le marché. Il avait le cœur meurtri quand il m'a enlevé son propre fils des bras. J'ai pleuré toutes les larmes de mon corps. À bout de force et d'arguments, j'ai insisté pour qu'on lui donne le même prénom que son père. Je lui ai demandé de me promettre que ses nouveaux parents le prénommeraient Gilbert. Je l'en ai conjuré et, finalement, il a accepté.

— Vous dites que votre bébé se prénomme Gilbert ? interrompit Carmel.

Élise fit une longue pose. Elle hésitait. Elle craignait d'être allée trop loin dans ses révélations. Carmel insista pour qu'elle partage toutes ses confidences. Une voix intérieure la pressait de l'interroger calmement et de la rassurer.

— Vous pouvez avoir confiance en moi, ma tante, je garderai votre secret, je sais être muette comme une tombe.

Élise savait qu'elle ne pouvait plus faire marche arrière, le passé avait été révélé. Aussi, elle ne se sentait plus seule à porter ce lourd fardeau. Carmel savait maintenant qu'elle avait un amant, aussi bien lui raconter toute son histoire.

— J'ai tourmenté Gilbert pour qu'il me dise où serait placé mon bébé, pour qu'il me donne le nom de la famille. J'ai essuyé un refus catégorique.

Elle lui raconta pathétiquement qu'à la suite de ce drame elle sentait ses entrailles crier à l'abandon. Elle avait le mal de vivre, elle avait mal à son être, mal à son cœur. Elle vivait une relation avec un homme marié, qui aurait pu être son mari si elle avait été issue de famille plus noble. Son amant ne lui avait fait aucune promesse. À aucun moment il ne lui avait laissé croire qu'il pourrait rompre son mariage pour elle. Elle le fréquentait en toute connaissance de cause. Elle tenait à lui, à son amour, elle ne pouvait vivre sans lui. Au début de leurs fréquentations, il lui avait dit ne pas avoir peur qu'elle devienne enceinte. Son épouse, qui ne lui avait pas donné d'enfants, avait cependant refusé de passer des examens, prétextant qu'aucune femme de sa famille n'était stérile. Il était incontestable, selon elle, que c'était à cause de lui que leur couple était dans l'incapacité de procréer.

Élise riait sous cape. La malheureuse ranimait ses souvenirs sans effort. Carmel constata qu'elle exposait les faits avec précision, mais considérait qu'elle aurait dû retenir son bébé ! Elle repoussa aussitôt cette idée. Dans les circonstances, cela aurait peut-être été impossible. Sa tante criait de regrets. Elle avait sûrement tout fait ce qu'il lui était humainement possible pour garder son fils.

L'entretien fut entrecoupé de visites et de conseils en préparation du départ du lendemain, car c'était le dernier jour d'hospitalisation. Élise devait interrompre son récit dès que quelqu'un se pointait à la porte mais, aussitôt qu'elles étaient seules, elle enchaînait :

— Donc nous en étions au moment où Gilbert a quitté le chalet avec mon bébé dans ses bras. J'ai tenté de me lever pour le lui enlever, mais j'étais trop faible. La porte du chalet a claqué. Ce moment a été le plus cruel. J'ai essayé à nouveau de me mettre debout et je ne sais comment j'y suis arrivée, mais je suis parvenue à marcher, à monter l'escalier et à le rejoindre à la voiture. J'ai frappé dans la vitre. Gilbert a éteint le moteur et ouvert la portière. Il est sorti de la voiture et m'a prise dans ses bras pour me ramener à l'intérieur du chalet. Je n'ai pas vu le visage de mon bébé. Il ne pleurait pas. J'ai cru qu'il était mort, là, sur la banquette de la voiture, car il ne bougeait pas, emprisonné dans sa couverture.

— Votre bébé est mort !

Ce retour en arrière réveillait beaucoup d'émotions en elle.

— Non, Carmel, il était bien vivant. Gilbert me l'a confirmé par la suite.

Carmel resta un moment interdite sous l'effet de la surprise, puis ses yeux roulèrent dans l'eau.

— Alors, que s'est-il passé? Où est-il? Qu'est-il advenu de lui? L'avez-vous revu?

— Comme je viens de le dire, Gilbert m'a ramenée dans la chambre, m'a allongée sur le lit et m'a administré un calmant. Il m'a embrassée, m'a dit de me reposer et qu'il allait revenir. J'ai sombré rapidement dans un état comateux. Je ne réagissais plus, j'ai fermé les yeux. Lorsque je les ai rouverts, Gilbert était assis sur une chaise près de moi. En me réveillant, je lui ai dit entre deux sanglots: «Ah que je suis heureuse de te voir, je viens de faire tout un cauchemar!» Gilbert a passé sa main sur mon front en me proposant du repos. J'ai compris que mes entrailles étaient vides, désespérément vides. Je me suis alors souvenue. Je me suis mise à le frapper de toutes mes forces en lui disant qu'il m'avait volé mon bébé. J'ai tenté de me lever, de m'éloigner de ce lieu, de cet homme, de ce mauvais rêve, mais mes jambes ne me supportaient pas. Je suis tombée à la renverse. Gilbert sanglotait. Malgré le désespoir et le chagrin que je lisais sur son visage, je l'insultais, je lui criais tous les noms. Il se laissait injurier sans répliquer. Lorsque je suis parvenue à me calmer, il m'a dit: «Ce n'est pas de gaîté de cœur que j'ai fait cela. Je l'ai fait pour lui, pour notre enfant. Il sera élevé dans une bonne famille. Il aura des parents qui vont l'aimer et l'élever dans la foi catholique.» C'est en entendant ses arguments que j'ai perdu la foi. Je me suis dit que si Dieu existait, il ne permettrait pas qu'un enfant soit séparé de sa mère, et cela, sous aucun prétexte, même s'il était né d'un amour défendu.

Carmel avait les yeux ronds comme des billes. Elle estimait que les arguments du docteur n'étaient pas logiques, mais, en amour, où est la logique? Elle devrait un jour élucider ce mystère. Elle avait d'autres questions à poser à Élise.

Elle ne pouvait s'empêcher de réagir à ce manque de foi, elle considérait les paroles de sa tante comme blasphématoires.

— Voyons, ma tante, vous ne pouvez pas en vouloir au bon Dieu pour un geste de votre amant. Ce n'est nullement sa faute, je suis certaine que le Tout-Puissant n'a rien à voir là-dedans !

Élise haussa les sourcils.

— Peut-être, mais dans ma folie il me fallait un coupable, et le sort est tombé sur notre Créateur. J'ai perdu la foi en perdant mon enfant !

Carmel fit une moue dubitative.

— Tu ne pourras pas comprendre, ma chère Carmel, tant que tu ne vivras pas une telle situation, que je te souhaite aucunement.

Carmel voulut se rattraper, sa tante avait raison, ce n'était pas à elle de la juger. Elle l'encouragea à poursuivre.

— J'ai questionné longuement Gilbert, je voulais savoir quels parents accepteraient qu'on arrache un bébé naissant des bras de sa maman. Je l'ai harcelé jusqu'au bout de mes forces, ensuite je n'ai plus été capable de prononcer un seul mot. Gilbert me répondait inlassablement que je devais lui faire confiance. Je me suis emmurée dans un silence profond. Je savais que je ne tirerais rien de lui. Après ma séparation d'avec mon petit ange, j'étais comme une âme en peine, plus rien n'existait pour moi. Je suis demeurée quelques jours au chalet pour me remettre de tout cela. J'ai passé les semaines suivantes dans un état de survie. J'accomplissais mes tâches en moribonde.

— Il ne vous a même pas dit de quelle manière il s'y était pris pour placer l'enfant ? Je ne comprends pas comment il a pu procéder.

— Il m'a rassurée sur ce point. Il m'a affirmé que le bébé était sain et sauf lorsqu'il l'a déposé dans les bras de sa nouvelle mère. Je n'ai pu rien tirer de plus.

Élise poussa un long soupir, elle avait besoin de faire une pause. Carmel la prit dans ses bras. Les deux femmes pleurèrent ensemble. L'une pour la joie d'être mère, l'autre pour la privation des joies maternelles.

***

La fille de Carmel et Joseph fut portée sur les fonts baptismaux de l'église Notre-Dame-de-Jacques-Cartier, dans la paroisse où Marie Évelyne Carmel Moisan et Joseph George Courtin avaient fait le serment de s'aimer et de se chérir pour le meilleur et pour le pire. Carmel tenait mordicus à ce que Josiane soit baptisée là où ils avaient prononcé leurs vœux. Le couple partageait pour le moment le meilleur, écartant le pire. Carmel eut un moment de tristesse en pensant que sa tante Élise avait été privée de ce bonheur inouï.

Joseph avait acquiescé sans discuter au souhait de Carmel. Ils avaient demandé à Arthur et à Eugénie d'être parrain et marraine de Jojo. Les parents de Carmel avaient satisfait à cette demande avec fierté. Eugénie s'était préparée avec soin. Lorsque sa fille lui avait fait cette demande, elle s'y en attendait, car elle connaissait la coutume : si le premier enfant né du couple était une fille, les rôles de parrain et marraine revenaient presque naturellement à la famille de la mère et, si c'était un garçon, ils relevaient de la famille du père. Lorsque Eugénie avait annoncé la nouvelle à sa voisine, celle-ci lui avait demandé sur un ton cassant :

— Es-tu au courant des responsabilités qu'implique ton rôle de marraine ?

Sans hésiter, Eugénie avait rétorqué qu'elle savait parfaitement que ce rôle n'était pas seulement spirituel, qu'il avait un aspect humain important et qu'il consistait à créer avec sa filleule et petite-fille un lien personnel d'affection. La voisine l'avait questionnée d'un air inquisiteur sur son rôle en cas de décès des parents.

— Ah, je suis renseignée. En cas de décès des parents, le parrain et la marraine ont davantage d'importance. Ils ont une responsabilité morale, mais la loi ne leur reconnaît aucun statut particulier. Ils ne sont donc pas tenus d'assumer la garde de l'enfant.

Surprise de la réponse étoffée d'Eugénie, elle avait insisté :

— Il y a autre chose que tu dois savoir !

— Quoi donc ? avait répondu Eugénie, qui croyait tout connaître sur le sujet.

La femme avait entrepris de lui débiter son savoir :

— Le jour d'un baptême, il faut prendre quelques précautions, car les sorciers sont à l'affût.

Eugénie l'avait interrompue brusquement :

— Qu'est-ce que c'est que cette histoire-là ? Es-tu en train de vouloir me faire peur ?

— Nullement, mais il est important que tu saches certaines choses ! Il faut tout d'abord que le parrain porte une chemise propre.

Eugénie, terriblement superstitieuse, écoutait attentivement. Elle suivait les recommandations de sa voisine qui donnait l'impression d'en savoir long sur le sujet.

— Ça tombe bien, car le col de la chemise de mon Arthur sera même empesé. Il va endurer son cou étranglé, il est tellement content d'être le parrain de Josiane.

La voisine avait ajouté avec volubilité :

— L'enfant vivra peu de temps s'il ne pleure pas pendant la cérémonie.

— Es-tu certaine de ça ? C'est inhumain de suggérer que je fasse pleurer ma petite-fille pendant son baptême pour soi-disant rallonger ses jours !

— C'est la légende qui le veut, pas moi.

Eugénie avait pris un air courroucé. Elle en avait eu assez de se faire rabâcher de telles histoires. Elle n'avait pas eu envie d'en savoir plus. Elle avait mis un terme à cette discussion désagréable avec cette femme qu'elle connaissait à peine.

— Je te laisse, je dois aller repasser et empeser la chemise d'Arthur.

La voisine était restée sur son appétit, elle aurait voulu lui en dire plus sur ses croyances, mais Eugénie avait déjà tourné les talons. La femme l'avait toutefois impressionnée avec toutes ses connaissances. « Bien informée, celle-là, s'était-elle dit, c'est surprenant ! Elle est peut-être plus cultivée qu'elle en a l'air, je devrais m'en méfier ! » Eugénie trouvait que sa voisine avait du front tout le tour de la tête et qu'elle était pour le moins singulière. Lui avait-elle posé ces questions pour tester ses connaissances ou pour la mettre en boîte ? Elle apprendrait à mieux la connaître si elle restait assez longtemps à cette adresse.

La promiscuité du logement et le manque de ressources financières l'avaient empêchée de faire une réception pour le baptême de sa filleule. Elle avait tout bonnement dit à sa fille :

— Le temps n'est pas aux festivités alors que le monde s'entre-déchire. Nous vivons dans une période de grandes privations. Quand est-ce que tout ça va finir ?

***

Eugénie assuma convenablement son rôle de marraine. Elle tint prudemment l'enfant au moment où on versa l'eau bénite sur le front de Jojo dont le visage se crispa avant de se mouiller de pleurs. À l'instant où Eugénie tendit le bébé, Joseph pensa à Minny, sa mère, qui aurait adoré sa petite-fille. Elle aurait été une grand-maman affectueuse et lui aurait transmis ses coutumes écossaises. Puis le curé apposa le saint chrême sur le front de la petite. Arthur alluma le cierge de baptême au cierge pascal. Ils apposèrent ensuite cérémonieusement leurs signatures dans le registre.

Eugénie avait été tout à fait digne de sa fonction. Carmel remercia le Ciel que sa mère se soit tenue éloignée de la morphine, car elle avait craint de la voir agir sous l'influence de cette substance. Carmel se demandait si Eugénie avait cessé sa consommation. À vrai dire, rien ne lui avait permis de soupçonner que le comportement de sa mère n'était pas normal depuis leur arrivée à Québec.

Au sortir de l'église, ils croisèrent un grand nombre de soldats déambulant dans les rues. Ces hommes en uniforme étaient probablement des recrues qui s'entraînaient à la Citadelle. Carmel avait le cœur serré. Son mari et elle étaient des pacifistes, donc contre la guerre. Elle ne put s'empêcher de penser à son frère Alexandre qui faisait partie du Royal 22e Régiment.

Le 10 septembre 1939, le Canada avait déclaré la guerre à l'Allemagne. À cette date, le Royal 22e Régiment ne comportait qu'un effectif de deux cent cinquante militaires. C'est pourquoi il avait entamé une période de recrutement afin d'atteindre le nombre autorisé de neuf cents hommes. Le 14 octobre, la présence de deux sous-marins allemands avait été rapportée dans le fleuve Saint-Laurent alors que le Canada ne possédait aucune défense côtière. Un navire du ministère des Transports avait dû être réquisitionné avec son équipage civil, puis équipé d'un canon de dix-huit livres avec des artilleurs de la milice locale et des fusiliers du Royal 22e Régiment. Finalement, les sous-marins n'avaient pas été repérés et l'opération s'était terminée le lendemain. Néanmoins, cet incident avait permis de démontrer que les défenses canadiennes n'étaient pas prêtes. Le régiment s'était embarqué pour l'Angleterre avec huit cents hommes, le 9 décembre 1939, mais Alexandre ne s'était pas enrôlé à ce moment-là et n'était donc pas à bord du SS *Aquitania*.

Arrivé en Angleterre, le régiment avait entrepris un entraînement en vue de son déploiement dans le cadre d'opérations et de sa participation à la défense côtière de la Grande-Bretagne. Durant cette période, soit du 12 au 21 avril 1940, le régiment avait été appelé à monter la garde royale aux palais de Buckingham et de Saint James. C'était la première fois que la garde était constituée d'une unité qui ne faisait pas partie des Forces armées britanniques et, surtout, la première fois que les ordres étaient donnés en français à la garde royale. Était-ce pour cette raison que son frère Alexandre avait annoncé à sa mère en pleurs qu'il avait décidé de s'enrôler ?

Eugénie avait été dévastée. Elle se demandait ce qui le poussait à aller risquer sa vie à l'autre bout du monde. Son fils aîné s'en allait à la guerre même s'il n'avait pas l'obligation de s'enrôler, car il était marié et père de famille. « C'est à cause de cette damnée Maureen, son exaspérante femme, que mon fils bien-aimé veut défendre un pays que nous ne connaissons même pas ! » avait-elle claironné à qui voulait l'entendre.

* * *

Carmel déplora devoir partir immédiatement après le baptême. Joseph avait insisté pour rentrer à Montréal le plus vite possible. Il avait communiqué avec son employeur, qui s'était tout de même montré compréhensif en lui accordant plusieurs jours supplémentaires à Québec même si les rendez-vous avaient tous été honorés.

Le moment était donc venu pour la petite famille de rentrer chez elle. Carmel avança vers la voiture, son bébé dans les bras, et jeta un dernier coup d'œil à l'appartement de ses parents. Ils se rendirent ensuite à la Pension Donovan. Carmel serra Gisèle contre elle et la remercia sincèrement de sa bonté et de son soutien. Elle se dirigea ensuite vers Roseline et, après l'avoir embrassée sur les deux joues, la remercia de ses judicieux conseils et lui chuchota à l'oreille : « Sois courageuse, je prierai pour que ton fiancé te revienne. » Les trois femmes promirent de s'écrire. Le couple blagua en disant à Charles qu'il désirait ne jamais avoir besoin de ses services juridiques et souhaita à Philippe de dessiner des ponts plus solides que celui de Québec, qui était tombé deux fois. Carmel caressait le désir de revoir ces femmes si importantes dans son cheminement. Puis, au moment de monter dans la voiture, son bébé confortablement calé dans ses bras, elle fondit en larmes. Gisèle s'empressa de la réconforter en lui tendant un mouchoir.

— Ne sois pas triste, ta vie de famille te comblera de joie. Nous nous reverrons sûrement.

— J'ai abîmé votre mouchoir !

— Garde-le donc en souvenir de moi.

Gisèle donna à Joseph le sac de provisions qu'elle avait préparé pour les voyageurs. Ce fut à son tour d'éprouver un pincement au cœur.

Après ces adieux déchirants, la nouvelle petite famille prit la route de la métropole.

***

Sur le chemin du retour, Carmel et Joseph discutèrent tranquillement de leur séjour dans la capitale. Carmel fit remarquer à son mari qu'elle n'avait presque pas vu Alfred. Elle se garda de mentionner l'avoir rencontré lorsqu'elle était à la recherche de ses parents avec Gisèle.

Joseph ne répondit pas, mais son silence était éloquent. Il se disait que ce n'était pas lui qui allait s'en plaindre.

Carmel eut amplement le temps durant le long trajet de Québec à Montréal de repenser à la malheureuse histoire de tante Élise.

Ces paroles, prononcées avec franchise, étaient gravées dans la mémoire de Carmel, qui se frotta les yeux pour échapper à cette cruelle réalité. Ils étaient à peu près à mi-chemin lorsque Joseph se tourna légèrement vers elle.

— Tu es songeuse. Te sens-tu bien ? Notre bébé dort comme un ange. Nous nous arrêterons lorsqu'elle réclamera le biberon.

Carmel sortit de ses pensées et lui répondit la première phrase qui lui vint en tête. Sa tante lui avait fait promettre de ne pas dévoiler son grand secret. Carmel avait la ferme intention de ne pas la trahir.

— J'ai hâte qu'on se retrouve chez nous, tous les trois.

Joseph aussi était taciturne. Il réfléchit au rôle de père qu'il devrait assumer avec toutes les responsabilités qui lui incomberaient. L'automobile arriva à destination. Le voyage s'était déroulé sans anicroche.

* * *

En mettant les pieds dans son logis, rue Sicard, Carmel vit défiler les événements qui s'étaient déroulés dans ce logement. Brutalement, l'image du voyeur s'insinua dans sa tête. Elle pressa son poupon contre son cœur. Elle avait maintenant une enfant à protéger. La jeune famille s'installa. Carmel ne prit pas le temps de ranger les beaux petits vêtements de Josiane dans les tiroirs de la commode. « Je ferai cela demain », se dit-elle. Elle constata que le bébé avait grugé toute son énergie.

Au beau milieu de la nuit, en entendant crier « Gilbert… Gilbert », Joseph réveilla sa femme en la questionnant.

— J'ai fait un cauchemar ! J'ai rêvé qu'on m'enlevait mon enfant.

Joseph ne comprenait pas.

— Est-ce Gilbert qui te hante, ma douce ?

Carmel, trop endormie, oublia sa promesse et spontanément répondit :

— Le petit Gilbert, pourquoi le lui a-t-on arraché des bras ?

Joseph était stupéfait. Il ne connaissait pas d'autre Gilbert que le garçon qui vivait dans la famille Moisan, dont il s'était pris d'affection. Immédiatement, il crut que cela avait rapport avec la fois où ils avaient appelé à Québec et que l'enfant n'était pas encore rentré à la maison. Il interrogea sa femme.

— C'est à cause du petit Gilbert ?

Carmel ne devina pas à quoi pensait Joseph, elle lui dit :

— C'est injuste d'enlever un enfant des bras de sa mère. Où est Jojo ?

Elle se leva en vacillant et courut, Joseph sur les talons, vers la chambre toute blanche du nouveau-né. Le bébé dormait paisiblement, les petits poings fermés. Carmel frissonna.

Joseph tentait de décoder la divagation de sa femme. Lorsqu'ils revinrent au lit, il lui demanda :

— Tu as rêvé que Gilbert avait été arraché des bras de sa mère, tu as hurlé dans ton délire. Je suis surpris que Jojo ne se soit pas réveillée. Elle dort comme un loir, notre petite.

Joseph sentit que Carmel était mal à l'aise lorsqu'elle bafouilla une explication contestable.

— Rendormons-nous, ce n'était qu'un mauvais rêve. C'est sans doute cette guerre qui me rend nerveuse.

En quoi la guerre avait-elle un lien avec le cauchemar qu'elle venait de faire ? Il tenta de l'interroger davantage, mais les pleurs du nourrisson firent sursauter à nouveau Carmel.

— Jojo réclame son biberon.

Et elle ajouta, affolée :

— Es-tu certain, Jos, qu'il est prudent de laisser notre bébé seul dans sa chambre ? N'importe qui pourrait venir nous l'enlever.

Joseph se dit qu'il devait être patient et rester calme devant l'angoisse d'une nouvelle maman qui pouvait se convertir en panique. Toutefois, il n'était pas indifférent aux craintes de sa femme.

C'était comme si tous les malheurs qu'avait subis Carmel depuis qu'elle était à Montréal envahissaient sournoisement son esprit. Elle demeura muette un moment, mais ce grand silence en disait long sur la profondeur de ses réflexions. Elle parvint à articuler :

— Nous devrions la garder près de nous, je me sentirais plus en sécurité. On pourrait la coucher dans son carrosse, elle est si menue, elle serait aussi confortable que dans son berceau.

Voyant sa femme au bord des larmes, Joseph n'argumenta pas, au contraire, il s'empressa de la rassurer.

— D'accord, va donc la chercher, elle dormira dans notre chambre.

Carmel donna le boire à l'enfant, assise dans la berceuse, à l'angle de la fenêtre dans la chambre de Jojo. Lorsque le nourrisson fut rassasié, elle continua de lui tenir délicatement la tête au creux de sa main. Elle n'arrivait pas à se séparer de son bébé, qui sentait bon le lait et le sucre. Après s'en être rassasiée, elle la coucha dans son landau puis la promena dans le long corridor qui les séparait du mur mitoyen du logement voisin. Lorsque Jojo s'endormit, Carmel plaça le landau dans sa chambre le plus près possible du lit. Elle se coucha sur le côté de manière à surveiller l'enfant. Elle ne dormit que d'un œil, elle se réveillait presque chaque fois que la respiration de Josiane se faisait irrégulière. De plus, elle se disait que le grand secret de sa tante serait difficile à garder et qu'elle aurait pu se trahir si Joseph l'avait questionnée davantage. Sa diversion avait sans doute brouillé les cartes.

Joseph réussit à se rendormir après avoir bercé sa fille du regard. Il avait un doute en tête.

# Chapitre 20

Après avoir passé une nuit cauchemardesque, Carmel se leva fatiguée au petit jour. Joseph était déjà debout. Dès qu'elle se pointa dans la cuisine, il remarqua qu'elle avait les yeux cernés. Il lui offrit gentiment :

— Aimerais-tu que je reste avec toi aujourd'hui ?

Carmel était littéralement paniquée. Sur le moment, elle eut la nausée. Elle ne se sentait pas assez forte pour assumer ses tâches ménagères en plus de s'occuper du nouveau-né. Comment allait-elle y arriver ? À plusieurs reprises, Joseph lui avait mentionné que la prolongation de leur séjour à Québec lui avait fait prendre du retard dans son travail et qu'il ne voulait pas abuser de la bonté de M. Sicard. D'une voix enrouée, Carmel lui répondit qu'elle pourrait s'en sortir. Elle s'habilla un peu n'importe comment et à la hâte, avant que Joseph parte et la laisse seule avec Josiane. Elle enfila une robe de maternité qu'elle ajusta à la taille tant bien que mal avec une épingle à nourrice. La robe flottait le long de ses cuisses. Elle se sentait gênée, elle qui était si fière.

À l'appartement d'en bas, Rita faisait les cent pas. Femme matinale, elle était debout depuis les petites heures du matin. En un rien de temps, elle s'était vêtue et coiffée, avait rangé la maison et préparé le lunch de son mari. Elle avait eu le temps de concocter une bonne omelette au fromage pour les siens qu'ils avaient avalée goulûment. Cela faisait trois fois qu'elle demandait à Jacques s'il était trop tôt pour aller saluer et féliciter leurs amis et voisins.

— Laisse-leur le temps de se lever, ils ont sûrement passé une nuit particulièrement mouvementée avec le bébé.

— Je viens de voir Joseph partir, j'y vais. Bonne journée, Jacques.

Elle quitta son logis sans fermer la porte. Jacques la suivit en criant:

— Tu es bien nerveuse, ce matin. Bon, vas-y, je m'occupe de verrouiller, amuse-toi bien.

Carmel accueillit chaleureusement Rita, le bébé enveloppé dans une petite couverture rose, calé dans ses bras.

— Entre, Rita.

La visiteuse ne se fit pas prier. Carmel avait le cœur en émoi lorsqu'elle lui dit:

— Je te présente ma fille... Josiane, notre Jojo.

Rita tomba immédiatement sous le charme de ce petit être adorable.

— Elle est jolie comme un cœur, c'est ton portrait tout craché.

— C'est l'avis de tous ceux qui l'ont vue.

— Est-ce que je peux la prendre?

Carmel sourit tendrement à sa voisine lorsqu'elle lui tendit l'enfant.

— J'avais oublié combien un nouveau-né est petit!

Carmel lui jeta une œillade interrogative.

— La trouves-tu trop petite? Mon médecin a dit que son poids était normal et qu'elle était en bonne santé.

— Rassure-toi, je n'insinue rien du tout, elle est parfaite. Regarde-moi ces belles joues rondes. Un ange.

Carmel lui raconta l'épisode de son accouchement, parla de la sage-femme Antoinette et du Dre Laflamme.

— Bon, ta petite dort calmement, nous pourrions la coucher dans son berceau. Je passe la journée avec toi, Carmel. Je suis venue t'aider.

— Tu savais que nous revenions hier soir ?

— Joseph nous a téléphoné de Québec pour nous en informer. C'est alors que je lui ai dit de ne pas s'inquiéter et que je t'aiderais dans tes relevailles. Alors je suis là ! Nous allons nous mettre à la tâche tout de suite.

Carmel zieuta avec étonnement le seau à couches presque plein.

— Les couches s'accumulent à la vitesse de l'éclair.

Rita lui affirma :

— Cela facilite les choses de mettre un enfant au monde en été, tu verras.

Rita rinça les couches, les lava et les tordit de ses mains rougies, puis les étendit sur la corde.

— Je veux profiter du soleil du midi pour qu'elles sèchent rapidement. Le soleil va les blanchir et les désinfecter. La nature nous fournit tellement de bienfaits. C'est le meilleur désinfectant, tes couches sentiront le frais.

Lorsque Rita rentra, son panier vide sous le bras, Carmel avait l'air embarrassé.

— Rita, peux-tu m'aider à faire sa toilette ?

— Volontiers, nous la laverons dans l'évier, je vais te montrer de quelle manière la tenir et comment procéder pour ne pas l'effaroucher.

— Que vais-je pouvoir te servir pour dîner ?

— Chut, chut, chut !

Rita pressa la main de son amie, qui semblait déjà à bout de souffle.

— J'ai tout prévu. Je t'avoue que j'attendais votre retour depuis plusieurs jours. Tu devais accoucher bien avant. Comme une vieille commère, j'ai surveillé votre arrivée. J'ai cuisiné pour une armée.

Tout en mangeant, alors que le petit ange dormait à poings fermés après avoir été poudré et emmitouflé, les deux femmes firent un inventaire des produits nécessaires pour un nouveau-né.

— As-tu une balance ?

— Non, je n'en ai pas. J'ai la fiche de naissance de Jojo, elle pesait sept livres et cinq onces.

Rita, qui venait d'apprendre de la bouche de Carmel les circonstances de l'accouchement, voulait en savoir davantage. Carmel lui donna plus de détails sans toutefois mentionner que ses parents avaient été évincés de leur logement. Elle lui dit tout simplement qu'ils avaient déménagé dans un appartement plus petit et qu'il avait été préférable de ne pas les encombrer après la naissance de sa fille. Comme Roseline lui avait conseillé de se rendre à l'hôpital, c'est ce qu'elle avait fait. Elle lui parla abondamment de Gisèle et Roseline, ainsi que de Charles et Philippe. Elle en avait long à raconter au sujet de tout ce beau monde.

Vers la fin de l'après-midi, après avoir langé Josiane, Carmel s'exclama :

— Comment un si petit être peut-il nous tenir si occupées ? Nous étions deux et nous n'avons pas soufflé une seconde. Nous n'avons pas eu le temps de mettre le nez dehors. Je n'ai même pas eu une minute pour m'asseoir ni pour fumer une cigarette. Nous étions toi et moi dans le barda jusqu'au cou.

Rita, qui ne fumait pas et n'aimait pas respirer la fumée des autres, ne fit aucun commentaire. C'était mieux pour sa santé et celle des jeunes poumons du nouveau-né. Elle se garda de faire la morale à sa voisine.

Rita passa toute la journée avec Carmel et Josiane. Sophie vint leur rendre visite et tomba en pâmoison devant la fillette. Elle offrit de les aider. Rita lui apprit à tenir le bébé. Sophie la berça. Elle avait l'impression d'avoir une poupée dans les bras. Sa mère lui dit :

— Tiens-la prudemment pendant que Carmel et moi rangeons ses vêtements.

Sophie avait raison, de vrais vêtements de poupée. Elle offrit à Carmel de venir la bercer tous les jours d'ici la fête du Travail, qui marquait la fin des vacances scolaires.

Carmel se pencha vers Sophie en la remerciant.

— Est-ce qu'elle a trop chaud ? Moi je suis trempée.

Rita la rassura.

— Tu peux la découvrir un peu si tu vois que sa tête est chaude, autrement garde-la suffisamment habillée, un bébé naissant a besoin de chaleur. Elle qui s'est bercée au chaud au creux de ton ventre durant neuf mois, imagine le contraste qu'elle a ressenti en entrant en contact avec l'air.

— Je ne remercierai jamais assez le Ciel de t'avoir mise sur ma route, Rita. Ton amitié m'est vraiment précieuse.

— C'est bien le moins que je pouvais faire pour toi.

Les deux femmes s'entendirent pour tout ranger et mettre de l'ordre dans le logement avant l'arrivée de Joseph. Rita lui dit à l'oreille :

— Il faut aussi éliminer le plus possible les odeurs nauséabondes, les hommes détestent cela. La puanteur, c'est pour les femmes !

Quand Joseph franchit le seuil de son logement, rien du bouillonnement de cette journée éreintante ne transparaissait. Il huma une senteur nouvelle. L'odeur de la poudre Baby's Own. Son bébé. Quel arôme vivifiant et doux !

Carmel lui avoua en toute humilité :

— Tu avais tellement raison, Jos, Rita est une vraie perle. Si tu savais combien je l'apprécie, c'est une femme sincère et tellement débrouillarde avec un nouveau-né. Elle m'a donné un tas de bons trucs.

Joseph admira le portrait qu'il avait sous les yeux, une mère tenant son enfant naissant dans ses bras. Cette image lui alla droit au cœur. Il les embrassa toutes les deux et s'abstint de lui répondre : « Je te l'avais dit. » Le souper était prêt, l'ordre régnait et, fait surprenant, il n'y avait aucun mégot dans le cendrier.

Grâce à sa ténacité, Rita avait réussi à se rapprocher de Carmel. Elle ferait tout pour réaffirmer ce lien d'amitié, si ténu soit-il.

Carmel avait dû, par la force des choses, modifier le projet initial pour ses relevailles. La promiscuité insupportable du logement de ses parents et le refus catégorique de Joseph de prolonger leur séjour ne lui avaient pas permis de rester une semaine supplémentaire à Québec. Aujourd'hui, elle n'avait pas à s'en plaindre : Rita et Sophie avaient été des aides précieuses.

***

Plus tôt ce matin-là, Joseph avait descendu deux par deux les marches de l'escalier de son appartement avec entrain. Il avait pris la direction du garage Sicard. Après plus d'un mois d'absence, il y retournait le cœur léger. S'étant assuré que Rita passerait la journée avec Carmel et Jojo, il n'avait donc pas eu à se tourmenter pour elles. La veille, en arrivant à Montréal, il avait offert un solide coup de main à Carmel pour installer leur petite. Dans le brouhaha du retour, Joseph en avait eu plein les bras. Il n'avait pas trouvé une minute pour descendre chez les Desmeules et s'en étonnait lui-même aujourd'hui. Un nuage de chaleur flottait sur Montréal, le mercure atteindrait sûrement les 82 °F à l'heure où sonnerait l'angélus de midi, mais Joseph n'en avait cure, il marchait d'un pas certain. Il dégageait un bonheur indicible lorsqu'il avait pénétré dans le garage Sicard. Il était dans son élément. L'odeur de gaz caractéristique des moteurs diesel ne l'incommodait guère, il y était habitué. Il lui plaisait de revoir les mécaniciens en salopette, les mains noircies, penchés sur les équipements lourds. Il avait passé un bon moment à bavarder avec les ouvriers. Après avoir épuisé les questions de ses collègues concernant sa visite à Québec et la naissance de son premier enfant, il s'était dirigé vers le bureau d'Arthur Sicard. L'homme, la main tendue, s'était levé en le voyant.

— Toutes mes félicitations, Joseph.

Joseph avait attendu que son employeur engage la conversation avant de prendre la parole. Comme celui-ci l'avait déjà félicité par téléphone pour sa paternité lorsque Joseph l'avait appelé pour lui apprendre la grande nouvelle, il devait y avoir d'autres motifs pour mériter des félicitations.

— Fonder une famille est une grande responsabilité.

C'était donc pour la naissance de sa fille que le patron lui avait réitéré ses félicitations. Joseph l'avait remercié, puis était entré directement dans les détails de son voyage d'affaires à Québec. Il était satisfait, entre autres, de son rendez-vous avec le maire de Québec, Lucien-Hubert Borne, qui lui avait fait grande impression. De plus, il savait que ce politicien pourrait influencer ses confrères. La Ville de Québec était le pivot d'une nouvelle lancée. Les maires des villes environnantes prenaient souvent exemple sur Québec, notamment pour l'achat d'équipements lourds. En fait, Québec était la deuxième ville en importance dans la province, après Montréal. Les deux cités étaient souvent en compétition; Québec enviait à Montréal son club de hockey, les Canadiens de Montréal, communément appelé la Sainte-Flanelle. Les Montréalais tentaient d'entrer en compétition avec l'aspect touristique de Québec, qui possédait un château et des rues pittoresques à l'européenne. La basilique Sainte-Anne-de-Beaupré et la basilique-cathédrale Notre-Dame de Québec n'avaient, selon les gens de la capitale, rien à envier à l'oratoire Saint-Joseph du mont Royal.

Joseph avait passé un long moment dans le bureau de M. Sicard tout en sirotant un café. Les échanges d'opinions se prolongeaient. Discuter affaires avec cet homme, qu'il admirait, l'enthousiasmait. Espérant un jour fonder sa propre entreprise, il n'avait pas encore acquis assez d'expérience et ne possédait pas les ressources financières nécessaires pour se lancer en affaires. De plus, en temps de guerre, ceux qui avaient réussi à amasser le moindre capital le gardaient en sécurité pour après, mais l'idée germait toujours dans la tête ambitieuse de Joseph. Chose certaine, son entreprise se spécialiserait dans un domaine connexe aux moteurs diesel dont il ne cessait de vanter les mérites aux mécaniciens. Sa journée avait filé comme le vent.

***

Quelques jours plus tard, en voyant partir son mari vêtu du veston dans la poche duquel elle avait trouvé une note suspecte, Carmel eut un pincement au cœur. Elle se ressaisit lorsque Rita, de bon matin, entra dans l'appartement en disant sur un ton de désolation:

— Ça fait un an aujourd'hui que l'enrôlement des hommes célibataires a été décrété. Plusieurs craignaient que cette inscription ne soit qu'une étape vers la conscription. Tu te souviens que les paroisses organisaient des mariages de groupes? Des centaines de couples, dont un de mes amis, se sont mariés au parc Jarry. Ça ne prend pas la tête à Papineau pour savoir qu'ils se sont trouvé une fille prête à marier pour se soustraire à cette loi. Selon l'article que Jacques vient de lire, il semble que certains déserteurs se soient sauvés dans les bois.

Carmel écarta les paupières, la désolation filtrait dans ses paroles.

— Beaucoup de parents se souviendront de cette date, Rita; le 15 juillet 1940 sera une journée maudite pour beaucoup de familles canadiennes.

Carmel et Rita discutaient souvent des hostilités qui sévissaient en Europe. Dès le réveil, Jacques allumait le poste de radio. Il disait qu'il était important d'être informé. Rita l'intimait de ne pas trop monter le volume pour ne pas affoler Sophie. Jacques rétorquait que leur fille devait savoir ce qui se passait dans le monde. Rita était troublée depuis que Sophie était revenue de chez son amie en lui demandant à brûle-pourpoint: «Qu'est-ce que les Juifs ont de différent de nous pour être rejetés de la sorte non seulement en Allemagne, mais dans le monde entier?» Rita avait demandé à sa fille pourquoi elle lui posait une telle question. Sophie lui avait répondu que sa meilleure amie avait des voisins juifs et qu'elle avait entendu dire par sa mère, lors d'une conversation entre voisines, que les Juifs en Europe étaient chassés de leurs maisons, qu'ils ne savaient pas où on les amenait, mais que personne n'en revenait et qu'on n'en avait plus jamais de nouvelles. Sophie avait ajouté: «Pourtant, je les connais, les voisins de mon amie, ils sont comme nous autres, il me semble, ne crois-tu pas, maman? Il paraît même que les Allemands les dépossèdent de leurs biens et qu'ils cherchent particulièrement leurs œuvres d'art. Encore pire, il semble qu'ils viennent habiter leur maison. Ils jouent sur leur piano. Les Juifs sont persécutés!»

Visiblement, le dégoût taraudait Sophie. Elle avait poursuivi sur un ton aigre:

«Cela n'est pas possible! Moi, je ne crois pas cela. Ce n'est pas possible! Un être humain ne peut pas faire subir tant de cruauté à un autre être humain. Et si cela nous arrive ici, à nous, que ferions-nous ? Peux-tu imaginer des étrangers, des ennemis se servant et vivant dans nos affaires ? »

Rita avait écouté sa fille en proie à un sentiment mêlé de dégoût et de haine. Elle avait tenté de tempérer l'exubérance de son adolescente qui, à son corps défendant, prenait la part des victimes innocentes, non sans raison. Elle l'avait exhortée à plus de retenue. Sophie n'avait pas eu de vraies réponses à ses questions. Rita pesait ses mots. Elle aussi savait qu'il se passait des choses atroces en temps de guerre, mais le sort des Juifs dépassait tout entendement. Elle lui avait expliqué :

— Personne ne peut affirmer avec certitude la véracité de telles horreurs.

Rita avait baissé les yeux, inconfortable, afin de mettre un terme à cette discussion. Elle aussi avait entendu des conversations dans la rue et chez les marchands. Si ce qu'on racontait était vrai, elle se demandait pourquoi personne n'intervenait. Ces histoires de guerre la dépassaient comme elles dépassaient la plupart des citoyens. L'antisémitisme, que prônait ce Hitler tant détesté, la révulsait. Et ces Allemands sans vergogne qui accaparaient les biens de ces pauvres gens, que fallait-il en penser ? Elle avait sa propre opinion sur le comportement de cette population qui se laissait oppresser par ce fanatique et démoniaque personnage qu'était Adolf Hitler. Elle se gardait bien d'en faire part à sa fille, qui était déjà assez révoltée. Tout en rangeant, Carmel jetait des regards furtifs à Rita sans toutefois oser la contrarier, elle qui haïssait tant ce dictateur.

* * *

C'était un fait connu : au cours du mois de juillet, le soleil réchauffe la terre, ce qui provoque des orages. Ce jour-là, il pleuvait à verse.

Sophie allait et venait entre l'appartement de ses parents et celui des Courtin. Elle était entrée en disant qu'elle n'avait rien à faire à cause de cette pluie diluvienne.

— Il tombe des clous. Je suis toute trempée, juste à me rendre ici.

Elle aimait s'occuper de Josiane, lui donner des bécots, et se mêler aux conversations des adultes. Elle glanait ici et là des bribes d'information concernant le conflit en Europe et se faisait sa propre idée. Il arrivait souvent que sa mère doive l'inciter à nuancer ses propos.

— Hitler est un sadique, il prend plaisir à torturer ces pauvres Juifs. Il est malade !

— Pèse tes paroles, Sophie, il faut tourner sept fois sa langue dans sa bouche avant de parler.

Le rire cristallin de Sophie à cet énoncé fit sursauter Jojo qu'elle tenait dans ses bras comme une poupée.

— Que veut dire cette expression ?

— De prendre le temps de réfléchir avant de t'exprimer, ma fille.

— C'est franchement drôle. Pourquoi tourner sa langue sept fois au lieu de neuf ou de douze fois, ce qui permettrait d'avoir encore plus de temps pour réfléchir ?

Rita de préciser :

— Surtout parce que sept est depuis longtemps un chiffre magique : les sept jours de la semaine, les sept planètes traditionnelles en astrologie, les sept couleurs de l'arc-en-ciel, les sept notes de la gamme.

Carmel ajouta :

— Les sept péchés capitaux, les sept sacrements, ainsi de suite.

Après le départ de Sophie, Carmel ne put s'empêcher de dire à Rita :

— Elle est intelligente, ta fille, elle ne tient rien pour acquis, elle se questionne sur tout. Elle est très cultivée et renseignée pour une jeune fille de son âge.

— Tu veux dire qu'elle me questionne sur tout. L'autre jour, elle est arrivée de chez son amie toute chamboulée. Elle avait entendu dire une chose étrange par les parents de sa copine, qui semblent en connaître assez long et être mieux renseignés que moi sur Hitler. Il paraît que ce fanatique, lors des Jeux olympiques de 1936, aurait refusé de remettre la médaille d'or à un coureur, ou de lui serrer la main, elle n'était pas certaine de ce qui s'était réellement passé, et ce, parce qu'il était de race noire. Elle a même ajouté que les Allemands avaient été embarrassés par la victoire d'un certain Owens, qui démentait les idées allemandes sur les différences raciales. Je n'avais jamais entendu parler de cela.

— Moi non plus, mais je vais me renseigner auprès de Jos. Il lit beaucoup de revues anglaises, il dit en apprendre plus que dans les journaux locaux.

— J'avoue que, des fois, surtout lorsque Sophie aborde le sujet des Juifs, je ne sais pas quoi lui répondre. J'ai toujours eu pour principe de ne pas lui mentir, mais moi-même j'ai de la difficulté à départager le vrai du faux. J'ai quand même ma petite idée là-dessus.

Jojo réclama l'attention des deux femmes en poussant de petites plaintes.

— Je me demande ce qu'il adviendra de ma fille. Pour l'heure, elle est tellement sage. Tant qu'elle a l'estomac plein et la couche vide, elle dort comme un ange. Je comprends ses moindres besoins.

— Je suppose que la guerre changera bien des choses. Jacques prétend qu'après une telle période de restriction l'économie va renaître, je suis impatiente de voir cela. Changement de propos, as-tu des nouvelles de ta famille, Carmel ?

Carmel se redressa, le souffle lui avait manqué, elle s'efforça de ne pas céder à la nostalgie devant son amie. Elle fit un effort pour juguler ce sentiment. Rita comprit que sa question n'était pas la bienvenue.

— Aucune !

Comment aurait-elle pu en avoir ? Ses parents n'avaient même pas le téléphone. La poste était leur seul moyen de communication, mais elle n'avait pas eu le temps de leur écrire. Apparemment eux non plus, d'ailleurs.

Rita s'éventa d'une main.

— Comme c'est fâcheux !

***

Le premier vendredi du mois d'août, malgré une journée pluvieuse, le sourire aux lèvres, Josiane collée contre sa poitrine alors qu'elle lui tapait le dos pour lui faire faire son rot, Carmel annonça de but en blanc, à Sophie et à Rita, sur un ton sans équivoque :

— Je vous congédie toutes les deux, aujourd'hui même, il ne faut pas ambitionner sur le pain bénit !

Sophie et Rita comprirent immédiatement que les relevailles de leur voisine étaient terminées.

Rita rouspéta, la mine déconfite :

— Comme cela, sans aucun préavis !

Les mains sur les hanches, le front en l'air, Sophie renchérit :

— Zut ! C'est contre la loi, nous allons nous plaindre, contester. Un congédiement d'une façon aussi cavalière est inacceptable après plus de trois semaines de soins affectueux et continus !

— Vous avez bien entendu ! Oui, je vous mets à la porte. Sophie, tu retournes en classe dans moins d'un mois, profite du reste de tes vacances pour te reposer. Et toi, Rita, tu as sûrement de la besogne à rattraper à la maison. Je me sens capable et assez forte pour m'occuper de ma fille, surtout avec les bons conseils que tu m'as prodigués. Je n'oublierai jamais le sérieux coup de pouce que vous m'avez donné, toutes les deux.

Les deux femmes allaient protester.

— Je crois que je peux m'en sortir toute seule maintenant, je ne veux pas abuser davantage de votre aide ni de votre grande générosité.

Carmel se demandait si elle avait été trop directe. Quoi qu'il en soit, Rita resta debout à côté de Sophie, les bras ballants. En voyant l'attitude déçue de son amie, Carmel se reprit aussitôt.

— Que je suis maladroite, excusez-moi. J'aurais d'abord dû vous remercier pour tous les services que vous m'avez si généreusement rendus avant de vous annoncer ma décision. Je suis incorrigible.

Carmel s'en voulait d'avoir été si gauche. Éperdue de reconnaissance, elle se reprit :

— Merci, Rita, merci, Sophie, pour tout ce que vous avez fait pour Josiane et moi. Je vous suis extrêmement reconnaissante. Assoyez-vous toutes les deux maintenant, j'ai quelque chose pour vous.

Sophie et Rita se tirèrent docilement une chaise, les sourcils en accent circonflexe. Elles durent accepter à contrecœur la décision de la nouvelle maman.

Carmel alla coucher le bébé endormi. Elle avait confié à Joseph l'achat d'un cadeau de remerciement pour Sophie et Rita. Elle lui avait fait quelques suggestions et le choix de Joseph avait plu à Carmel. Joseph avait trouvé les cadeaux à la Maison Ogilvy de la rue Sainte-Catherine et espérait qu'ils plairaient aux deux aides de sa femme. Rita reçut une belle boîte contenant six savons à la lavande. Une petite carte manuscrite l'accompagnait.

*Ma chère Rita,*

*Je te remercie d'être mon amie de si nombreuses et importantes façons.*

*Une amie sincère comme toi fait naître mon sourire quand je suis abattue.*

*En tant qu'amie loyale, tu sais faire preuve de discrétion et de patience.*

*Tu connais l'art de la gratuité du cœur, du geste et du temps.*

*Merci d'être là pour moi.*

*Carmel*

— Merci, Carmel, tu n'aurais pas dû. J'adore cet arôme. J'avoue que tu as fait un bon choix ! La lavande est ma plante préférée.

Après avoir lu le texte, elle se leva et lui donna un baiser sonore sur chacune des joues.

— Les bons mots de ta carte me touchent profondément tout autant, sinon davantage, que le cadeau lui-même.

Émue, Carmel déposa un bel étui à crayons dans les mains de Sophie. Celle-ci sortit d'abord la petite carte de son enveloppe et la lut à voix haute :

— « Ma chère Sophie, il y a en toi tant de possibilités, tout ce que tu voudrais être et toute l'énergie pour accomplir ce que tu veux. Crois en tes rêves et fais-en une réalité. L'avenir t'appartient. Merci pour ton dévouement et ton amour en mon nom et en celui de Josiane. »

Sophie se leva et, avec toute la fougue de sa jeunesse, un peu brusquement, enlaça Carmel.

— Merci, Carmel. Je vais tenter de mettre à profit tes souhaits. Merci aussi pour le cadeau. Cela tombe bien car le fermoir de mon étui est brisé. Je vais épater mes camarades de classe avec celui-là. Je serai la seule à en posséder un de ce modèle. Merci, merci !

Carmel était ravie que les cadeaux leur plaisent. Elle était tombée pile. Elle connaissait maintenant leurs goûts.

Durant les trois semaines pendant lesquelles les jeunes femmes s'étaient côtoyées tout en accomplissant les tâches quotidiennes et en prenant soin du bébé, elles avaient eu le loisir d'émettre leurs opinions sur différents sujets. Il y avait suffisamment de nouvelles dans les journaux ou à la radio pour alimenter leurs conversations. Mais la discussion s'animait plus particulièrement autour du conflit mondial. C'était unanime, les trois femmes étaient férocement contre la guerre. Elles avaient toute la difficulté du monde à comprendre que les hommes s'enrôlent volontairement et aillent se battre au péril de leur vie pour un coin de pays qui n'était pas le leur parce que, selon elles, la guerre était l'affaire des hommes. C'était eux qui la déclenchaient, ils détenaient les rênes du pouvoir et en tiraient les ficelles. Souvent, la discussion se terminait par un « Ah ! si les femmes gouvernaient, les choses seraient différentes, pour rien au monde une mère ne sacrifierait les siens pour une parcelle de terre ! Cela, jamais ! » Carmel cita le cas de Claude, le fiancé de Roseline ; elle vanta aussi ses talents d'infirmière. Son amie de Québec s'inquiétait pour son amoureux, qui s'était enrôlé volontairement. Les femmes avaient déclaré ne rien y comprendre.

* * *

Le mois d'août ne faisait que commencer, la chaleur accablante de Montréal et la pluie, qui ne cessait de tomber, indisposaient Carmel. Un matin, Rita passa donner un bisou à la petite Jojo et constata que Carmel s'était levée du pied gauche. La nouvelle maman se plaignait d'étouffer et de manquer d'air, demeurant trop souvent dans son logement et prétextant qu'il ne faisait pas aussi chaud à Québec. Rita lui conseilla de tenir ses fenêtres fermées le jour pour ne pas laisser entrer la chaleur et de les ouvrir à la nuit tombée. Elle tenta de l'encourager en lui disant :

— Quand août est pluvieux, septembre est souvent radieux.

Carmel lui répondit qu'à cause de cette pluie, et surtout par sécurité, elle gardait ses fenêtres fermées et verrouillées. Rita comprit les sous-entendus de sa réplique. Elle avait aussi appris à ne pas prendre au pied de la lettre toutes les doléances de sa voisine, cela lui passerait.

Souvent, les échanges se poursuivaient lorsque les maris rentraient du boulot en rapportant des opinions différentes partagées avec leurs collègues. En période de vaches maigres, les soirées se passaient la plupart du temps à la maison.

# Chapitre 21

Au fil des jours, penchée sur le berceau joliment décoré par ses doigts de fée, Carmel idolâtrait sa fille. Elle avait la fibre maternelle. Elle chatouillait doucement le ventre de Jojo en lui répétant: «Que tu es belle, ma pitchounette.» Elle lui donnait des baisers sur le front, sur ses petits doigts et dans le cou. Elle ne se rassasiait pas de sentir l'odeur si délicieuse de sa peau, de la cajoler. Elle ne se lassait jamais de ses risettes.

Quelques mois seulement après sa naissance, Jojo dévoila une personnalité résolue. Selon ses parents, sa façon d'interagir avec eux lui promettait un bel avenir. Bébé facile, elle ne leur causait pas le moindre tourment. C'était le meilleur bébé du monde, à leurs yeux.

Joseph passait plus de temps chez lui en raison du nouveau-né. Carmel appréciait qu'il rentre tôt. Cela la rassurait de ne pas rester seule avec l'enfant les soirs aussi. Ses anciennes peurs lui collaient encore à la peau.

Carmel soignait son image pour plaire à son mari. Elle avait fait des efforts et elle était ravie d'avoir retrouvé sa taille aussi rapidement. À brûle-pourpoint, elle lui dit:

— Tu sais, Jos, je suis tellement contente que Jojo ait vu le jour dans ma ville natale au lieu d'ici.

Joseph en resta estomaqué, il ne se doutait pas que sa femme ramènerait encore sur le tapis sa difficulté d'adaptation à Montréal. Rita et Sophie avaient été d'un tel soutien et d'une amabilité si grande qu'il croyait Carmel comblée par ces amitiés. Il l'écoutait, en proie à un sentiment qu'il se refusa d'exprimer. L'espoir de la voir s'acclimater dans cette grande ville s'amenuisait de jour en jour.

* * *

L'automne vint. L'initiation à son nouveau rôle de mère ne comblait Carmel que partiellement. Rita espaçait ses visites et attendait les rares invitations de son amie. Sophie avait repris le chemin de l'école. Il lui arrivait de venir frapper à la porte du logement de Carmel avant d'entrer chez elle pour faire un câlin au poupon.

Carmel se sentait malgré tout encore isolée dans cette grande ville. Joseph s'échinait au travail, il aimait côtoyer ses collègues et les aider à régler les problèmes mécaniques, sans toutefois se lier d'amitié avec eux, sauf avec Jacques, son voisin.

Quand il faisait grincer la porte, Joseph était reçu avec de grandes effusions. Un seul regard et le contact de sa peau à peine effleurée faisaient chavirer Carmel. Comme d'un coup de baguette magique, tout son être vibrait à la réunion de leurs corps enlacés. Une petite caresse du revers de la main le long de sa joue fiévreuse augmentait les battements de son cœur. La flamme brûlait toujours aussi ardemment dans le cœur de Carmel pour l'amour de sa vie.

C'était invariablement avec fébrilité qu'elle espérait entendre les pas de son mari retentir sur le métal, gravir cet escalier qui le menait à elle et à leur logis.

* * *

L'automne céda rapidement sa place à la saison froide. Les arbres se dénudaient peu à peu. À chaque coup de vent, les branches se départaient de leurs feuilles colorées de jaune et de carmin, les plus tenaces, trop têtues pour se laisser emporter. Ces grands arbres aux bras nus se préparaient à traverser une période de silence pour ne s'éveiller qu'au printemps.

Joseph marchait à pas de loup vers Jojo, sage comme une image. Si elle était éveillée, il s'inclinait révérencieusement vers elle :

— Coucou, ma douceur.

— Tiens, j'ai de la compétition ! dit Carmel.

Lorsque sa femme n'était pas à portée de voix, c'était plus fort que lui, il monologuait dans la langue de Shakespeare.

— *Hi Darling!*

Carmel s'indignait lorsqu'elle le surprenait. Elle n'aimait pas qu'il s'adresse au bébé en anglais.

— Son prénom est Josiane, ne l'oublie pas, il faut qu'elle s'y habitue. J'insiste, Jos, nous élèverons nos enfants dans la langue française.

Joseph était en pâmoison devant sa fille. Il ne disait rien, ne voulant pas chercher noise à Carmel. L'usage de l'anglais était un terreau propice à la dispute. Joseph préférait murmurer à sa petite des mots dans sa langue maternelle quand sa femme avait le dos tourné plutôt que d'en débattre avec elle. C'était un pacifiste, il détestait créer la zizanie. Il tenait à consacrer du temps de qualité à sa femme, les fins de semaine, et quand il était en congé. Lorsqu'il lui dit qu'il devait aller porter des vêtements chez le nettoyeur, dont le veston dans la poche duquel elle avait un jour glissé sa main, Carmel eut un éclair de génie.

— As-tu vidé toutes tes poches ?

Plus d'une fois, elle avait vérifié dans la pochette intérieure du veston, la note y était toujours. L'affolement l'envahissait. Quel stratagème utiliser pour faire parler son mari ? Il ne fallait absolument pas qu'il pense qu'elle fouillait dans ses poches.

Effectivement, Joseph avait oublié. Machinalement, devant Carmel discrètement aux aguets, il sortit une facture de la poche avant du veston, puis glissa sa main dans la pochette intérieure. Au moment où ses doigts touchèrent le papier, il retint son geste. Carmel ne savait que faire. Il ne releva pas la tête. « C'est le signe qu'il me cache quelque chose de grave », se dit-elle.

Le bébé riait aux anges. Carmel était extrêmement mal à l'aise. Elle n'adressa pas la parole à Joseph. Dans l'intervalle, tout en se rasant, Joseph tenta d'interpréter les non-dits de sa femme. Il avait senti son regard inquisiteur sur lui. Ce silence était lourd à supporter, puisqu'il ne pouvait ni répondre ni argumenter.

Le nom de l'amant de sa tante s'infiltra dans la tête de Carmel. Non pas Joseph, non, non, ce n'est pas possible. Pas lui !

* * *

Le lendemain, Carmel reçut une lettre de Mathilde. Elle profita alors d'un moment où le bébé dormait pour décacheter l'enveloppe dont l'estampille lui fit chaud au cœur. Alors qu'elle sortait la lettre, elle entendit Jojo se réveiller. Elle s'assit dans la berçante de la chambre blanche pour lui donner le biberon. La fillette rassasiée et rendormie, Carmel s'installa à la table de la cuisine, une tasse de thé en main, et entreprit la lecture de la très courte lettre de Mathilde. Sa sœur lui vantait l'achat d'une machine à rouler les cigarettes, qu'elle venait de faire conjointement avec tante Élise. Mathilde écrivait : « C'est une merveille que cette machine pour rouler des cigarettes, ça nous prend pas mal moins de temps pour les fabriquer. Il faut dorénavant la cacher, cette rouleuse à cigarettes, car les frères s'en servaient durant notre absence, sans permission. Ils pourraient nous la briser, ils ne font attention à rien, ces deux-là. »

Le ton ne trompait pas, Mathilde avait la mort dans l'âme. Cette lettre parut à Carmel tellement matérialiste, il n'y avait rien au sujet d'elle-même ni des autres membres de la famille. Elle avait l'impression que cette lettre était inachevée ou que Mathilde avait été interrompue tellement elle était insignifiante et insipide. N'avait-elle rien d'autre à lui dire, à part l'achat de cette prodigieuse rouleuse ? La mélancolie l'accabla.

Carmel ne tarda pas à répondre à la lettre simpliste de sa sœur. Elle s'enquit de la conduite de son vicieux frère Alfred. Elle lui recommanda d'être prudente et de crier s'il s'approchait d'elle étant donné que l'obsession qu'il lui portait était malsaine et perverse.

Par mégarde ou par curiosité, Eugénie décacheta la lettre adressée à Mathilde. Stupéfaite devant les mises en garde de Carmel, elle sut lire entre les lignes. Depuis que Carmel avait quitté la maison, elle avait prêté attention aux agissements de son fils. Elle ne lui faisait plus confiance depuis qu'il était parti avec l'argent du loyer. Les jours suivants, elle évalua sa situation familiale et revit le trou percé dans le mur de l'ancienne chambre de Mathilde et Carmel. Il y avait trop de preuves, elle n'arrivait plus à innocenter son gars. Elle fut anéantie lorsqu'elle comprit qu'Alfred, son fils adoré, était follement épris de sa sœur. Élise lui avait déjà dit qu'il n'était pas pire aveugle que celui qui ne voulait pas voir, et elle avait raison. Alfred avait brisé la vie de Mathilde, et Eugénie comprenait maintenant pourquoi cette dernière n'avait pas de cavalier et prétendait ne jamais pouvoir se marier. Ce fils rusé l'avait trompée, elle, qui l'aimait tant. Il s'était payé sa tête. Fait encore plus troublant, Eugénie avait réussi à faire parler le jeune Gilbert après le vol du collier d'Élise. L'enfant avait d'abord avoué avoir pris le bijou de tante Élise et eu par la suite peur, ce qui l'avait poussé à s'enfuir pour retourner dans sa vraie famille. À la fin de cet interrogatoire, il lui avait confessé qu'Alfred l'avait convaincu de prendre le collier dans la chambre qu'il partageait avec Élise. L'enfant, naïf, l'avait cru lorsqu'Alfred lui avait dit qu'il voulait seulement le regarder et qu'il le lui rendrait, qu'il se chargerait lui-même de le remettre à sa place lorsque sa tante serait absente.

L'indiscrète, les mains tremblantes devant cette troublante révélation, n'arriva pas à recacheter l'enveloppe convenablement afin que Mathilde ne se rende pas compte que la lettre venant de Montréal avait été décachetée à l'aide de la vapeur de la bouilloire. Lorsqu'elle remit la lettre à Mathilde, celle-ci ne put interpréter la tristesse qu'elle vit au fond des yeux de sa mère ni sa façon inhabituellement tendre de s'adresser à elle. Mathilde tenta de s'isoler pour lire la lettre de sa sœur. Elle faillit tomber de stupeur lorsque sa mère lui offrit d'aller la lire dans sa propre chambre, qu'elle serait plus tranquille. Il lui fut facile de constater que la lettre avait été décachetée. Elle n'osa accuser sa mère.

* * *

Un lundi soir, peu de temps après le souper, on frappa à la porte de l'appartement des Courtin. C'était un homme sobrement vêtu qui faisait du porte-à-porte dans le quartier. Joseph l'accueillit avec joie, lorsque celui qui briguait les suffrages pour le poste d'échevin lui remit un dépliant sur lequel apparaissait sa photo à côté de celle du maire sortant, Charles Legendre. Il tentait de se faire réélire. Le candidat à la mairie luttait contre Jean Martin, cet échevin qui avait réussi à s'allier plusieurs organisateurs de Legendre. Joseph se souvenait de la magouille politique dont son patron lui avait parlé. Il ne voterait sûrement pas pour Martin, car il détestait la façon dont le politicien s'était présenté au poste de candidat à la mairie en dénigrant Legendre, son adversaire. De plus, son attitude au comité d'enquête sur la mort du jeune Pierre Masson le répugnait. Il ne pouvait oublier la façon dont il lui avait damé le pion à quelques reprises durant les réunions. Joseph laissa le temps au candidat d'expliquer son programme et il lui souhaita bonne chance, sans toutefois lui révéler que Charles Legendre et lui auraient son appui.

C'était au plus fort de l'hiver. Carmel, casanière, aspirait à s'épancher sur l'épaule de Joseph. Malgré la bonne volonté et les intentions de son mari, la saison froide requérait plus fréquemment sa présence chez Sicard. Ses soirées à la maison étaient écourtées, Joseph étant souvent retenu par des bris mécaniques ; il devait alors prêter main-forte aux mécaniciens. Ses retards successifs portaient-ils le nom de Mary ? Ce nom, qu'elle avait lu et relu si souvent sur le billet trouvé au fond de la poche de Joseph, s'incrustait dans sa tête, « Mary, Mary », mais qui peut-elle bien être ? Mary !

* * *

Le lundi, tous les journaux étalés dans les kiosques firent naître un sentiment de panique dans la population. Publié en grosses lettres, un désastre national était décrit: « L'attaque sur Pearl Harbor est une attaque-surprise des Japonais sur la base navale de Pearl Harbor située dans l'archipel du territoire américain d'Hawaï, au cœur de l'océan Pacifique. Elle visait à détruire la flotte de la US Navy. »

L'attaque sur Pearl Harbor provoqua l'entrée des États-Unis dans la guerre aux côtés des Alliés. Cette attaque représenta un des événements les plus marquants de l'histoire de ce pays.

La frayeur avait remonté d'un cran. Cette terrible nouvelle anima la conversation lorsque Joseph entra du boulot à une heure raisonnable ce soir-là, peut-être justement pour cette raison. Carmel, qui avait suivi les reportages à la radio, exprima à son mari sa satisfaction de le voir rentrer pour le souper. Elle aimait qu'il lui fasse part de son opinion concernant ces stratégies de guerre qu'elle ne comprenait pas. Sans bien saisir les raisons qui avaient entraîné un tel chaos, elle écoutait attentivement le point de vue de Joseph sur cette atroce invasion. Elle lui fit part d'une seule opinion:

— On dirait que les Japonais sont comme les Boches, ces sanguinaires veulent conquérir le monde, et cela, à tout prix. Ils sont tous fous, on dirait.

Joseph n'osa la contrarier. À sa façon, dans des mots simples, mais tellement réalistes, elle avait exprimé le fin mot de l'histoire. Il connaissait la haine viscérale que le chancelier allemand inspirait à sa femme depuis qu'il avait conduit trop d'êtres humains dans une guerre totale.

Ils étaient tous deux très secoués et n'osaient présumer des conséquences d'une telle invasion sur les Canadiens. Aussitôt sa dernière bouchée avalée, parcourue d'un frisson de désir, voulant mettre de côté ce sentiment de crainte qui l'avait envahie à l'annonce de cette nouvelle, Carmel se dirigea vers la chambre à coucher en gratifiant Joseph d'un regard sensuel et invitant. Elle lui dit d'une voix lente, légèrement rocailleuse, mais douce :

— Tu viens avec moi ?

Joseph comprit le message. Il la suivit en détaillant sa silhouette toujours aussi gracieuse. Ils ressentaient le besoin de se rapprocher et d'oublier le sort de ces malheureux, alors qu'eux nageaient dans la béatitude de l'extase, dans les bras l'un de l'autre. Carmel défit son chignon d'un geste sensuel et, frémissante d'excitation, laissa ses beaux cheveux auburn flotter sur ses épaules. Joseph la couva du regard avec volupté, puis s'approcha d'elle. Lentement, il l'allongea sur le lit. Il la dénuda complètement, avec lenteur, puis promena sa bouche tout le long de son corps. Alanguie, Carmel sentit son souffle chaud s'attarder aux points les plus sensibles. Elle l'invita à venir en elle. Des halètements les soulevèrent lorsque la communion parvint à la délectation. Elle fondit sous ses caresses, qui lui étaient devenues indispensables. Rassasiés, le corps brûlant d'amour, et remplis de passion, ils savourèrent ce moment de pur bonheur. Rien de ce qui se passait dans l'univers ne les avait atteints lorsque leurs corps avaient vibré à l'unisson. Ils s'étaient éloignés du monde, de la guerre, des Allemands, des Japonais et de tous les maux de l'univers. Joseph pressa sa partenaire longuement contre lui. Le souffle court, il lui murmura tout bas à l'oreille :

— *I love you!*

Cette pleine jouissance les laissa assouvis.

***

L'hiver avait été long, trop long. Vivement le printemps. Carmel put facilement reconnaître les symptômes d'un ventre fécond. En mars, n'ayant pas eu ses menstruations, elle sut qu'elle attendait un deuxième enfant. Elle se souvenait de cette nuit endiablée du 14 février, quand Joseph et elle avaient fait l'amour avec tant de passion, et croyait que ce ne pouvait être que durant cette communion que l'enfant avait été conçu. Il était trop tôt pour sentir la présence du bébé en son sein, mais elle avait la certitude d'être habitée.

Elle avait les yeux brillants, le bonheur irradiait tout son être lorsqu'elle apprit à Joseph qu'il allait être père une deuxième fois. Elle se garda de lui dire qu'elle lui donnerait peut-être un fils. Elle lui demanda d'attendre que la grossesse soit bien installée avant de l'annoncer à d'autres. Elle insista :

— Nous n'en parlerons à personne avant trois mois.

Elle profita de ce moment plein d'allégresse pour lui demander :

— Tu sais ce qui me ferait le plus plaisir ?

Lorsque sa femme le dévorait du regard ainsi, Joseph lui décrocherait la lune. Ils furent distraits par la petite Jojo qui, à neuf mois, tentant de se tenir debout en prenant appui sur le bord d'une chaise, tomba à la renverse. Carmel la remit sur ses petites jambes instables en lui tenant les deux mains tout en la dirigeant vers son père.

— Viens, *come on*, ma chérie, tu es capable.

Après avoir trébuché et s'être relevée, l'enfant accomplit un exploit pour son père.

Joseph, de ses grandes mains, saisit le petit corps par la taille. Puis il l'accueillit dans ses bras en la faisant planer dans les airs.

— Vroum, vroum, vroum…

— Arrête, Jos, tu vas l'étourdir.

Jojo avait à peine sept mois lorsque Carmel devint enceinte. L'arrivée du printemps apporta plus que de la chaleur dans le cœur de Carmel. Un autre rayon de soleil sommeillait en elle, elle serait mère à nouveau.

Cette deuxième grossesse, toutefois, l'incommodait. Les haut-le-cœur l'indisposaient grandement. Le soleil de plomb, cet été-là, lui semblait rôtir leur appartement. Carmel espérait retourner à Québec pour donner naissance à leur deuxième enfant, mais Joseph ne l'entendait pas ainsi. Il suggéra à Carmel d'avoir recours à leur voisine pour ses relevailles et de demander à Jacques et Rita d'être parrain et marraine de l'enfant. Carmel utilisait toujours le même argument.

— Ce serait plus frais à Québec !

Il sembla à Carmel qu'il faisait plus chaud qu'à l'ordinaire durant cet été 1942.

Joseph embrassa sa femme d'un beau sourire protecteur en murmurant :

— Nous n'allons pas revivre l'été 1941, n'est-ce pas ?

Joseph avait manifesté son agacement lorsqu'elle lui avait dit qu'elle désirait à nouveau donner le jour chez ses parents, avec l'aide de sa mère. Toutefois, elle n'avait pas argumenté longtemps cette fois-ci. Ses parents, certes, habitaient toujours à la même adresse, mais l'espace y était aussi restreint, et Joseph n'allait pas se laisser convaincre pour ce qu'il qualifiait de caprice de la part de sa femme. Sa réponse était toute prête :

— Mon patron ne m'accordera pas le temps nécessaire et, en plus, nous avons Josiane, sois raisonnable.

Carmel céda facilement, avec le sentiment de n'avoir argumenté que pour la forme. Elle répéta sa question :

— Tu sais alors ce qui me ferait plaisir ?

Joseph l'écoutait avec anxiété, ne sachant pas à quoi s'attendre.

— Allons à Québec fêter le premier anniversaire de Jojo. Ça va faire un an que nous n'avons pas vu ma famille, qui ne connaît même pas notre enfant. Je cède pour l'accouchement, qui aura lieu en novembre, je te concède que cela est risqué de voyager en cette saison, mais en échange emmène-moi à Québec, ne serait-ce que pour une fin de semaine. Je t'en prie, Jos, je m'ennuie terriblement des miens.

Carmel avait dû user de son charme irrésistible pour faire accepter à son mari un voyage dans la capitale.

Joseph réfléchit à la vitesse de l'éclair. Il savait assurément que M. Sicard lui serait reconnaissant de rendre visite à ses clients de Québec, il pourrait donc faire d'une pierre deux coups. Il accepta sa suggestion.

— Si nous partions un mardi et revenions le dimanche suivant, est-ce que cela te ferait plaisir ?

Carmel lui sauta au cou.

— C'est plus que ce que j'espérais ! Je t'aime !

Dans son empressement à étreindre Joseph, elle ne vit pas la petite Jojo qui, en rampant sur le plancher, se faufilait entre leurs jambes. Elle dut retenir son pied pour ne pas lui écraser les doigts. Carmel, vibrante de bonheur, prit sa fille dans ses bras.

— Nous irons en voyage à Québec, rendre visite à ta marraine et ton parrain, ma chérie.

La petite riait aux éclats sans toutefois comprendre quel grand bonheur venait d'inonder sa maman.

Durant cette première année, des gazouillis de « maman » et de « papa » emplissaient les murs de l'appartement.

Lorsque les trois premiers mois de la grossesse furent passés, Joseph et Carmel annoncèrent la bonne nouvelle à leurs voisins. Par la même occasion, ils leur demandèrent d'être parrain et marraine de l'enfant. Jacques et Rita acceptèrent avec une joie incommensurable. Rita offrit ses services à Carmel, insistant sur son plaisir de garder Jojo durant son hospitalisation. Carmel accepta, ne s'étant liée d'amitié avec personne d'autre. Heureusement pour elle, sa voisine et sa fille avaient noué des liens indéfectibles avec les trois membres de la famille Courtin.

***

Le médecin que Carmel consulta parcourut son dossier en souriant.

— Nous connaissons maintenant votre historique, gardons en mémoire votre premier accouchement, survenu après la date prévue.

Carmel se sentait à l'aise avec ce médecin qu'elle connaissait depuis sa première grossesse. Si les choses allaient selon l'ordre naturel, cette fois, elle mettrait au monde son enfant dans un hôpital.

***

Joseph tint sa promesse. Il avait toutefois mis ses conditions avant d'accepter d'effectuer le voyage à Québec.

— Nous logerons à la Pension Donovan, Gisèle m'a confirmé qu'elle nous cédera encore sa grande chambre. Elle a même emprunté un lit de bébé à l'une de ses voisines. Elle était aux anges lorsque je lui ai appris la nouvelle de notre venue chez elle.

Carmel ne répliqua pas. Certes, elle était impatiente de retrouver les siens, de leur faire connaître Jojo, qu'ils n'avaient pas revue depuis sa naissance ; elle était tellement fière de leur présenter sa fille si sage et si intelligente, la plus intelligente et la plus belle de toutes, à ses yeux. Par contre, elle anticipait avec angoisse de revoir sa sœur Mathilde, car elle avait eu peu de nouvelles d'elle depuis un an. Comment Alfred se comportait-il envers elle ? Était-elle toujours sur ses gardes, craignant qu'il l'agresse ? Elle pensait aussi à sa tante. Elle désirait qu'Élise poursuive ses explications concernant le sort de son enfant qu'on lui avait arraché à la naissance. Elle avait l'intention d'en savoir davantage. Cette histoire la hantait. Elle avait su garder le grand secret même à son mari, car elle n'en avait aucun autre pour lui. À bien y penser, cela n'était pas tout à fait vrai. L'existence de la note qu'elle avait trouvée dans sa poche n'avait toujours pas été révélée, elle avait joué l'indifférence, ou plutôt était-ce son cher Joseph qui faisait l'innocent? L'occasion ne s'était pas présentée pour le questionner à nouveau. Même si cela avait été le cas, Carmel n'aurait pas su comment l'aborder. Au fond d'elle-même, elle se demandait si elle préférait ne rien savoir, advenant que ce billet soit compromettant pour Joseph. L'histoire de sa tante Élise, qui avait un amant, la taraudait. «La chose est donc possible pour n'importe qui!» se disait-elle. Depuis que Joseph et elle avaient quitté Québec après le baptême de Jojo, il lui avait été impossible de communiquer avec sa tante. Elle ne lui avait pas écrit, car sa lettre aurait pu être interceptée. Elle se rappelait trop bien les paroles blessantes du détestable Alfred lorsqu'elle l'avait croisé dans une rue de Québec, alors qu'elle se rendait à l'épicerie avec Mathilde. C'était la veille de Noël. Il lui avait dit de ne pas se sauver, car il avait un secret à leur révéler. Il était ivre. Puis il avait articulé difficilement, la bouche pâteuse, «p'tit bras, p'tit bras». Elle avait dû alors expliquer à sa sœur que ce malotru avait lu la lettre qu'elle avait écrite à sa mère et dans laquelle elle lui expliquait l'infirmité de Joseph. Mathilde avait été révoltée de l'attitude de son frère, un autre vice à ajouter à tous les autres.

Carmel s'en souvenait comme si c'était hier. Elle ne commettrait pas la même erreur une seconde fois. Chat échaudé craint l'eau froide. C'était la période de Noël pendant laquelle Joseph et elle avaient dû écourter leur voyage à cause de l'accident de la souffleuse à neige. Il s'en était passé, des choses depuis…

Carmel souhaitait que cette visite lui permette de mettre à jour les confidences de sa tante. Les deux femmes auraient une conversation en tête à tête. Carmel devrait être prudente avec un sujet si délicat et compromettant.

***

La jeune maman était fébrile lorsqu'ils prirent la route 9 en direction de Québec. La frénésie du départ s'empara d'elle. Le soleil était de plomb lorsque la Ford quitta Montréal. Quand Rita et Jacques étaient venus les saluer avant leur départ, Jacques avait dit qu'il faisait assez chaud pour faire cuire un œuf sur le capot de la voiture. Il n'avait pas tort car, à Montréal, cet été caniculaire rendait l'air difficile à respirer.

Carmel, malgré sa grossesse, ne fut nullement incommodée par le voyage même si la température dans l'habitacle était assez élevée. Joseph dut baisser les deux vitres des portières pour créer un courant d'air. C'était terriblement bruyant, mais plus frais. Carmel était prête à endurer bien des inconforts pour rendre visite aux siens.

En route, elle ne cessait d'accabler Joseph de questions et de suggestions concernant un retour possible dans sa ville natale.

— Ce serait merveilleux de vivre à Québec. Tu pourrais facilement te trouver un emploi intéressant et bien payé. En plus, tu connais le maire, c'est un atout pour toi, sans compter ton expérience et ton indéniable talent.

Joseph l'écoutait, mais il ne lui répondit pas immédiatement, prétextant être concentré sur sa conduite. Carmel continua à lui glisser des messages insistants et élogieux concernant la qualité de vie qu'ils auraient dans la capitale. Joseph, qui avait l'habitude de se laisser attendrir et convaincre lorsque la voix de sa femme prenait des inflexions suaves, se fit dur cette fois-ci. Il était las de ses demandes répétées et irraisonnables. Cette mise au point franchit ses lèvres avec une brutalité forcée.

— Je suis en train de me tailler une place dans l'entreprise Sicard. Je suis heureux dans mon travail, j'adore vivre à Montréal. J'espère que tu me soutiendras dans ma carrière. Je trime d'arrache-pied pour te rendre la vie douce et assurer l'avenir de nos enfants dans un monde qui s'entredéchire. C'est ma principale préoccupation. Je te demande un peu de tolérance et de compréhension.

Joseph n'y était pas allé de main morte. Carmel en était estomaquée. Elle avait le cœur gros et les yeux noyés de larmes lorsqu'elle aperçut le pont de Québec.

— Nous sommes presque arrivés, j'aperçois le pont. Il faut dire que notre fille est une bonne voyageuse. Je suis tellement contente d'être chez nous, il me semble que cela fait une éternité que j'ai emprunté ce pont.

Carmel avait fait ces affirmations à bon escient. Elle passait encore un message à son mari. Elle avait l'intention de récidiver. Ses coups de cafard lui revenaient de plus en plus souvent. Joseph ne releva pas l'allusion, mais il voulut mettre un terme à cette discussion tout en tentant de conserver son calme. Il en avait marre de ses enfantillages et ne se gêna pas pour le dire.

— Tu sais ce que j'en pense, je ne tiens pas à me répéter. J'espère que le sujet est clos une bonne fois pour toutes. *Please, my dear.*

— Voilà maintenant que tu es faché !

C'était rare que Joseph sortait de ses gonds, il s'emportait rarement de la sorte.

— Pas du tout.

C'était vrai qu'il s'échinait au travail et qu'elle ne manquait de rien, enfin, de presque rien. Il lui avait maintes fois fait comprendre qu'elle avait le malheur facile et qu'elle le décevait en l'exhortant à quitter Montréal sans raison valable, à son point de vue. Mais ce qu'il ne lui dit pas, c'est qu'il tenait par-dessus tout à l'éloigner de cette famille qu'il considérait comme peu fréquentable et qu'il ne désirait nullement que ses enfants subissent un mauvais exemple. Le portrait de la famille de sa femme était terni par plusieurs de ses membres, dont son frère Alfred. Celui-là l'horripilait. Joseph avait rapidement réalisé qu'il était une brebis galeuse, son attitude ne mentait pas. Lorsqu'il l'avait vu sur le sofa du salon, dans un sommeil éthylique, son opinion avait été faite à son sujet : c'était un ivrogne et un lâche, et, qui plus est, il ne réussissait pas à conserver un emploi. Un voleur en plus, c'était sa faute si la famille de Carmel était cataloguée. Son séjour en prison aurait pu lui mettre du plomb dans la tête. Balivernes. Son comportement prouvait le contraire. «Des parias», avait dit tante Élise, et Joseph partageait son opinion. Quant à sa belle-mère, elle non plus n'était pas un exemple à suivre avec sa consommation de morphine. Sans parler du père, un faible incapable d'assumer son rôle de chef de famille, un homme bon qu'il affectionnait, mais un mari soumis, sans colonne vertébrale.

Non, non, il ne fallait pas que ses enfants côtoient ces gens. Ce n'était pas par snobisme, mais pour la protection des siens qu'il agirait ainsi.

Carmel et Joseph eurent presque en même temps les mêmes pensées, sauf celles qui concernaient tante Élise, dont la voix s'était maintes fois brisée lorsqu'elle avait raconté sa mésaventure, et qui semblait encore bouleversée par un flot de souvenirs très précis. Carmel n'était pas encore sortie de ce marasme. Et la raison du départ pour la guerre de son grand frère portait le nom de Maureen, selon sa mère. Elle avait de la difficulté à se faire une idée sur les motifs réels qui l'avait incité à s'enrôler, ils différaient sûrement. La photo encadrée d'Alexandre, que sa mère lui avait décrite, trônait sur la petite table du salon des Moisan. Eugénie avait dit à Carmel qu'il avait l'air tellement fier dans son bel uniforme.

Si Carmel et Joseph avaient révélé leurs réflexions durant le trajet au sujet de certains membres de la famille Moisan, ils auraient constaté qu'elles concordaient, à quelques détails près.

L'atmosphère était tendue.

Désarçonnée par la rudesse des propos de son mari, Carmel ne dit rien parce qu'il n'y avait rien à dire: elle s'abîma dans ses pensées.

# Chapitre 22

Le soleil étincelant et généreux diffusait une lumière dorée sur les toits de cuivre des immeubles de Québec quand Joseph, Carmel et Josiane arrivèrent dans la vieille capitale vers la fin de l'après-midi. Ils se rendirent directement à la Basse-Ville, à la Pension Donovan où les attendait Gisèle, la tenancière. Elle était seule lorsque Carmel, son bébé dans les bras, suivie de Joseph pénétrèrent dans la grande maison aux arômes familiers. Carmel avait insisté pour que la première bougie de leur fille soit soufflée dans sa ville natale, Joseph s'était incliné, mais il allait joindre l'utile à l'agréable. Son employeur l'envoyait en éclaireur, en quête de nouveaux clients.

Gisèle les accueillit avec un grand sourire illuminant son visage tout en tendant les bras à Josiane.

— Je veux voir cette demoiselle !

Une effusion de joie s'ensuivit. Josiane se laissa d'abord prendre par Gisèle, qui dut la tendre à sa mère dès que la petite fit la lippe.

— Ne faisons pas pleurer de si jolis yeux ! Savais-tu, Carmel, que Josiane te ressemble comme deux gouttes d'eau ? En plus, elle a ton regard. Cette petite bonne femme, haute comme trois pommes, est mignonne à croquer. Je suis tellement contente de vous revoir. Je ne peux oublier votre passage ici même lors de la naissance de cette charmante jeune fille. Le mois que vous avez passé dans ma maison m'a apporté une grande joie. J'en garde un souvenir inoubliable.

Gisèle, qui était veuve, considérait Carmel comme sa propre fille, elle qui avait été privée des joies de la maternité.

— Que je suis donc incorrigible, je ne cesse de jacasser alors que vous êtes plantés là. Entrez donc et installez-vous confortablement, vous connaissez les airs. Vous êtes les bienvenus.

Carmel ne put s'empêcher de prononcer l'expression consacrée de la logeuse tout en badinant.

— Merci, ma chère Gisèle, la p'tite dame est bien heureuse de vous revoir !

Un grand fou rire les suivit jusqu'à l'intérieur de la maison.

***

Après s'être installés à la pension et avoir changé Josiane, les Courtin, parés de leurs plus beaux atours, arrivèrent chez les Moisan un peu avant le souper. Josiane, qui s'était facilement laissée approcher par Gisèle, se raidit lorsque Eugénie lui tendit les bras. Carmel s'empressa de rassurer la grand-mère peinée.

— Elle est sans doute un peu fatiguée, même si elle a été sage durant le voyage, la route est longue pour un bébé. Et n'oubliez pas que cela fait un an qu'elle ne vous a pas vue.

Eugénie ne tarda pas à rouspéter, son vilain caractère ne s'était pas amélioré avec le temps.

— Comment veux-tu qu'elle se souvienne de moi ? Elle était bébé naissant à cette époque et tu ne m'as pas gâtée de tes visites depuis. Une fois par an, ce n'est pas ce qu'on peut appeler un contact régulier.

Carmel tenta d'adoucir le ton de sa mère tout en se disant qu'Eugénie s'était encore levée du pied gauche.

— Ne vous en faites pas, elle va s'habituer à vous, nous avons du temps pour l'amadouer.

Josiane souffla sa première bougie chez les grands-parents maternels dans la plus grande simplicité, selon l'entente convenue. Au plus fort de la guerre, le moment n'était pas propice aux dépenses folles. Eugénie avait confectionné un gâteau au chocolat avec le peu de sucre qu'elle avait réussi à économiser. Le glaçage barbouilla le petit visage angélique de Josiane. À un moment donné, Carmel eut un regret :

— Quel dommage, nous n'avons pas d'appareil photo, cet anniversaire ne sera pas immortalisé !

Joseph ne trouvait aucun sujet de conversation pouvant intéresser les parents de Carmel. Il fit un effort remarquable pour paraître à l'aise. Il était préoccupé par le comportement de Gilbert, constatant que le garçon avait changé. Bien sûr, il avait vieilli, mais selon Joseph il y avait autre chose, Gilbert ne paraissait pas heureux. Il ne répondait à ses questions que par des « oui » ou des « non » traînants. Eugénie dut intervenir.

— Réponds poliment à Joseph lorsqu'il te parle, jeune homme.

Joseph avait l'impression que Gilbert s'était renfrogné davantage après qu'Eugénie eut intervenu.

— Je ne t'entends pas parler de ton harmonica, Gilbert, est-ce que tu en joues encore ?

Le garçon répondit avec hésitation :

— J'aimerais ça, mais…

Il baissa les yeux, puis déclara :

— Alfred me le défend, il dit que je lui casse les oreilles avec mon « foutu ruine-babines » !

Joseph resta muet de rage. Il s'évertua à combattre son dégoût pour le comportement d'Alfred, ce beau-frère qu'il méprisait et qui, selon lui, était la cause du changement survenu chez Gilbert.

Aussitôt la dernière bouchée avalée, Joseph se leva de table.

— Merci pour le souper, nous devons aller coucher Josiane et l'habituer à sa nouvelle chambre. Nous partons.

Eugénie lui lança un regard de travers mais Carmel s'empressa de sauver la situation.

— Jos a raison, Josiane est fatiguée, nous ne tarderons pas.

Ils gagnèrent la pension vers sept heures trente. Joseph avait quitté la famille Moisan la mine acrimonieuse, car les échanges avec Louis et Alfred, passablement amochés, tournaient toujours au vinaigre. Il s'était retenu de les envoyer paître à plusieurs occasions, par respect pour sa femme. Il était maintenant vraiment charmé de revoir les deux étudiants qui s'étaient, cet été encore, trouvé un emploi saisonnier. Charles poursuivrait sa spécialité en droit criminel à la session d'automne. Philippe avait terminé sa deuxième année en génie et avait toujours l'intention de se diriger vers le civil. Carmel, après avoir parlé brièvement avec eux, s'excusa, invoquant que la route avait été longue. Elle alla mettre sa petite au lit, accompagnée par Joseph. Presque aussitôt que le bébé fut bordé, ragaillardi, il dit à sa femme tout en lui caressant tendrement le ventre à nouveau plein de vie :

— Je descends bavarder un peu. Si tu as besoin de quoi que ce soit, n'hésite pas à venir me chercher.

Carmel l'embrassa tendrement en le remerciant de la rendre si heureuse. Elle lui était reconnaissante de faire tant d'efforts pour elle. Son petit doigt lui disait que son homme avait grand besoin de poursuivre une conversation avec les étudiants, plus intéressante que celle qu'il avait tenue avec les Moisan. En visite, il n'avait livré passage qu'à quelques phrases brèves.

Joseph eut en effet un plaisir fou à discuter avec Charles et Philippe. Lorsqu'il regagna la chambre, il trouva Carmel les yeux grands ouverts, Josiane dormait à poings fermés.

— Tu ne dors pas, ma douce ?

— Je crois que je suis trop excitée.

— J'ai des projets pour demain !

Carmel se redressa dans le lit.

— Ah oui ! De quoi s'agit-il au juste ?

— J'ai des clients à rencontrer, tu te rappelles, Québec est ma ville de prédilection. Tu te souviens d'un certain soir, à la sortie des employées de la manufacture Ritchie ? Un homme n'avait d'yeux que pour toi. Ah ! j'ai dû en utiliser, des ruses, pour te conquérir !

Carmel cloua le bec à son mari d'un baiser sonore. Josiane remua dans son petit lit.

— Je n'oublierai jamais cette balade dans ta superbe voiture. Tu as utilisé une soi-disant ruse qui aurait pu mal tourner, mais… Pour demain, je comprends, tu pourrais me conduire chez mes parents au matin, j'y passerai la journée. Est-ce que cela te convient ?

— Tu lis toujours dans mes pensées ! C'est exactement ce que j'avais envisagé.

Joseph n'avait pas menti, il avait réellement des rendez-vous d'affaires. Cette excuse lui donnait satisfaction, car il lui plaisait d'être éloigné des Moisan. Pourtant, le fait que Carmel soit heureuse de voir sa famille pendant son absence le réconfortait. Elle était impatiente d'être au lendemain, elle avait hâte de côtoyer les siens. Ils avaient tant de choses à se dire.

La nuit fut courte : dès que Josiane émettait le moindre bruit, Carmel s'empressait de la prendre et de la bercer dans ses bras afin qu'elle ne réveille pas les autres pensionnaires. Joseph et elle furent réveillés pour de bon au petit matin par leur fille qui semblait agitée. Ils n'avaient trouvé le sommeil que quelques courtes heures.

Dès qu'elle fut debout, Carmel écarta les rideaux. Baignant la ville d'une lueur rosée, le jour ensoleillé pénétra par l'unique fenêtre de la chambre. Elle se hâta d'habiller Jojo pendant que Joseph se préparait. L'enfant avait faim. La famille se rendit à la salle à manger pour le déjeuner. En apercevant Roseline, Carmel se dirigea prestement vers elle. Elle l'appelait son infirmière privée depuis que celle-ci lui avait prodigué de précieux conseils lors de son précédent séjour à la pension. Roseline, après s'être extasiée devant le bébé qu'elle avait presque vu naître, lui raconta qu'elle travaillait toujours à l'hôpital de l'Enfant-Jésus et s'y plaisait. Elle déplorait de ne recevoir que rarement des lettres de Claude, de ne pas savoir exactement où il se trouvait. Elle allait l'attendre… advienne que pourra. Carmel tenta de l'encourager.

— Il reviendra, ton beau Claude, j'ai un pressentiment positif à son sujet.

Et elle se pencha vers son amie pour lui dire tout bas à l'oreille :

— Et vous aurez de beaux enfants.

Tout de suite après avoir pris son déjeuner et renoué d'amitié avec des gens qui lui étaient chers, Joseph était prêt à déposer sa femme et sa fille chez les Moisan. Gisèle donna un bec en pincette à Josiane et demanda aux parents :

— Est-ce que je vous attends pour le souper ?

— Oui.

— Peut-être.

Gisèle se mit à rire.

— Est-ce oui ou non ?

Carmel et Joseph s'interrogèrent du regard. Elle répondit, devinant le désir de son mari.

— C'est oui.

En mettant les pieds dehors, Carmel leva les yeux vers un ciel limpide.

— Ah ! Qu'il fait beau ! Je t'avais dit qu'il faisait moins chaud à Québec qu'à Montréal !

Elle avait lancé cette phrase volontairement. Son désir de revenir vivre à Québec s'amplifiait lorsqu'elle s'y trouvait.

Si elle avait eu une boule de cristal dans laquelle lire son avenir, jamais Carmel n'aurait autant insisté pour que Joseph la ramène vivre dans sa ville natale. Sa vie à Montréal était paradisiaque en comparaison de tous les mauvais coups du destin qui la menaçaient si Joseph cédait à sa requête. Les événements tragiques qui l'attendaient à Québec risquaient de la détruire, elle et les êtres les plus importants de sa famille. Des innocents paieraient cher le prix de cette toquade.

Joseph lui décocha un clin d'œil coquin.

Il déposa Carmel et Josiane chez les Moisan, embrassa tendrement sa fille et leur souhaita une bonne journée.

* * *

En ce mercredi, Élise prit congé de son travail afin de bénéficier de la présence de Carmel et de son bébé. Eugénie avait suggéré à Carmel de coucher sa petite-fille dans son lit et avait placé des oreillers le long de son corps pour l'empêcher de débouler. Josiane dormait paisiblement, faisant un somme le matin et une sieste l'après-midi. Carmel laissa la porte de la chambre entrebâillée et rejoignit sa mère et sa tante. Les trois femmes se tirèrent une chaise et prirent place autour de la vieille table de cuisine recouverte de la même nappe en plastique délavée et parsemée de brûlures de cigarettes. Élise installa sa machine à rouler des cigarettes sur la table. Elle était nerveuse et ressentait le besoin d'occuper ses mains. Elle sortit son tabac Player's et son mince papier Vogue, roula six cigarettes bien tassées, s'en alluma une et en tendit une autre à Carmel, qui l'alluma grâce à celle de sa tante tout en la complimentant pour cet achat.

— C'est donc de cette merveille que me parlait Mathilde dans sa lettre !

Eugénie se sentit tout à coup embarrassée. Il ne fallait pas que Carmel devine que sa curiosité l'avait poussée à ouvrir la lettre qu'elle avait adressée en réponse à sa sœur. Elle sut dissimuler son embarras. Élise, pour sa part, n'émit aucun commentaire à ce propos. Carmel craignait qu'il soit devenu tabou de parler de Mathilde.

— Comment va Gilbert ? Jos me faisait remarquer qu'hier au souper il semblait un peu mal à l'aise, même fuyant.

Tante Élise mit sa main sur celle de Carmel en la regardant dans le blanc des yeux.

— Je n'ai plus la force de mentir, il est temps pour moi de te dire toute la vérité.

— Faites-vous allusion à Gilbert ?

— Oui. Tu te souviens sans doute de ce que je t'ai raconté lors de ton hospitalisation, à la naissance de Josiane.

— Bien sûr, votre histoire m'a trotté dans la tête. Depuis, je n'ai cessé de me poser des questions.

— Je crois que j'étais sur le point de te parler du moment où j'ai appris que Gilbert était battu par son père supposément biologique. Il était maltraité par ceux-là mêmes qui avaient promis de le rendre heureux. Je suis alors entrée dans une colère noire.

Élise reprit son récit où elle l'avait laissé. Carmel peina à suivre le débit de sa tante, car elle s'exprimait avec beaucoup de difficultés. Elle avait des trémolos dans la voix et respirait par à-coups.

— Je me souviens de cela, intervint Carmel. C'était la raison pour laquelle nous avions pris Gilbert avec nous à cette époque. Maman nous avait convaincus d'être indulgents justement parce qu'il était maltraité. Mais pourquoi parlez-vous d'un père supposément biologique ? Je ne comprends pas.

— Laisse-moi t'expliquer.

— Je m'excuse de vous interrompre, continuez, je vous en prie.

— Eugénie avait usé de son pouvoir de persuasion pour convaincre Arthur d'accueillir Gilbert chez nous. Arthur ignorait qui étaient les véritables parents du garçon.

Elle passa sous silence le refus catégorique qu'avaient exprimé les trois mousquetaires. Elle ne mentionna pas non plus qu'Alfred avait craché par terre pour manifester son dégoût et son désaccord.

— Vous semblez tellement mystérieuse, ma tante, vous m'intriguez au plus haut point !

Carmel n'alla pas plus loin, car sa tante enchaîna :

— Tu te souviens de l'argument qu'avait utilisé ta mère à l'époque pour vous convaincre d'accepter de prendre ce garçon ?

— Oui, je me rappelle un peu ses paroles, elle s'était exprimée à peu près dans ces termes : « Nous ne sommes pas des sans-cœurs, nous lui ferons de la place, à ce pauvre petit. »

— Je l'avais alors suppliée d'agir ainsi. Remémore-toi, Eugénie, que je t'avais promis de rallonger mes heures d'ouvrage. Ce que j'ai fait, d'ailleurs.

Eugénie, se sentant interpelée, intervint :

— Oui, tu as tenu ta promesse, ma chère sœur !

Le regard dévasté, la voix rauque, Élise détacha chaque mot :

— C'est mon fils ! Mon enfant !

N'en pouvant plus de refouler son trop-plein de tristesse, elle éclata en sanglots.

— C'est le bébé qui m'a été enlevé à sa naissance et que je n'ai pas vu grandir ! Cet enfant, ce garçon, est en réalité le mien !

Carmel bondit de sa chaise. Incrédule, elle se laissa ensuite retomber.

— Pardon ? Je peine à suivre votre récit, qui est donc votre enfant ?

— Tu as sûrement fait le lien. Gilbert est mon fils ! Notre fils, au Dr Gilbert et à moi !

Élise venait de déchirer ce silence qui l'avait trop longtemps étouffée.

— Gilbert ! Le jeune Gilbert qui vit ici est votre fils ! Évidemment, je n'en savais rien. Maman, le saviez-vous ? Vous étiez au courant de toute cette histoire ?

Eugénie baissa la tête.

— Ah ! j'étais bien renseignée, ma fille. Et puis je ne regrette aucunement la décision que j'avais prise à l'époque. Tout de même, ce garçon est mon neveu, le fils de ma propre sœur, je ne pouvais en toute conscience agir autrement.

Carmel assimilait, bouche bée, cette révélation.

— Attendez, ma tante ! Laissez-moi reprendre mes esprits. Vous venez de me révéler que le bébé que votre amant vous a arraché des bras à sa naissance est Gilbert, notre petit Gilbert. Je ne me méprends pas, n'est-ce pas ?

Livide, Élise fit une pause. Eugénie mit sa main sur celle de sa sœur, qui ressentit un frémissement. Le reste de la conversation était tellement décousu que Carmel crut un moment qu'elle avait mal compris. La confusion du récit la laissa interdite. Sa tante en avait tellement gros sur le cœur qu'elle défilait le reste de son histoire de façon aléatoire, sans aucun ordre chronologique. Carmel tomba à la renverse en réalisant que le jeune Gilbert était le fils biologique de sa tante. Qu'il avait donc un lien de parenté avec elle! Ces révélations lui allèrent droit au cœur. Intérieurement, Carmel traita le Dr Gilbert d'infâme personnage. Elle se retint de déblatérer contre lui. Si elle l'avait eu devant elle, l'homme aurait passé un mauvais quart d'heure. Ayant l'air de deviner son ressentiment, Élise ajouta du bout des lèvres :

— Ce n'est pas de gaîté de cœur qu'il avait posé ce geste, je ne l'ai compris que plus tard.

Élise reprit contenance avant d'ajouter :

— Les jours qui ont suivi l'arrivée de Gilbert avec nous ont été pénibles. Il criait qu'il voulait retourner chez sa mère, pas chez son père, car l'homme le battait comme plâtre. Tu ne t'en étais pas rendu compte, car tu étais follement amoureuse durant cette période, ma chère Carmel.

Carmel, tétanisée, éprouva un vertige, une angoisse serra sa poitrine. Elle était incapable de rassembler ses idées. Sa tante avait raison, à cette époque, elle se languissait pour son bel ingénieur ; elle était peu consciente de ce qui se passait sous le toit familial, aveuglée par l'amour. Élise ajouta :

— Je te rappelle que Gilbert a une petite sœur, enfin, ce n'est évidemment pas sa sœur de sang. Elle s'appelle Solange, c'est une fillette choyée et adorée par ses parents, qui l'aiment plus qu'ils n'ont jamais aimé Gilbert. Le pauvre garçon se demandait pourquoi l'amour de ses parents était entièrement dirigé vers elle. Il a eu la réponse le soir où il a décidé de retourner chez lui, n'en pouvant plus. Il s'ennuyait tellement de Solange. Cette visite-là, il l'avait longuement planifiée. Il y pensait depuis les fêtes. Le jour de Noël, il n'avait pu retenir ses larmes, il avait trouvé en Joseph un consolateur, mais ton mari était maintenant loin. Vous vivez à Montréal, à l'autre bout du monde.

Carmel laissa son regard se perdre dans le vide, elle remonta dans sa mémoire afin de renouer le fil des événements.

— Je me souviens de cette fois où Gilbert nous avait tellement angoissés, car il était rentré tard. Vous parlez de ce soir-là, quand nous vous avions téléphoné et qu'il n'était pas à la maison ?

L'anxiété que Joseph et elle avaient alors ressentie refit surface.

Eugénie prit le relais, laissant à sa sœur le temps de se ressaisir.

— C'est cela. Vivre parmi nous ne lui donnait aucune satisfaction. Que sait-on des peines secrètes d'un jeune garçon ? Les enfants du voisinage l'insultaient. « Bâtard, lui disaient-ils. Bâtard ! » Gilbert me questionnait : « Qu'est-ce que ça veut dire ? » Il ne comprenait pas. Il disait qu'on ne l'avait jamais traité de bâtard lorsqu'il vivait avec ceux qu'il appelait sa famille. Après que je lui ai donné des explications en pesant mes mots, il a dit qu'il n'était pas un bâtard puisqu'il avait un père et aussi une mère.

Carmel écoutait sa mère avec grande attention. Eugénie fit une légère pause avant de continuer.

— Évidemment, les enfants du voisinage ne le savaient pas. Gilbert n'allait tout de même pas leur dire qu'il avait été retiré de sa famille parce que son père le battait et le maltraitait. Il a su ne pas appartenir à cette catégorie lorsqu'il a appris de ma propre bouche qu'un bâtard était un enfant né de père inconnu. Un homme s'est fait passer pour son père, indigne, mais…

Eugénie se leva. Carmel ne put deviner l'état d'âme de sa mère. Celle-ci fit bouillir de l'eau et offrit aux deux femmes une tasse de thé. Elle revint s'asseoir à sa place et croisa ses bras sur sa lourde poitrine en expliquant :

— C'est moi qui ai réussi à le faire parler. Les mots que Gilbert a prononcés sont gravés dans mon cœur. Je les ai reçus comme un coup de poignard. Nous ne sommes peut-être pas riches, mais en aucune circonstance nous n'aurions maltraité un enfant de cette manière.

Carmel sirota quelques gorgées de thé et se leva. Même si elle avait une forte capacité d'écoute, c'en était trop, elle avait besoin d'une pause. Elle prétexta :

— Je vais voir si Jojo dort toujours.

Elle poussa délicatement la porte de la chambre et l'angelot émit un petit son familier. Carmel se rapprocha, Josiane ne s'était pas réveillée. Elle demeura immobile près du lit. « Comment ai-je pu être aussi aveugle ? Gilbert vivait sous mon toit. Il est le fils de ma tante. Tout s'explique maintenant. Nous avions à peine les revenus nécessaires afin de nourrir notre famille, il y avait donc une bonne raison pour que maman insiste pour que nous prenions ce jeune avec nous. Elle est d'une générosité incontestable, cette qualité compense amplement son mauvais caractère. » Carmel essuya les larmes qui roulaient le long de ses joues.

En voyant réapparaître sa nièce, Élise se demanda si elle devait continuer. La réponse vint immédiatement. Carmel se pencha vers sa mère et lui dit des mots qui la bouleversèrent :

— Merci, maman. Je suis si fière de vous, vous êtes tellement généreuse, vous avez le cœur sur la main.

Ce débordement d'affection mit Eugénie mal à l'aise. Ce que Carmel ne savait pas, c'est que sa mère faisait des efforts surhumains pour se départir de sa dépendance à la morphine. Elle craignait que, si elle affichait un comportement anormal, Carmel ne la laisse plus approcher Josiane. La sortie de prison d'Alfred, qui avait peur d'y retourner, la motivait. Il avait de la difficulté à lui procurer sa drogue. Après cette réflexion, Eugénie dit à Élise :

— Continue ce que tu as commencé, vaut mieux que Carmel sache tout tant qu'à y être. Profites-en donc pour clore cette histoire pendant qu'il n'y a pas d'oreilles indiscrètes.

Élise acquiesça, fixant le mur devant elle.

— Ta mère dit vrai. C'est elle en effet qui a réussi à faire parler Gilbert. À toi de lui raconter, Eugénie.

Pathétique, Eugénie expliqua dans ses mots la scène qu'elle avait vécue avec Gilbert. Il lui avait avoué s'être rendu chez ses parents, car il s'ennuyait de sa mère et de sa sœur. En pleurs, le garçon lui avait raconté que son père avait crié en le voyant: « Va-t'en, tu n'es pas mon fils. » Gilbert avait ajouté que sa mère n'avait rien dit, qu'elle avait fermé les yeux et détourné la tête. Eugénie y alla de sa propre évaluation de la situation:

— C'est la mère qui avait insisté pour que le Dr Béliveau lui trouve un bébé parce que son médecin lui avait dit qu'elle n'aurait pas d'enfants. Elle avait un peu forcé la main de son mari. Le père s'était laissé convaincre. Il avait commencé à détester Gilbert dès que sa femme avait été enceinte. Je ne sais par quel miracle son ventre était devenu fécond d'ailleurs, car le médecin avait confirmé qu'elle était stérile.

Élise enchaîna:

— J'ai déjà vu cela, vous savez. Souvent, les femmes, après une adoption, retrouvent leur fertilité puisque la tension se relâche et facilite la fécondation.

Carmel dit:

— Pauvre vous, qui avez sacrifié votre jeunesse et avez refusé une demande en mariage pour vous consacrer à votre famille. Si vous aviez épousé ce Dr Béliveau lorsqu'il vous l'avait demandé, rien de tout cela ne serait arrivé.

Élise l'interrompit.

— Allons jusqu'au bout. Je ne veux pas m'apitoyer sur mon sort, mais je dois dire que j'ai mené une vie de recluse durant les deux mois qui ont suivi la naissance de Gilbert. J'ai tenté de me consoler en pensant que mon enfant n'irait pas à la crèche et serait élevé dans une bonne famille. J'ai harcelé Gilbert pour qu'il me révèle l'endroit où se trouvait mon fils… en vain.

— C'est atroce et inhumain, ne put s'empêcher de dire Carmel.

La malheureuse poursuivit une fois de plus son récit d'une manière assez décousue.

— Durant les premières semaines de ma grossesse, les nausées matinales m'avaient rendu la vie difficile chez Ritchie. Je quittais souvent mon poste de travail pour me rendre aux toilettes, espérant que mon état ne soit pas dévoilé. J'ai été plus d'une fois saisie de panique lorsque la porte s'ouvrait. Je m'escrimais ensuite à la tâche pour compenser mes absences.

Tante Élise vit une effarante expression de haine se peindre sur le visage de sa nièce confuse et sidérée. Carmel s'enquit sur un ton obséquieux :

— Qui vous a informée de la maltraitance de Gilbert ?

Élise semblait déparler, elle revenait souvent aux événements passés. Une indicible colère durcit ses traits.

— Les semaines après cette terrible séparation, moribonde, je voyais mon petit Gilbert dans tous les carrosses. Les mois suivants, il sautillait au bout de la main d'une femme, criant « maman » à celle qui ne l'avait pas mis au monde. Plus tard, il s'amusait dans les cours de récréation, et ainsi de suite. Je le voyais partout. Partout ! Je l'imaginais à chacun de ses anniversaires, soufflant les bougies sur un gâteau préparé par une étrangère qui n'avait pas souffert des douleurs de l'enfantement et déballant un cadeau offert par ses supposés parents. Des imposteurs !

Élise renifla.

— Vous me brisez le cœur, ma tante ! Vous avez réussi à vivre avec tant de chagrin ? De quelle façon avez-vous eu de ses nouvelles ?

— La chance ou la malchance, c'est selon, a voulu qu'un jour, à la manufacture, une collègue mentionne que l'enfant de sa voisine était sans doute maltraité et qu'elle avait peur de la dénoncer. J'ai sursauté sur ma chaise lorsqu'elle a dit qu'il avait subi plus de coups que d'habitude le jour de son anniversaire. Pauvre gamin, il s'appelait Gilbert et fêtait ses huit ans. Je lui ai demandé de quel jour il s'agissait et j'ai été horrifiée de réaliser que mon Gilbert était né le même jour. Était-ce possible que l'enfant maltraité soit mon fils ?

Carmel se souvint des motifs qu'avait évoqués sa mère pour convaincre les membres de la famille de garder Gilbert avec eux.

— Je croyais que c'était les voisins qui avaient appris que Gilbert était maltraité. Je vous revois sortir de la chambre des parents. Vous vous rappelez ? Vous aviez l'air tellement convaincants lorsque vous avez affirmé que nous le prendrions avec nous, ce malheureux garçon.

Élise reprit immédiatement.

— Je n'étais plus la même lorsque je suis revenue du chalet du lac Sergent après la naissance de Gilbert. Je me sentais toujours dévisagée. « Ils savent ! » me disais-je.

Carmel, dans sa grande naïveté, ajouta :

— Gilbert était maltraité, et même si cela se savait dans le voisinage, personne n'intervenait ?

Eugénie lui donna sa vision des choses :

— Sache, ma fille, qu'on ne dénonce pas un voisin !

— Pardon ?

— La crainte des représailles retient tout être humain qui tenterait de le faire.

Ce principe laissa Carmel perplexe.

— Peux-tu imaginer, Carmel, je n'ai revu mon bébé que huit ans après sa naissance ? J'ai connu Gilbert après huit interminables années de séparation.

— De quelle manière avez-vous réussi à le retirer de cette famille ?

— Mon amant, euh… le Dr Gilbert, avait lui aussi appris, un peu avant que se répande la rumeur, que notre fils était brutalisé. Il avait voulu se racheter auprès de moi en me l'apprenant, mais il ignorait que j'avais découvert qui était cet enfant. Il savait que j'aurais tout fait pour le retirer de cette famille indigne et pour le garder avec moi. Il avait, à l'époque, inventé toute une histoire afin que personne ne sache que Gilbert fût son fils. Il était lui aussi malheureux comme les pierres.

Élise allait et venait nerveusement dans la cuisine tout en discourant.

— Tu peux être certaine qu'il s'est racheté, il m'a offert de m'accorder une allocation que j'ai refusée tant que je serai en mesure de travailler. J'ai quand même ma fierté. J'ai tenu compte du fait qu'il assumait les coûts du chalet pour mon usage personnel. Il m'a promis qu'il couvrirait les dépenses des études de notre fils, le moment venu. Cela, je l'ai accepté.

Personne autour de la table ne commenta. Carmel se retint de vitupérer contre ce cher amant…

— Gilbert, je veux dire le Dr Gilbert, m'a grandement soutenue, il a déployé beaucoup d'efforts et de ruses pour reprendre notre fils. Finalement, les parents ont été d'accord. Ils devaient taire la façon dont le bébé leur avait été donné sinon Gilbert les dénoncerait pour la maltraitance subie par le petit garçon. Il avait même menacé de prévenir la police s'ils n'obtempéraient pas. Gilbert avait risqué gros, car il aurait perdu ses droits de pratique pour ce qu'il avait fait à l'époque si on apprenait sa supercherie. Ç'avait été facile de convaincre les agresseurs, étant donné qu'ils voulaient se débarrasser du petit, le père surtout, depuis que la Providence leur avait accordé une fillette à la voix d'ange.

Tante Élise répéta, pour convaincre les deux femmes sans avoir l'air de radoter:

— Gilbert s'est largement racheté auprès de moi, vous pouvez me croire.

Carmel resta sans mots. À ses yeux, absolument rien ne pardonnait un tel geste. Elle haïssait ce Dr Gilbert.

Une grande plainte de désespoir sortit de la gorge d'Élise:

— Gilbert ne me porte pas dans son cœur. Il me déteste! Je ne comprends pas pourquoi!

Elle tenta de se ressaisir.

— Excusez-moi, la détresse me domine!

Elle continua, tentant de dompter son chagrin.

— Dans les faits, Gilbert n'avait pas été adopté, il avait été inscrit aux registres de la province en tant qu'enfant biologique de ceux qui me l'ont pris à sa naissance. Légalement, il est toujours leur fils. C'est comme si nous le gardions en foyer d'accueil. Je m'occupe de mon fils, mais il ignore que je suis sa mère, que c'est moi qui l'ai mis au monde. Quelle aberration!

Élise tenta de se ressaisir.

— Gilbert risquait sa carrière si la vérité éclatait. Il pouvait être radié à vie du Collège des médecins, de sa profession qu'il aimait tant.

Josiane se mit à crier dans la pièce voisine. Carmel accourut vers le bébé. Elle la lova intensément contre son cœur. Ses yeux se mirent à picoter, elle cligna des paupières.

— Je ne me séparerai pas de toi pour tout l'or du monde, ma petite chérie, je t'en fais la promesse solennelle. Jamais, au grand jamais. Je te le jure! Sous aucun prétexte! Jamais! Jamais! Je t'aime, ma petite chérie.

L'heure suivante fut consacrée aux soins de Josiane.

Le grand secret d'Élise créa une complicité inouïe entre les trois femmes. Carmel se demandait quelle attitude elle prendrait lorsqu'elle serait en face de Gilbert. Il faudrait qu'elle fasse semblant, mais cacher ses opinions et ses sentiments ne lui était pas inné. Elle eut la même réflexion concernant Joseph lorsqu'il vint la chercher pour retourner à la Pension Donovan. Elle serait incapable de feindre devant son mari. Quoique... elle l'avait bien fait pour la note trouvée dans sa poche. Joseph se pencha vers elle.

— Est-ce que je peux me hasarder à te poser une question?

Les muscles du cou de Carmel se tendirent. «C'en est trop, se dit-elle, il a encore réussi à lire dans mes pensées.»

— Bien sûr, que veux-tu savoir?

— Qu'est-ce qui met une ombre dans tes beaux yeux aujourd'hui, ma douce?

Loin d'elle l'idée de lui révéler les confidences troublantes de sa tante.

— Rien, rien.

Carmel ne prononça pas une parole durant le trajet du retour. Joseph la rejoignit dans son silence.

# Remerciements

Ayant d'abord voulu situer cette œuvre de fiction dans un contexte réel de conflit mondial et historique, j'ai inventé des personnages et dramatisé certains événements afin de créer un récit qui puisse séduire le lecteur.

De nombreux collaborateurs m'ont aidée dans mes recherches afin que les événements véridiques soient conformes à la réalité. J'exprime ainsi toute ma gratitude aux personnes suivantes pour leurs judicieux conseils: Jacques Laflamme, M. D., Réal Coulombe, Paul Savard et les archivistes de la Ville de Québec et de Stanstead.

Ma reconnaissance va aussi à mon éditeur, Daniel Bertrand, ainsi qu'à Robin Kowalczyk, membre de son équipe.

Chapeau à mes deux réviseures linguistiques et fidèles collaboratrices Francine Saint-Martin et Dominique Johnson.

Enfin, merci à ceux qui m'ont donné généreusement de leur temps: Pierre Boutet, Monique LaSalle, Frances Higgins, Lili LaRue, Nicole Durand et Françoise Périnet.

MARQUIS
Québec, Canada